HISTORIA DE AMÉRICA LATINA

HISTORIA DE AMÉRICA LATINA

UNA PERSPECTIVA SOCIOLÓGICO-HISTÓRICA
1880-2006

Waldo Ansaldi
Verónica Giordano
Universidad Nacional de Buenos Aires

Sp/ F 1413 .A57 2006
Ansaldi, Waldo.
Historia de America
 Latina :una perspectiva

CRÓNICA DEL SIGLO XX

Dirección editorial
Rebeca Gómez

Director de colección
Jorge Saborido

Editor
José María Fernández

Diseño
Luis Jover

Producción
José María Fernández

© Dastin, S.L.
Parque Empresarial Európolis
c/ M, n.º 9 28232 Las Rozas
Madrid - España
www.dastin.es
info@dastin.es

ISBN 978-84-96410-45-9
Depósito Legal: M-22.415-2006

Reservados todos los derechos. No se
permite reproducir, almacenar en sistema
de recuperación de la información ni
transmitir alguna parte de esta publicación,
cualquiera que sea el medio empleado
(electrónico, mecánico, fotocopia,
grabación, etc.), sin el permiso previo y por
escrito de los titulares de los derechos de la
propiedad intelectual.

IMPRESO EN ESPAÑA - PRINTED IN SPAIN

R03219 62503

CONTENIDO

PRÓLOGO BREVE

Este libro se ocupa de sociedades latinoamericanas durante el período poco más que secular que va desde *circa* 1880 hasta nuestros días. Sin embargo, sus lectoras y lectores no encontrarán ni una historia de todos los países de la región, ni tampoco una en el sentido convencional o más habitual. Nuestra opción —marcada por criterios metodológicos y epistemológicos, más que por limitaciones de espacio físico— ha sido doble: por un lado, elegir cinco problemas —Estado oligárquico, populismo, revoluciones, dictaduras, transiciones a la democracia— que reputamos nodales dentro del período considerado; por el otro, privilegiar una perspectiva analítica sociológico-histórica por encima de la historiográfica.

La primera opción es tributaria de la concepción de la historia-problema, en su momento formulada por ese gran renovador de la historiografía que fue Lucien Febvre, la cual busca en el pasado de las sociedades respuestas a grandes problemas que ellas enfrentan en el presente. Dicho de otra manera, persigue recomponer el conocimiento del pasado en función del presente —que también es historia y objeto de conocimiento histórico (historia del tiempo presente o historia actual)—, sin renunciar al rigor del análisis y sin caer en la tentación de querer explicar hechos y procesos del pasado como si fueran de hoy.

La segunda opción pretende unir, en la explicación, dos lógicas analíticas, la de la historiografía y la de la sociología. Un problema histórico se construye a partir de la lógica de los acontecimientos, incluso de los procesos, acaecidos en determinados tiempo y espacio. Un problema sociológico, en cambio, es generado a partir de un aparato conceptual. De ahí que la estructura y el desarrollo del libro partan de algunos conceptos —oligarquía, populismo, revo-

luciones, dictaduras institucionales de las Fuerzas Armadas, transición a la democracia—, los cuales son aplicados a situaciones históricas concretas, desplegadas en distintos tiempos y espacios. El relato general no sigue, pues, el criterio narrativo cronológico, típico de la historiografía, sino que despliega y analiza situaciones, posibles de ser conceptualizadas, las cuales sí son expuestas según la secuencia temporal en que se produjeron. Pretendemos, así, unir teoría y empirismo.

Por otra parte, la sociología histórica postula la realización de análisis de —según la expresión de Charlea Tilly, uno de los grandes nombres de ese campo de conocimiento— grandes estructuras, amplios procesos y enormes comparaciones. Acotado a nuestro objeto de estudio, hemos procurado atender a ese postulado.

El eje articulador del libro, como se advierte por la enunciación de los problemas elegidos, es la cuestión del poder. Partimos de un supuesto: entre 1804 (independencia de Haití) y 1824 (batalla de Ayacucho), la casi totalidad de los países latinoamericanos, con la única excepción de Cuba y Puerto Rico, terminó con el nexo colonial, declaró su independencia política y comenzó la larga y ardua tarea de construcción de las naciones y los estados, proceso que sólo alcanzaron rápidamente Chile (república conservadora) y Brasil (monarquía), siendo notorio que la constitución del Estado, como norma general, precedió a la constitución de la nación. *Pari passu* el proceso de construcción de un nuevo orden político se desplegó otro, de carácter estructural —y por tanto basamento de él—, el de construcción de unas nuevas economías y sociedades. La economía pasó de la colonial a la capitalista dependiente, sobre todo de la hegemónica del Reino Unido, y la sociedad, del sistema de estamentos al de clases, bien entendido que ambos procesos no fueron lineales. En materia de economía, los grupos sociales dominantes (en proceso de constitución de clase) bregaron mucho más por el establecimiento de condiciones que permitiesen la plena incorporación al mercado mundial antes que por construir un mercado interno. El resultado fue una situación que, aunque con diferente magnitud en cada país, combinó las más modernas formas de producción y relaciones sociales capitalistas con los resabios coloniales. Ese resultado puede ser explicado en términos de *modernización conservadora dependiente, revolución pasiva dependiente* o *modernización de lo arcaico-arcaización de lo moderno*, según se opte hacerlo tomando como referentes a Barrington Moore, Antonio Gramsci o Florestan Fernandes, respectivamente.

Hay consenso en ubicar el final del período de transición de la economía colonial a la capitalista dependiente hacia los años 1880, proceso que en varios países fue acompañado de la constitución de estados modernos, más o menos dotados de los atributos de tales, especialmente la monopolización de la violencia considerada legítima y de la percepción tributaria, lo cual conllevó una cierta definición de las relaciones de dominación de clase, amén de los límites territoriales sobre los cuales ejercer *imperium*. Claro está, ese proceso no se dio en todos los países de igual manera, ni sincrónicamente. Como se dijo más arriba, Brasil y Chile, excepcionalmente, tuvieron estados más o menos conformados ya en las décadas de 1820 y 1830, respectivamente. En cambio, Colombia, México, Argentina y Uruguay prolongaron su respectivo proceso hasta las décadas de 1850 a 1880. En los casos de Bolivia y Perú, es posible argumentar la ausencia

de Estado, en sentido estricto, hasta los procesos revolucionarios iniciados en 1952 y 1968, respectivamente. Salvo en Uruguay, dichos estados se constituyeron bajo la forma oligárquica, con una fuerte exclusión social y política, como se verá en el capítulo I.

Ese punto de llegada del movimiento histórico iniciado con las revoluciones políticas de independencia es el punto de partida de nuestro análisis, tal como hemos de desplegarlo de aquí en adelante. Como hemos dicho, el análisis está centrado en la cuestión del poder. Quedan fuera de tratamiento cuestiones bien importantes, como las luchas interimperialistas por el control de América Latina, terreno en el cual los Estados Unidos fueron desplazando a Gran Bretaña a lo largo de la primera mitad del siglo XX, o las consecuencias que experimentaron —y experimentan— nuestras sociedades latinoamericanas al quedar sometidas a relaciones de dependencia. O el de las luchas de los movimientos obreros y campesinos, o las complejas y decisivas relaciones entre los militares y el poder político civil. O el papel crucial desempeñado por al Iglesia católica…

Es nuestra expectativa que, al concluir la lectura del libro, las lectoras y los lectores no crean haber aprendido qué ha pasado en las sociedades latinoamericanas en el período considerado, sino que hayan podido detectar la importancia de las cuestiones claves analizadas y sientan la tentación de profundizar el conocimiento del proceso histórico, pasado y presente, de ese fascinante subcontinente que es algo más que el espacio del realismo mágico definido por una no menos fascinante literatura.

Waldo Ansaldi y Verónica Giordano

Buenos Aires, febrero de 2006

Capítulo 1

LA DOMINACIÓN OLIGÁRQUICA

La consolidación del Estado oligárquico y de los mecanismos de la dominación político-social oligárquica

Los países latinoamericanos se constituyeron sobre la base de tres matrices sociales, que se correspondieron, a su vez, con sendas unidades de producción económica: la plantación con trabajo esclavista, la hacienda con trabajo semiservil y la estancia con trabajo asalariado. Las tres matrices se sucedieron en el tiempo: la plantación, desde comienzos del siglo XVI hasta la abolición de la esclavitud durante el siglo XIX; la hacienda, desde principios del XVII hasta su desarticulación por los procesos de reforma agraria, en Chile, Perú y Ecuador, tan tardíamente como en la década de 1960; y la estancia, desde finales del siglo XVIII hasta la actualidad. Espacialmente, la plantación se encontraba primordialmente en el Caribe, el nordeste y el centro sur de Brasil (donde se la conoce como *fazenda*), Guayanas, partes de Colombia y la costa de Perú; la hacienda ocupaba desde México hasta el noroeste argentino y Chile central, mientras la estancia estaba restringida al área del río de la Plata, incluyendo Río Grande do Sul. Todo esto ocurrió sin mengua de posibles coexistencias en ambos planos, temporal y espacial. En tales casos, las coexistencias afectaron negativamente los procesos de

La hacienda, junto con la plantación, consituía una de las bases sociales y una de las unidades de producción económica en la América Latina de comienzos del siglo XX.

11

integración social y de construcción nacional y estatal, a la vez que resaltaron el peso del regionalismo —de lo cual buen ejemplo son los casos del noroeste de haciendas y pampa de estancias en Argentina, y del nordeste de plantación y sur de estancias en Brasil.

Plantación, hacienda y estancia tienen un común denominador: la propiedad latifundista de la tierra. Pero tienen, también, diferencias notables: el papel desempeñado por el capital y las formas de organización del trabajo, entre otras. De las tres, la más capitalista y propensa a la democracia es la estancia. Más allá de las diferencias, es posible afirmar que en América Latina la propiedad latifundista de la tierra se constituyó en núcleo de la dominación oligárquica, y de la persistencia de varios de los atributos de la oligarquía en regí-

José Batlle y Ordóñez en Piedras Blancas, 1915.

menes liberal-democráticos y populistas. Un claro ejemplo que ilustra lo antedicho es la vigencia del clientelismo. Por ello, muchas propuestas —fracasadas— de transformación social y política apuntaron a la destrucción de la estructura agraria latifundista: en Argentina, la de Domingo Faustino Sarmiento, en la segunda mitad del siglo XIX, y la del socialista Juan B. Justo en las primeras décadas del siglo XX, ambas basadas en la mediana propiedad de la tierra al estilo *farmer*; y en Uruguay la de José Batlle y Ordóñez, también al inicio del siglo XIX. El caso exitoso de Costa Rica ha sido y es invocado por quienes sostienen la existencia de una correlación positiva entre fragmentación de la propiedad rural y democracia política. El caso de Uruguay es, a su vez, un ejemplo de correlación entre estancia y democracia: no se construyó un orden oligárquico y, aun con sus límites, se sentaron las bases para uno democrático.

El término oligarquía es polisémico y por ello debe ser definido con claridad. En América Latina, ha tenido una notable difusión, por lo general con valoración despectiva. A veces se utiliza para esquivar el incómodo problema teórico e histórico de las clases sociales. En tal sentido, se reconoce la existencia de contradicciones económicas, sociales y políticas, pero ellas se entienden en términos de dos polos —el de la oligarquía y el del pueblo—, a menudo de modo maniqueo —el mal, una; el bien, el otro—. Otras veces, el término designa explícitamente una clase social, terratenientes o propietarios mineros, cuando no una alianza de clases o fracciones de clase, e incluso designa una confusa combinación de clase y de forma de dominación por parte de un mero grupo cerrado de personas o familias. Así, se habla de la oligarquía opuesta a la burguesía, o aliada a ésta o al imperialismo, lo cual ha sido utilizado como argumento para defender la existencia de una «burguesía nacional» antioligárquica y antiimperialista. También se habla de Estado oligárquico como forma diferente y previa de Estado burgués o capitalista.

Para evitar esta polisemia es conveniente definir el concepto: oligarquía no denota una clase social sino una forma de ejercicio de la dominación política. Ella se caracteriza por la concentración y la exclusión de la mayoría de la sociedad de los mecanismos de decisión política. Es fundamentalmente coercitiva y cuando existe consenso éste es pasivo. La dominación oligárquica puede ser ejercida por clases, fracciones, grupos sociales diversos, por ejemplo terratenientes no capitalistas, terratenientes capitalistas, burgueses. Así, la forma contradictoria de la oligarquía como dominación política es la democracia, y no el régimen o Estado burgués o capitalista.

Históricamente, la oligarquía constituyó una forma de ejercicio de dominación política de clase en América Latina, situada entre *circa* 1880 y 1930-1940, aunque en algunos casos —manifiestamente en Bolivia, El Salvador y Perú— prolongada aún más. En términos generales, ello significa que correspondió al período de economías primarias exportadoras, en el cual el motor del crecimiento económico se encontraba en el exterior y dependía de la demanda de las economías industrializadas del centro del sistema capitalista mundial. La dominación oligárquica se ejerció en el interior de sociedades estructuralmente agrarias, fuertemente estratificadas, con prácticas paternalistas que funcionaron en la doble dimensión de transmisión de la dominación central —nacional— sobre los espacios locales y de morigeración del autoritarismo estatal, y de equilibrio entre intereses nacionales y locales.

En estas sociedades estructuralmente agrarias, la plantación, la hacienda y la estancia constituyeron verdaderos patrones microsociales, los cuales tuvieron entidad suficiente para proyectarse en escala macrosocial. En tal sentido, la institución familia constituyó el *locus* inicial de gestación de las alianzas de notables, transferido luego a otras instituciones semipúblicas o de prolongación pública del espacio privado. Tales instituciones eran los clubes de diverso tipo, los «partidos» de caballeros y sobre todo el Parlamento.

La dominación oligárquica no se ejerció en todos los países de igual modo, ni formal ni realmente. En materia de centralización/descentralización de las decisiones políticas pueden hallarse situaciones de: 1) gran descentralización, con fuerte peso de los poderes locales y regionales como principales centros de poder (Colombia, Ecuador, Perú); 2) tendencia a una aparente paradoja: el poder central se reforzó gradualmente por causa y a pesar del refuerzo de los poderes locales (Brasil); 3) tendencia al debilitamiento de los poderes locales y fortalecimiento del poder central (Argentina, Venezuela); 4) primacía temprana y excepcional del poder central (Chile). Un caso diferente es (5) el de Bolivia, donde la denominada Guerra o Revolución Federal encabezada por el Partido Liberal en 1899 significó el desplazamiento de la capital del país de Sucre a La Paz —manifestación en el plano jurídico-político del pasaje de la minería de la plata a la del estaño, lo cual implicó una redefinición espacial (geográfica y social) de la dominación—. Con el triunfo liberal, La Paz, Oruro, Cochabamba (el espacio minero del estaño), articularon un nuevo núcleo de poder concentrado en la primera de estas ciudades, que fue sede de un poder político ejercido de modo oligárquico por un grupo de paniaguados (La Rosca) de un más reducido grupo de propietarios mineros absentistas («los barones del estaño»).

En términos generales, en la dominación oligárquica la concentración del poder en un núcleo pequeño de personas fue muy alta, y el espacio de aplicación de ese poder fue reducido. De ahí la necesidad de articular poder central y poderes locales. Se trata, entonces, de una estructura piramidal en la cual cada nivel disponía de capacidad de dominio altamente concentrado y de alcance limitado y variable, según la posición que ocupaba en tal pirámide y según las sociedades. El vértice podía ser unipersonal —ocupado por tiempo determinado (es el caso de algunos presidentes que ocuparon ese espacio mientras duró su mandato o lo prolongaron mediante reelecciones, como en el caso paradigmático de Porfirio Díaz, en México) o indeterminado, traspasando los límites formales de su mandato (como el general Julio A. Roca, en Argentina, poseedor de una fuerte cuota de poder incluso fuera de su ejercicio institucional)— o pluripersonal, a menudo familiar, en cualesquiera de las formas señaladas (como en el caso de los Aycinena, en Guatemala; los Aspíllaga y los Pardo, en Perú; o los Errázuriz Echaurren, en Chile; los Ospina, en Colombia, o los Meléndez-Quiñónez, en El Salvador). Se trató, siempre, de un *primus inter pares*, que los brasileños denominaban *o grande coronel* o bien *o coronel dos coronéis*. También es posible distinguir mecanismos de sucesión, formales e informales, pacíficos y violentos, estos últimos sobre todo, pero no exclusivamente, en los niveles inferiores.

El proceso que culminó con la instauración de la dominación oligárquica en escala nacional suele ser el pasaje de una situación de dominios oligárquicos provinciales, estaduales o regionales enfrentados entre sí (luchas *inter*oligárquicas) a una situación de confluencia en una única estructura de dominación que se expandió y fue reconocida como tal en todo el espacio geográfico-social del país, lo que hizo desaparecer o, más a menudo, atenuó la lucha interoligárquica, que se convirtió en lucha o conflicto *intra*oligárquico. Este pasaje no fue igual en todas las sociedades, ni se construyó simultáneamente (temprano en Chile, tarde en Bolivia y Perú), pero siempre fue un proceso violento —militar— que concluyó estatuyendo un pacto de dominación —el *pacto oligárquico*—, estructurado de modo muy simple mediante un trípode:

1) representación igualitaria de las oligarquías provinciales, estaduales o departamentales —tal como se expresaba en la composición del Senado—, sin dejar de reconocer la desigualdad real que existía entre ellas —consagrada en los criterios de designación del número de diputados, en los cuales el *quantum* demográfico tendía a coincidir con poderío económico y/o político—; 2) papel moderador del gobierno central, fundamental para el caso de exacerbación del conflicto intraoligárquico; 3) Parlamento, y más específicamente el Senado, como garante del pacto de dominación, e instrumento útil en caso de veleidades reformistas más o menos audaces por parte del Poder Ejecutivo (como se aprecia paradigmáticamente en el caso del oncenio de Leguía en Perú (1919-1930) o en el argentino durante la primera presidencia de Hipólito Yrigoyen (1916-1922), sin excluir la posibilidad de una solución fuera de la institucionalidad política, jurídicamente normada, como la recurrencia al golpe de Estado (como lo ilustra la destitución del presidente peruano Guillermo Billinghurst en 1914), o al asesinato (tal es el caso del boliviano Manuel Isidoro Belzú) o a una combinación de uno y otro (como en el caso también boliviano de Mariano Melgarejo), aunque estos dos ejemplos (de 1865 y 1871) en rigor corresponden al período de pasaje a un único poder oligárquico. En la coyuntura de crisis de 1930, el golpe de Estado fue la vía por excelencia de solución del conflicto entre dominios oligárquicos provinciales, estaduales o regionales enfrentados entre sí.

La construcción de un único poder político central constituyó un efectivo pasaje de una situación de soberanía múltiple a una de monopolización del poder, especialmente en dos de las capacidades fundamentales del Estado moderno: la de monopolizar la violencia legítima y la de monopolizar la percepción tributaria. El proceso que culminó con el pacto de dominación oligárquica se desarrolló *pari passu* y entramado con el avance de la inserción de las economías latinoamericanas en el sistema capitalista mundial *qua* productoras de materias primas e importadoras de capital y manufacturas, según los parámetros de la teoría de las ventajas comparativas, que estatuyeron relaciones de dependencia o, según la conocida expresión de Tulio Halperin Donghi (1993), «el orden neocolonial». En todo caso, hubo un rico y complejo proceso de dialécticas internas y externas que redefinió la totalidad de las relaciones entre clases a escala nacional, a escala de las sociedades latinoamericanas y a escala internacional. El pacto oligárquico resolvió el problema en el interior de los países, convirtiendo a algunas clases —ellas mismas también en proceso de reestructuración— en dominantes, mientras en el plano de las relaciones entre las clases dominantes europeo-occidentales y norteamericanas y las clases dominantes latinoamericanas, estas últimas fueron, en rigor, dominantes dependientes.

El proceso puede ser analizado y explicado mejor en términos gramscianos de revolución pasiva dependiente, síntesis de cambios y continuidades, de transformaciones en las permanencias, simbiosis de economía capitalista y economía y comportamientos sociales no capitalistas, o de revolución y restauración. La revolución pasiva que protagonizaron las clases dominantes latinoamericanas tuvo componentes que fueron más allá de lo estrictamente político-estatal, resuelto en el modo de dominación oligárquica, que definieron imaginarios sociales y símbolos, como también comportamientos colectivos, sintetizables en la expresión *modo de ser oligárquico*, donde la frivolidad fue una nota distintiva, como lo fueron también la posesión y el uso de ciertos valores fundamentales: el apellido, el ocio, el dinero, la raza. La dominación oligárquica fue entonces una red tendida vertical y jerárquicamente, que combinó centralización y descentralización entre grupos dominantes de diferente alcance (nacional, regional, provincial o estadual o departamental, local), clientelismo y burocracia, con mecanismos de control intraoligárquico que respondían a ese modo de ser.

El clientelismo político fue, si no la forma paradigmática, una de las más importantes que hicieron a la durabilidad y continuidad oligárquica. Fue también un factor clave para entender el difícil proceso de expansión de la democracia política en América Latina y, consecuentemente, de pasaje de la condición de súbditos —titulares de deberes— a la condición de ciudadanos —titulares de derechos y de deberes.

Históricamente, el clientelismo se instituyó en el siglo XIX como mediador entre los poderes locales y el poder central en los procesos de constitución de los estados, pero deben buscarse sus antecedentes en el ordenamiento patrimonial propio de las sociedades coloniales. Este ordenamiento se fundaba en un intercambio por el cual el monarca concedía a sus súbditos la administración de parte de su patrimonio particular y los así favorecidos se comprometían personalmente. A partir de la desarticulación del orden colonial, se produjo la emergencia de jefes políticos locales, seguidos de cambiantes clientelas, que buscaban apoderarse del gobierno para asegurar y expandir su dominio personal reproduciendo la relación patrimonial.

El caciquismo y el clientelismo político quedan bien reflejados en esta estampa titulada La compra del voto, *de José Malhoa.*

Como resultado de lo anterior, desde el inicio de la constitución de los estados independientes se dio una confusión del espacio público y del espacio privado. Pasado el período de luchas entre jefes locales de las primeras décadas del siglo XIX, se logró reconstruir la cabeza patrimonial en el Estado oligárquico. La lógica de yuxtaposición de la esfera privada y pública y de concesión de favores y recompensas, típica de etapas anteriores, siguió funcionando en la etapa de dominación oligárquica y el Estado apareció como distribuidor de prebendas.

Dado el carácter estructuralmente agrario de las sociedades latinoamericanas, es comprensible que el mecanismo de dominación clave del Estado oligárquico haya sido el clientelismo, cuyo origen típicamente rural debe rastrearse en las relaciones establecidas entre terratenientes y campesinos en el seno de la hacienda. En el ámbito rural, el clientelismo se caracterizaba por ser una relación de entrelazamiento múltiple, en la cual los intercambios económicos, de parentesco, de amistad y de vecindad se entrecruzaban y fortalecían la relación social, puesto que no dependían de un único tópico —el dinero, la sangre o la solidaridad—, y al mismo tiempo la debilitaban, dado que todos y cada uno de esos ámbitos de interés se veían inmediatamente afectados cuando surgía una falla en uno de ellos. En líneas generales, el clientelismo trababa relaciones diádicas, entre dos personas o dos grupos, cuya característica fundamental era la desigualdad del cliente frente al patrón. Todo esto imprimía a la relación un carácter inflexible, vertical y asimétrico, aunque también la volvía una relación de mutua confianza, fidelidad y comprensión y no (explícitamente) coercitiva.

En la década de 1960, los teóricos de la modernización interpretaron que el clientelismo era un fenómeno propio de los sistemas políticos tradicionales que tendía a desaparecer en la medida que hubiera un mayor desarrollo de una burocracia autónoma y autorregulada. Para otros estudiosos se trataba de un fenómeno tradicional que convivía con y en las instituciones modernas. Desde posiciones ligadas al marxismo, en cambio, el fenómeno era interpretado como un obstáculo para el desarrollo de organizaciones y conciencia de clase entre los dominados, y caracterizado como un mecanismo de dominación sutil que opacaba su carácter coercitivo y hacía aparecer el vínculo entre el patrón y el cliente como voluntario, de cooperación y de tipo personal. Más allá de las diversas interpretaciones, no hay dudas de que el clientelismo era una relación de poder, siempre asimétrica, en la que el objeto de intercambio no eran sólo bienes materiales sino sobre todo beneficios políticos. En uno y otro polo de tal relación había sujetos dominantes y sujetos dominados que no necesariamente eran, al mismo tiempo y en el mismo sentido, sujetos explotadores y sujetos explotados.

Según una de las definiciones clásicas de la sociología, la de Max Weber, la dominación es un estado de cosas por el cual una voluntad manifiesta (mandato) de los dominadores influye sobre los actos de otros (los dominados), de tal suerte que en un grado socialmente relevante estos actos tienen lugar como si los dominados hubieran adoptado por sí mismos y como máxima de su obrar el contenido del mandato (obediencia). En este sentido, la dominación se distingue de la fuerza y de la pura violencia, puesto que ella supone la creencia en cierta legitimidad. Dicho esto, es evidente que no hay forma de dominación durable que no reivindique para sí criterios de legitimidad. Además, la dominación supone el control de ciertos recursos sin los cuales el polo dominante fracasaría en su pretensión de ser obedecido. Estos recursos varían según el tipo de dominación que se establezca y determinan así formas de autojustificación diferentes. Las que Weber definió para cada uno de los «tipos ideales» de dominación que estudió pueden servir para caracterizar el clientelismo: a la dominación tradicional, la dominación carismática y la dominación burocrático-legal, les corresponde principios de legitimidad basados en la tradición, el carisma y las normas estatuidas, respectivamente.

Puesto que los «tipos ideales» no se encuentran en estado puro en la realidad, se entiende que el clientelismo, en tanto mecanismo de dominación, reivindicara para sí principios de legitimidad que se apoyaban, a veces más y otras menos, tanto en la tradición y el carisma como en las normas legales, según el tipo de sistema y régimen políticos vigentes. Así, la lógica de legitimación del clientelismo actuaba de forma conjunta a la lógica del sistema y del régimen y era funcional para su reproducción.

En definitiva, el clientelismo es un fenómeno político que se caracteriza por ser una relación de poder asimétrica, basada en el intercambio de apoyo político por beneficios privados. Es una relación cara a cara fundada en la autoridad personal del patrón y en su carisma. Es una relación pragmática que tiende a la reproducción del sistema político en tanto los individuos que recurren a ella ven satisfechas ciertas necesidades. Fuera del ámbito rural, donde el fenómeno tuvo sus orígenes, el clientelismo conserva la dimensión «cara a cara», evolucionando hacia un tipo de vínculo ya no entre personas sino entre sujetos sociales colectivos y organizaciones corporativas (tales como los sindicatos, los partidos políticos, etc). La característica «cara a cara» se establece ahora entre el mediador o representante de tal o cual organización y el cliente. Esto permite suponer que el elemento personal nunca está ausente de las relaciones clientelares, aun en los casos en que estas relaciones se vuelven más complejas e inestables y por ende menos duraderas, como sucede en el caso del clientelismo de «mediación organizativa».

El clientelismo adoptó formas históricas particulares, relacionadas con las especificidades de los procesos históricos de cada espacio nacional y con las características comunes al ejercicio de la dominación en el contexto del Estado oligárquico. El caciquismo en México, el gamonalismo en Perú, el huasipungo en Ecuador, el coronelismo en Brasil, el inquilinaje en Chile, fueron algunas de esas formas. En todos estos casos, se trató de una dominación celular asentada en una compleja red de relaciones sociales delineada por la hacienda. En efecto, la hacienda fue la unidad productiva donde se estructuró la relación de dominación económica entre el campesino (cliente) y el terrateniente (patrón), entre los cuales mediaban diversas formas de contratos, la mayoría de las veces no explícitos. Como se dijo antes, la hacienda fue una microsociedad que se proyectó en escala macrosocial: no fue sólo una unidad productiva sino también una unidad de control social y político, y el clientelismo, un mecanismo predilecto.

En efecto, las relaciones en el interior de la hacienda no eran sólo económicas, ni mucho menos exclusivamente de explotación. En algunos casos, la díada explotador/explotado se presentaba más asociada al binomio patrón/cliente (tales son los casos del gamonalismo y del caciquismo), mientras que en otros, esta asociación era más compleja (como lo ilustra el coronelismo). A diferencia de una relación de explotación, centrada en la extracción de plusvalía, el clientelismo se asentó sobre la concesión de acceso privilegiado a los bienes y servicios escasos que monopolizaba el patrón a cambio de beneficios políticos. En suma, la explotación está en la base del clientelismo, pero no es suficiente para definirlo como tal.

El caso del coronelismo es particularmente interesante. El coronel era el hacendado o dueño de una plantación que después de la abolición de la esclavitud, y según la región, ocupaba mano de obra fundamentalmente mediante la forma de colonato[1]. Pero el coronel no era sólo el protector de los colonos que vivían en su hacienda. Su clientela se completaba con los agregados, *posseiros, capangas, jagunços* y una serie de sujetos que dependían de él, a los que no lo ligaba necesariamente una relación de explotación[2].

El gamonalismo es el caso en el que mejor se observa la coincidencia entre explotación y clientelismo, aunque este fenómeno no se agota en el primero. El gamonal era el propietario mediano o pequeño de la sierra del territorio sur peruano[3]. La sierra del sur de Perú no estaba inserta de modo directo en el mercado externo —sus haciendas eran las más tradicionales y atrasadas y producían para el abastecimiento del mercado interno—. El gamonal basaba su explotación en el sistema de colonato, por el cual los campesinos poseedores (*runas* o *yanaconas*) trabajaban las tierras del propietario (*misti*). Éste brindaba protección frente al Estado (cargas fiscales, leyes del ejército) y proporcionaba productos imprescindibles pero escasos (aguardiente, alcohol, coca, medicamentos e instrumentos de labranza) a los campesinos, quienes en retribución realizaban servicios personales en la casa del patrón o tareas especiales, como el transporte de lana. Estos intercambios, además, estaban atravesados por relaciones de parentesco y paternalismo que contribuían a la función de legitimación de la relación de dominación. Cabe remarcar que los gamonales, a diferencia de los grandes propietarios terratenientes blancos y ausentistas de la sierra, en general eran indígenas o mestizos que vivían en la hacienda y que estaban culturalmente cerca de sus clientes, ya sea por idioma, religión, vestimenta, costumbres o compadrazgo, todo lo cual volvía a la relación compleja y contradictoria.

---

[1] Durante la colonia fueron creadas las compañías de ordenanzas, institución de clase que actuaba, como fuerza militar auxiliar constituida por civiles socialmente subalternos, en situaciones conflictivas. Por otra parte, y de manera permanente, esos hombres trabajaban colectivamente en servicios tales como la apertura, mantenimiento y reparación de carreteras. La institución era, así, intermediaria entre el poder público y el poder privado de los grandes propietarios. En 1831, el Imperio las incorporó a la Guardia Nacional, deviniendo instrumento de dominación política controlada por el poder central. Los jefes políticos municipales o regionales —a menudo, pero no exclusivamente, grandes propietarios de tierras— fueron conocidos, así, como coroneles, ejerciendo un fuerte y rígido control sobre sus dependientes. La República heredó y mantuvo el sistema, del que hay aún resabios.

[2] *Posseiro*: campesino ocupante de tierras ociosas; *capanga*: matón al servicio de quien le paga; *jagunço*: originariamente designaba a los seguidores de Antônio Maciel, *O Conselheiro*, en la campaña o guerra de Canudos, extendiéndose su uso, luego, para nombrar a los guardias de seguridad contratados por los *senhores de engenho* y *fazendeiros* nordestinos, grandes terratenientes. Sin embargo, algunos autores —en particular, Rui Facó— llaman la atención sobre la necesidad de distinguir claramente entre *capanga* y *jagunço*: el *capanga* apareció durante la ocupación del interior del país, en el período colonial, recibiendo ese nombre el hombre contratado por los grandes propietarios de las nuevas tierras ocupadas para defenderlas de los indígenas y los cimarrones (esclavos fugados y reunidos en *quilombos*), a menudo ocupantes previos y desalojados de esas mismas tierras. Empero, las funciones de los *capangas* fueron más allá de la acción defensiva, siendo utilizados por sus patrones para atacar a las propiedades y los propietarios vecinos, amén de otras, económicas, en el interior de la propiedad de su patrón, es decir, una relación de explotación. El *jagunço*, en cambio, según Facó, no era un morador de favor ni estaba sometido al trabajo en la propiedad. Los *jagunços* actuaban colectivamente, desafiando el sistema de poder local. En cuanto a su origen social, *capangas* y *jagunços* eran pobres del campo, partícipes de la misma forma de sobrevivencia. Los que se rebelaban formaban las bandas de *jagunços* o *cangaceiros*.

[3] El término viene de gamonito, una planta parásita desarrollada en las raíces de los árboles y perjudicial para sus frutos.

El caciquismo es un caso relativamente original por sus aristas político-electorales. En su articulación con las instancias de poder centrales, el caciquismo se ubica a mitad de camino entre el gamonalismo y el coronelismo. Los caciques eran intermediarios políticos entre los sectores poderosos del modo de producción capitalista predominante y los sectores dominados y explotados económicamente. Después de la Revolución de 1910, desaparecieron los antiguos caciques pero no el caciquismo como mecanismo de dominación personal e informal de ejercicio del poder político al servicio de los intereses de alguna facción. Estos nuevos caciques, terratenientes expropiados devenidos comerciantes o caudillos revolucionarios, monopolizaron el control político local en estrecha relación con el poder central. El caciquismo o clientelismo mexicano ha sido, desde mediados del siglo XX, un articulador clave del sistema político. Particularmente desde la conversión del Partido Nacional Revolucionario en Partido Revolucionario Institucional (PRI), se basó en el intercambio asimétrico de bienes y servicios de los gobiernos locales y nacional a cambio de votos para el partido oficial. Además de la compra lisa y llana del voto, en el sistema político mexicano se observa un fuerte sesgo electoralista en el hecho de que, aún hoy, es posible identificar las políticas públicas con un partido o incluso un dirigente en particular.

En cuanto a la dimensión electoral, el coronelismo también se basaba en el intercambio de favores políticos entre los jefes locales y los poderes municipales, estaduales y nacionales. Durante la *República Velha* (1889-1930) aumentó el número de electores y con ello la capacidad de negociación de los coroneles locales frente al poder central. Los coroneles intercambiaban ayuda financiera para su continuidad en el poder a cambio de los votos que ellos controlaban. A su vez, el voto era un bien de intercambio que los clientes utilizaban como instru-

Plutarco Elías Calles, fundador, en 1929, del Partido Nacional Revolucionario, antecesor del PRI (Partido Revolucionario Institucional).

mento de negociación frente a los coroneles. Sin embargo, cabe señalar que la extensión de la ciudadanía política en el Brasil republicano era relativa, fundamentalmente por la continuidad del voto restringido a mujeres y varones alfabetos, persistente hasta 1988.

La dimensión electoral estaba ausente en el caso del gamonalismo peruano, pero esto no significaba que los intercambios entre patrones y clientes no revistieran carácter político. Como ya se ha dicho, uno de los mecanismos de ejercicio de la dominación oligárquica fue la representación igualitaria de las oligarquías locales en el Senado, que actuaba como garante del pacto de oligárquico. El gamonalismo era la institución primordial que permitía a las oligarquías de la Sierra Sur ejercer control social efectivo sobre la población y así reproducir su

Tras la Revolución Mexicana de 1910 desaparecieron los antiguos caciques, pero no el caciquismo como forma de dominación.

poder local y proyectarse en el ámbito nacional.

De este modo, gamonales, caciques y coroneles fueron los sujetos de la forma oligárquica de ejercicio de la dominación política, en la cual la limitación efectiva —aunque no siempre legal— de la ciudadanía es un dato clave. La dominación oligárquica invocaba como principio de legitimación a la democracia liberal, pero en la práctica esa invocación no se realizaba y convivía con otros recursos de legitimación del orden, como lo eran los propios del clientelismo (corrupción, fraude, violencia física y simbólica).

Los sectores dominantes, propietarios, intelectuales y militares optaron por el liberalismo, pero sólo lo practicaban en el plano económico, mientras que en el plano político (y en el ideológico y cultural también) ese liberalismo era desplazado por otros valores provenientes del positivismo. De ahí que las primeras formas de reacción antioligárquica aparecieron casi invariablemente como reivindicación del derecho al ejercicio del sufragio, es decir, como demanda de democracia política. En estas situaciones, las clases involucradas se mostraron estructuralmente débiles. Los sectores dominantes exhibieron el horror burgués por la movilización de las clases subalternas y su eventual desborde e incontrol, de lo cual buena prueba había sido la rebelión de Túpac Amaru y Túpac Katari (1780-1782) y, sobre todo, la revolución haitiana[4]. Fue precisamente la condición de subalternidad de las clases subalternas la que obstaculizó procesos de revolución desde abajo y, en términos generales, el conflicto se resolvió a través de procesos de modernización conservadora o revolución pasiva, con su corolario de políticas «transformistas» destinadas a

---

[4] En la colonia francesa de Saint-Domingue, en la parte occidental de la isla La Española, los esclavos afroamericanos se rebelaron en 1791, demandando la aplicación de los principios revolucionarios de 1789: libertad e igualdad. La lucha se prolongó hasta finales de 1803, proclamándose la independencia el 1 de enero de 1804, adoptando el país el nombre de Haití. Fue, así, el primer país latinoamericano independiente. El radicalismo de la rebelión y el fuerte ejercicio de la violencia sobre la minoría de plantadores blancos actuaron como alerta para los grupos criollos de las colonias españolas con aspiraciones de alcanzar el poder, especialmente en las áreas de plantación, en tanto mostraba el grado de tensiones sociales y el potencial peligro que implicaba la politización de esclavos e indígenas. Simón Bolívar fue uno de los primeros en advertirlo, moviéndole a no extender la lucha por la independencia a Cuba y Puerto Rico.

descabezar a las clases subalternas en aquellas situaciones en las cuales éstas generaron propuestas consideradas potencialmente peligrosas.

En México, la dominación oligárquica llegó a su fin con el proceso de revolución social iniciado a finales de 1910. Se trató de un proceso muy singular en varios sentidos influyente, en el que cabe destacar la sanción de la Constitución de 1917 y la Ley de Relaciones Familiares que reconocían —aunque no en todos los casos se pusieron en práctica— derechos de ciudadanía civil, política y social para las mujeres. En Argentina, la ley Sáenz Peña de 1912 permitió una resolución pacífica del conflicto con el inicio de un proceso de democratización que instituyó el sufragio universal, aunque excluyente de «la mitad más bella» de la población. En el resto de América Latina, la dominación oligárquica se prolongó más tiempo. En algunos casos se resolvió por una vía claramente violenta, como en la Revolución del Treinta, de carácter político, en Brasil, donde las transformaciones implícitas en la Constitución de 1934 —excepcionalmente inclusiva de la mujer en materia de ciudadanía política y social— se truncaron en 1937 cuando Vargas instauró el *Estado Novo*. Otro caso paradigmático de resolución violenta del conflicto fue la Revolución Nacional Boliviana, en 1952, de carácter social. En Chile, Perú y Ecuador la disolución de la dominación oligárquica fue más tardía, bajo la presidencia del democristiano Eduardo Frei, la Revolución Peruana liderada por el general Francisco Velasco Alvarado y el reformismo militar encabezado por el general Guillermo Rodríguez Lara, respectivamente, los tres en la década de 1960.

En contraste, cabe recordar nuevamente que Uruguay constituyó, otra vez, una excepción, puesto que no conoció la dominación oligárquica y, consecuentemente, accedió tempranamente a la ampliación de la ciudadanía, primordialmente social. El «primer batllismo» abarcó el período 1903-1916 y fue un proceso «desde arriba» (desde el Estado y el Partido Colorado) liderado por José Batlle y Ordóñez. Las reformas pueden agruparse en seis grandes campos: económico, social, rural, fiscal, moral y político, entre las que se destacaron respectivamente la nacionalización o estatización de empresas y el fomento de la industrialización mediante una política proteccionista; el apoyo al movimiento obrero y el otorgamiento de una legislación social protectora y favorable a los trabajadores, a los desocupados y a los pobres; tecnificación y transformación del sector agropecuario y la promoción alternativa de «un país de pequeños propietarios»; incremento mayor de los «impuestos a los ricos» y menor de los impuestos al consumo; búsqueda de un «hombre nuevo» mediante el incremento de la educación y la emancipación de la mujer; la organización de los partidos y la propuesta del colegiado como garantía contra la tiranía. Dentro del «primer batllismo», al *impulso* (1903-1916) le siguieron la *república conservadora* (1916-1929) y el *segundo impulso reformista* (1929-1933).

La eficacia del positivismo o la contundencia de la consigna «orden y progreso»[5]

Hacia finales del siglo XIX ya estaban establecidos los estados bajo la forma oligárquica, al tiempo que era urgente definir la nación, precisar inclusiones y, sobre todo, exclusiones. En ese contexto, los intelectuales se apresuraron a encontrar fundamentos y legitimaciones. El pensamiento positivista de comienzos del siglo XX fue el campo de reflexión a partir

---

[5] Este punto y el siguiente exponen en versión abreviada lo desarrollado en Funes y Ansaldi (2004).

del cual se elaboró el núcleo duro de las proposiciones racialistas que sirvieron a dicho objetivo. Se impuso la reflexión acerca de «las multitudes», del «pueblo», de la «nación» o el «alma nacional», en un contexto en el que la sociedad se volvía cada vez más compleja y en el que aparecían sujetos sociales que impugnaban el orden de cosas vigente. Concretamente, el problema del control social o, en la frase de la época, de la «cuestión social» se puso en el centro de las especulaciones. La fuerte tensión entre una «dinámica» económica y el ingenuo deseo de una «cinética» social, cristalizó en el emblemático «orden y progreso».

El *racialismo* fue la cualidad legitimadora pseudocientífica de la matriz de los estados oligárquicos. Proyectó un discurso que se hizo sentido común y se erigió en una de las explicaciones plausibles en momentos de conflicto. Se hizo sentido común porque apareció ligado al discurso de las clases dominantes, a la cultura política y a las propias prácticas sociales; y también porque, en ocasiones, se volvió fuente de interpretación del conflicto incluso por parte de los sujetos que lo padecían.

Mientras que el racismo remite a un comportamiento o actitud, el racialismo alude a una ideología, a un conjunto coherente de proposiciones, propio de la modernidad occidental que llegó al paroxismo en Europa occidental a mediados del siglo XX. Los presupuestos del racialismo como doctrina eran: la existencia de razas y la preeminencia de unas sobre otras; la continuidad entre lo físico y lo moral y la sobredeterminación de la biología sobre la cultura; la acción del grupo sobre el individuo; una jerarquía única y etnocéntrica de valores, y una política fundada en el saber. Este último rasgo era la clave de bóveda de la relación entre poder y biología o entre poder y ciencia. Estos presupuestos se presentaban como una descripción del mundo, posible de ser comprobada en los hechos. A lo cual se sumaba el compromiso con una política capaz de colocar al mundo en armonía con dicha descripción. El racialista establecía los hechos, y extraía de ellos un juicio moral y un ideal político. Así, el racialismo y el racismo confluyeron y la teoría dio lugar a la práctica.

La ideología positivista planteaba una interpretación verosímil de la realidad social articulada con aquellas interpretaciones derivadas de las instituciones educativas, jurídicas, sanitarias o militares. Los escritos de Le Bon, Nordau, Lombroso, Ferri, Taine, Letourneau y Spencer tuvieron gran influencia en la época. En el positivismo, la sociedad era vista como un organismo, y el dato fatal para definir ese organismo era la constelación racial, complementada con la influencia del medio físico.

La preocupación por objetos tales como la «multitud» o el «pueblo» llevó a plantearse no sólo los obstáculos y frenos a la modernidad, sino, principalmente —por contraste—, el carácter de las elites dirigentes y la justificación de la legitimidad de las mismas. Fue un planteamiento que remitía a una evaluación del pasado de esas sociedades desde las crisis de independencia. La construcción de historias nacionales y la sanción casi definitiva del pasado «oficial» se constituyó en una tarea perentoria.

La unidad de las ciencias bajo la hegemonía de las ciencias naturales fue un supuesto del positivismo filosófico. En este sentido, el paradigma científico llevó a la hermenéutica raciológica a dos operaciones básicas: la clasificación y la jerarquización. Se naturalizaron y proyectaron las diferencias históricas y sociales en el horizonte de una naturaleza imaginaria, en la que se suponía existían una animalidad y una humanidad. Esta última era la del europeo blanco del norte (del que la población norteamericana fue considerada un apéndice), que nunca terminaba de definirse en sus rasgos de realidad más allá de metafóricos tipos ideales.

Las elites políticas e intelectuales «blancas» intentaron definir «sociológicamente», de manera eugenésica, al «otro» étnico, social y cultural. Ese «otro» fue delimitado, desde el comienzo, como problema: «problema indígena», «negro» o «inmigrante».

Esas definiciones se observan en las obras del boliviano Alcides Arguedas (*Pueblo enfermo*), el peruano Francisco García Calderón (*Las democracias latinas en América* y *La creación de un continente*), los argentinos Carlos Octavio Bunge (*Nuestra América*), Ricardo Rojas (*La restauración nacionalista* y *Blasón de Plata*) y José Ingenieros (*Las fuerzas morales*) y el cubano Fernando Ortiz (*Los negros brujos* y *Entre cubanos*). Es bien revelador que la primera edición de varios de estos trabajos haya sido realizada en Europa y cada texto llevara un respectivo prólogo relatado por algún intelectual europeo de prestigio. Así, *Nuestra América* y *Pueblo enfermo* se publicaron en Barcelona y fueron prologados por Rafael Altamira, el primero, y Ramiro de Maetzu, el segundo; el libro de García Calderón apareció en París, en francés, y su prologuista fue Raymond Poincaré; *Los negros brujos*, en Madrid, con prólogo de Cesare Lombroso, y *Entre cubanos. Psicología tropical*, también en París.

El largo listado de títulos de escritos emblemáticos incluye, por ejemplo: *Manual de Patología Política* (1889), del argentino Juan Álvarez; *Continente enfermo* (1899), del venezolano César Zumeta; *Enfermedades Sociales* (1905), del argentino Manuel Ugarte; *Pueblo Enfermo* (1909), del boliviano Alcides Arguedas; *La enfermedad de Centroamérica* (1912), del nicaragüense Salvador Mendieta, *O parasitismo social e evolução na América Latina* (1903), del brasileño Manoel Bonfim, o *Nuestra inferioridad económica: sus causas, sus consecuencias* (1912), del chileno Francisco de Encina.

Para los positivistas —pero no sólo para ellos—, los pobladores autóctonos del continente fueron siempre *indios*, no aborígenes, indígenas o pueblos originarios. Sólo muy excepcionalmente —como en los casos de quechuas y aymaras— fueron llamados por su denominación original. La vieja carga despectiva que la expresión había tenido desde la época de la conquista adquirió nuevo significado, con un sentido aún más negativo que antaño. Por lo demás, los autores citados no hicieron más que ratificar —en clave presuntamente científica— los prejuicios originales de los españoles del siglo XVI, comenzando por los del brutal Gonzalo Fernández de Oviedo, uno de los primeros en calificarlos como gente naturalmente «ociosa e viciosa e de poco trabajo e melancólicos y cobardes, viles y mal inclinados, mentirosos e de poca memoria e de ninguna constancia». También el mestizo fue considerado despectivamente. En el momento de la coronación del proceso de formación estatal, al caracterizar al mestizo, la mayoría de los positivistas retrocedió visiblemente respecto de las posiciones de los grandes dirigentes de la independencia, quienes tendían a exaltarlo.

En cuanto al «problema negro», se asumió que el negro era la contraimagen —el negativo— del blanco y, por ende, portador de todas las lacras y miserias humanas. Los positivistas de cuño comteano tenían una visión radicalmente diferente y opuesta a la de sus pares spencerianos: siguiendo a su mentor francés, consideraban a la «raza negra» —al menos en teoría, casi nunca en la práctica— superior a la blanca, en tanto era portadora de la primacía del sentimiento sobre la razón. El positivismo comteano —muy arraigado en la sociedad brasileña del siglo XIX— reivindicaba otro sujeto social generalmente excluido, tanto en la teoría como en la práctica: la mujer. Ella era encumbrada simbólicamente como madre de la patria. En la escala de valores positivistas se ponderaba la humanidad, la patria y la familia. La mujer representaba idealmente los tres estadios como madre de la nación, lo cual le asignaba un rol primordial en el ámbito privado del hogar y una inclusión casi

Monumento a José Martí, Nueva York.

nula en el ejercicio de las libertades públicas.

El cuadro se completa con el «problema inmigrante», propio de Argentina, Uruguay y sur de Brasil, donde la inmigración de europeos fue concebida como una doble solución: a la escasez de fuerza de trabajo y a la necesidad de «mejorar la raza» y extirpar el componente indígena de las poblaciones latinoamericanas (la denominada «solución vacuna»). En otros países —como en Perú— la inmigración no pasó de una propuesta de algunos intelectuales. Pero en Argentina, donde tuvo más éxito y fue política estatal, hacia los años del centenario de la Revolución de 1810 comenzó a ser cuestionada y en su lugar apareció una nítida y creciente xenofobia, que hizo de los inmigrantes el equivalente «indio», «mestizo» o «negro» de otras sociedades y provocó una curiosa e inesperada revaloración del criollo —de la cual buen ejemplo, entre otros, es *Segundo Sombra* (1926), de Ricardo Güiraldes—, que de «vago, ocioso y malentretenido» pasó a ser considerado prototipo de virtudes morales. Los extranjeros, en cambio, fueron mirados en buena medida como aprovechados y desagradecidos beneficiarios de la generosidad de una tierra que les había dado todo y no les había pedido nada, a cambio de lo cual habían traído la prostitución, la delincuencia, el anarquismo, el socialismo, el desorden, el terror. Por añadidura, muchos de ellos, se les imputaba, hicieron fortuna a costa de los sacrificados y postergados criollos. La agitación obrera fue una de las principales razones que llevaron a este cambio en el pensamiento de la burguesía argentina y de muchos de sus intelectuales. En este sentido, tampoco se trató de una posición original: fue la llegada al Río de la Plata de una concepción que en Europa asociaba clase obrera con «patologías» sociales.

El diagnóstico de las patologías respondía a una lectura de la sociedad en clave médica. Mas, aunque pueda parecer sorprendente, muy a menudo la receta era no sólo el rechazo y el aislamiento —típicos de una etapa de la medicina y visibles en la resolución del espacio físico y social en el cual se construyeron lazaretos, leproserías, manicomios, hospitales para tuberculosos, etc.—, sino la propia muerte de los «enfermos». Un ejemplo paradigmático, entre tantos, del diagnóstico de los disidentes es el de Antonio Maciel, *O Conselheiro*, el líder del movimiento mesiánico desarrollado en el área *sertaneja* de Bahía (Brasil), a partir de 1867, alcanzando su clímax en la llamada guerra de Canudos, en 1896-1897. Fueron necesarias cuatro expediciones militares enviadas por el poder federal para derrotar a un heterogéneo grupo compuesto por campesinos, vaqueros, *jagunços* y ex esclavos. El poblado de Belo Monte, centro del movimiento, fue dinamitado. Los pobladores que no murieron y lograron huir, fueron perseguidos y, si fueron atrapados, fusilados y degollados (se calcularon los muertos en 5.000). El cuerpo del propio Maciel —fallecido una semana antes de la batalla final— fue exhumado y decapitado, siendo su cabeza enviada a Río de Janeiro para un estudio antropológico-médico, el cual debía demostrar, «científicamente», la patología del *Conselheiro*. Contra el prejuicio de los hombres del poder, el resultado indicó que el cerebro del difunto era absolutamente «normal».

Por los mismos años, Bolivia ofrece otro ejemplo sobre la patologización —es decir, la criminalización— de la protesta social; en este caso, de base étnica. En 1899, los liberales se levantaron —con apoyo de los campesinos indígenas aymaras, liderados por Pablo Zárate Wilka, y de decisivo papel militar— contra los conservadores que detentaron el poder, bien entendido que unos y otros eran partidarios del modo oligárquico de ejercer la dominación político-social. La guerra civil, conocida como Revolución Federal, concluyó con el triunfo de los primeros, quienes al acceder al gobierno olvidaron sus banderas federales y, sobre todo, las promesas realizadas a sus aliados de devolverles sus tierras y los derechos políticos conculcados. Así, Wilka, los principales curacas que le siguieron y unos doscientos campesinos fueron apresados y sometidos a juicio. Los argumentos de la acusación y la defensa coincidieron en la falta de humanidad de los inculpados. Así, no extraña la severidad de las penas aplicadas a los antiguos y decisivos aliados, que incluyeron 32 condenas a muerte y 22 muertes producidas por no soportar las condiciones de detención, antes del juicio. A Zárate Wilka le aplicaron, también con antelación al proceso judicial, la «ley de la fuga».

Frente a los pensadores mencionados que encumbraron la intolerancia y exaltaron las diferencias (y exclusión) de la población indígena y africana por el color de piel, el cubano José Martí contrasta radicalmente. En su libro *Nuestra América* aparecido en 1891 sostenía: «No hay odio de razas porque no hay razas»; y afirmaba «la identidad universal del hombre». En la América Latina del Novecientos y alrededores, la posición de Martí fue excepcional y estaba lejos de formar parte de las ideologías oficiales.

En el proceso de pasaje de la dominación celular a la de alcance nacional, incluyendo la consolidación del clientelismo, la constitución de sujetos políticos y la extensión de la ciudadanía, pilares fundamentales para la consolidación de la democracia, fueron cuestiones conflictivas. Las clases dominantes se esforzaron por controlar y excluir a las «clases peligrosas», y justificaron su accionar con los argumentos científicos que les proveyó el positivismo.

Los positivistas concebían la política como política *científica*, una ciencia experimental que renegaba de los principios liberales clásicos, exaltaba a los gobiernos y los gobernantes autoritarios y descalificaba al Parlamento y la propia capacidad de los «inferiores» para devenir ciudadanos y sujetos políticos. El Orden primaba por sobre cualquier otro valor, incluso el Progreso: la ubicación de ambas palabras en la divisa comteana, tanto para los políticos *científicos* del México de Porfirio Díaz (1876-1911) como para los positivistas brasileños —que la incluyeron en la bandera de la república— y los spencerianos argentinos —que la trastrocaron en Paz y Administración durante el gobierno de Roca (1880-1886)— indica tal prelación: primero, el orden (la paz), luego el progreso (la administración). La exaltación de la administración, y no del gobierno, se tradujo en la fórmula «Poca política y más administración», consigna del porfiriato mexicano. Se trata de una síntesis cabal de una concepción de la política y de las formas de practicarla por parte de quienes se autodesignaron, excluyentemente, sujetos de la política oligárquica.

El fin último y móvil del positivismo era la búsqueda de correspondencias entre sociedad y orden político. El hilo conductor de las argumentaciones era lo que los analistas positivistas consideraban una distancia patológica entre la realidad social y el orden político y sus objetivaciones. Sus mayores esfuerzos estuvieron dirigidos, entonces, a describir con falsa imparcialidad las características de la «política criolla», a partir de lo cual se evidenciaba una inequívoca crítica al orden liberal-democrático de las instituciones republicanas, tanto en el plano formal cuanto en el sustancial. Las argumentaciones se centraron en tres nudos cuya semántica estaba estrechamente ligada al emblemático «orden y progreso»: 1) el binomio pereza/trabajo; 2) lo inapropiado del diseño político heredado del orden poscolonial, destacándose el desfase entre sociedad y política; 3) la función de las elites. Los dos últimos interpelaban al valor «orden» del binomio positivista, mientras el primero lo hacía al valor «progreso». El desplazamiento de lo social a lo biológico-organicista, en donde la explicación última era fatalmente racial, insinúa una nueva legitimidad que se superpone, corrigiéndola, con la liberal clásica.

Los cuestionamientos a la oligarquía se hicieron crecientes a partir de los años 1910-1920, cuando fue fuerte y extendido el reclamo del derecho a decidir por parte de las clases medias y trabajadoras que querían ser, además de sujetos de la economía, sujetos políticos, es decir, ciudadanos votantes. En muchos casos, esas luchas llevaron a algunas formas de democracia política. Cuando se agotó la eficacia del positivismo, los autores citados más arriba se bifurcaron en varias y diferentes direcciones: Fernando Ortiz hacia el funcionalismo, Francisco García Calderón hacia el idealismo arielista, Alcides Arguedas hacia el fascismo antiliberal. Ricardo Rojas elaboró una forma de entender la raza y la nación desde el liberalismo más «puro», mientras José Ingenieros mezcló de socialismo, elitismo y raciología. Sin embargo, queda una herencia positivista que se prolonga hasta nuestros días, algunas de cuyas peores manifestaciones —las del racismo, por ejemplo— no sólo permanecen sino que en determinadas coyunturas adquieren una brutal relevancia.

La aparente paradoja del orden oligárquico: sociedades estructuralmente agrarias con disrupciones urbanas

En la década de 1920, la democracia estuvo muy fuertemente instalada en la agenda política intelectual de la época, en buena medida con una mirada negativa, tanto desde la derecha como desde la izquierda. Ello guarda relación con el clima de época, cuando en el mundo europeo se cuestionaba, precisamente y como una de las consecuencias de la primera posguerra, la democracia liberal. Desde la izquierda se la consideraba insuficiente, un fetiche que ocultaba la crudeza de la dominación de clase y que no resolvía los problemas de las grandes mayorías. La democracia liberal era inconducente y era peligrosa porque abría el camino al bolchevismo, decían desde la derecha. Para no pocos, la democracia liberal aparecía en el mundo europeo más como una petición de principios que como una realidad. En América Latina, la situación tuvo otras características, puesto que aquí, mucho más que en Europa, la democracia política apareció, por entonces, postergada para un futuro impreciso, en todo caso, ni siquiera mediato.

Los años 20 fueron años de cambios, protestas e impugnaciones que variaron en las distintas situaciones nacionales. Si exceptuamos el caso mexicano, en el que la destrucción del Estado oligárquico fue producto de un proceso revolucionario, en el resto de América Latina la ruptura fue gradual y más tardía. En este sentido, a lo largo de la década se registraron movimientos políticos conducidos, sobre todo, por las clases medias urbanas, que pugnaron esencialmente por la extensión del derecho de ciudadanía política y la participación en la toma de decisiones. Los movimientos que pusieron en crisis el liberalismo estuvieron acompañados de otras transformaciones, esta vez afectando a las interpretaciones de cuño positivista, específicamente en lo que respecta a la definición del «alma nacional». En efecto, no sólo extender la ciudadanía política sino también «salvar a la nación» fue el campo privilegiado de las preocupaciones de los años 1920, especialmente entre los intelectuales. El tema cruzó intensamente la producción ensayística de esos años. El ensayo apareció como la forma predilecta para retratar una Latinoamérica en la que se rescataba lo rural, lo étnico y lo telúrico. Junto al ensayo, también se redimensionaron las revistas literarias y políticas, destacándose varias con el título *Claridad*, inspiradas directamente en Barbusse.

Es en el tratamiento del problema de la nación donde se advierten tanto las señales de debilitamiento del orden oligárquico cuanto el esfuerzo por dotar de mayor volumen a los estados latinoamericanos. En algún sentido, la nación —apropiada y definida desde lugares diversos— muestra la búsqueda de nuevas legitimidades y nuevas definiciones sobre las sociedades latinoamericanas. «Salvar a la nación» se convirtió en tarea que los intelectuales tomaron explícitamente como parte de su quehacer. La expresión fue recurrente y aludía a un estado de crisis referido sobre todo a los efectos potencialmente centrífugos de la modernización. Esto guarda relación con la aparición en el terreno público de sectores sociales antes excluidos, visualizados como potenciales disruptores del orden. Así, la imbricación entre nación y pasado histórico llevó a la controversia por la reconstrucción de los orígenes, la historia y los sujetos a incluir o excluir.

En el ambiente revisionista y crítico de los 20 se delineó una reconsideración de lo urbano y lo rural en la constitución de las naciones latinoamericanas. Se instalaron otros valores (pragmatismo, dinero, frivolidad) y otras formas de trabajo. Precisamente, «utilitarismo» y «cosmopolitismo» fueron sanciones frecuentes en la problematización de lo nacional, sobre todo por parte de aquellos que, sin renegar de los beneficios de la modernidad, no se resignaban a la pérdida de las certezas de una tradición que construían explícitamente. De modo relevante, la ciudad fue *locus* disruptor de la dominación en sociedades profunda y dominantemente agrarias. Paradójicamente, el discurso del retorno a una arcadia rural, más que interpelar a los sujetos rurales estaba dirigido a neutralizar a los sujetos urbanos, lo cual provocó reacciones diversas. En algunos casos, la reivindicación de lo rural estuvo acompañada de una actitud restauradora de ciertos valores tradicionales asociados a la nación, expresión de su estado «puro», distorsionado por la orientación «europeísta» de las generaciones ilustradas decimonónicas. En otros, se produjo un «descubrimiento» de los valores rurales, a veces acompañado de la recuperación de sujetos sociales antes excluidos de la cultura y la política (los campesinos, los esclavos). En uno u otro —por adhesión o rechazo— se advierte una reconsideración de lo rural y lo urbano respecto de la nación. A veces, asumió la contraposición campo-ciudad; otras, la oposición entre la capital y las provincias (o las ciudades de las provincias, como en el caso de Perú), y en otras, una reflexión acerca del problema regional.

El debate en el interior del movimiento modernista brasileño es expresivo de las tendencias antes marcadas. Desde el lanzamiento del «Manifiesto regionalista del Nordeste», en 1926, el denominado grupo *Verde-Amarelho* reaccionó contra el cosmopolitismo citadino instalando el debate (sobre todo con Mario de Andrade) en torno al problema del regionalismo y la nación. En México, una explosión de ruralidad marcó la reflexión de esa búsqueda intensa de una nacionalidad no reñida con la «raza cósmica» continental. En este sentido, José Vasconcelos, desde la Secretaría de Educación del gobierno de Obregón (1920-1924), promovió una recreación del orden cultural del país y alentó la reflexión sobre una «mexicanidad» en pleno proceso de reformulación. Muestras de ello fueron la producción acerca de la identidad mexicana del Ateneo de la Juventud, la reflexión «mestizófila» de Andrés Molina Enríquez, Antonio Caso con sus *Discursos a la nación mexicana*, la primera producción de Samuel Ramos, o el indigenismo de Manuel Gamio, entre otros.

La indagación sobre la fisiología interna de la región se hizo telúrica e introspectiva: la tierra, el paisaje, los hombres comunes se tornaron temas privilegiados. Una de las vertientes fue el indigenismo, una corriente heterogénea que reunió orientaciones filantrópico-costumbristas, étnico-raciales y agraristas radicalizadas. Por otra parte, la negritud y la cultura africana se sumaron —aun con límites— a este intento de redefinir, desde la cultura, una identidad más plural y más cercana a los pueblos latinoamericanos. Esto fue así incluso en los países en los que la «blanquitud» era dominante.

Otro de los movimientos de clases medias urbanas, y uno de los más importantes, fue el movimiento estudiantil universitario. La Universidad albergó y formó una generación de políticos enrolados en las corrientes críticas del período. Para quienes constituían este movimiento, la universidad y la cultura debían estar al servicio del pueblo. Esta premisa sirvió de fundamento para la creación de numerosas Universidades Populares, la primera de las cuales se estableció en Lima en 1921, llamada González Prada desde 1923, que proclamaba en su lema no tener «otro dogma que la justicia social». Coherentes con el ideal del novelista francés Henri Barbusse, ese que —conforme el autor del *Manifeste aux intellectuels* (1927)— debía comprometer todo su esfuerzo en la lucha por el nacimiento de una sociedad nueva, los universitarios anunciaron su disposición a luchar «por el advenimiento de una nueva humanidad, fundada sobre los principios modernos de justicia en el orden económico y en el orden político», y a «destruir la explotación del hombre por el hombre», según la formal resolución del Primer Congreso Internacional de Estudiantes reunido en México durante los meses de septiembre y octubre de 1921. La sesión inaugural del congreso se realizó en el anfiteatro de la Escuela Nacional Preparatoria, donde el delegado argentino Héctor Ripa Alberdi bregó «por el comienzo de una nueva vida americana» (Portantiero, 1978: 191-200).

Las Universidades Populares fueron producto de una nueva concepción de la función y las prácticas universitarias. Expresaron los cambios en la cultura política de la década de 1920, pero también fueron recreadoras e impulsoras de esos cambios. En primera instancia, apareció el periódico obrero o estudiantil que reflejaba los grandes eventos de la época (la Reforma Universitaria de Córdoba, en 1918; la Revolución Mexicana, la insurgencia sandinista en Nicaragua, la propia Revolución Rusa, entre otros), al tiempo que construía nuevas genealogías que discutían la cultura dominante (Bolívar, Martí, Rodó, Ugarte, Ingenieros, Palacios, más también pensadores y guías obreros, como Kropotkin, Malatesta, Lenin, Trotsky). En segundo lugar, se construyeron espacios y prácticas educativas, artísticas y culturales atravesadas por las prácticas gremiales o políticas. En tercer lugar, se borraron las fronteras disciplinarias, tanto por la vía semiformal de las Universidades Populares como por los caminos propios del autodidactismo. En cuarto lugar, se construyeron identidades y rituales, con sus respectivos espacios simbólicos, que dieron lugar a memorias e identidades, demandas sociales y utopías. El conjunto de estos cambios selló una experiencia entre estudiantes y obreros que se desplegó con elocuencia en la década de 1960.

Para los universitarios contestatarios inspirados en los principios de la Reforma cordobesa de 1918, «el puro universitario [era] una cosa monstruosa», según la posterior (1936) sentencia de Deodoro Roca. De allí surgió la miríada de declaraciones y de acciones en favor de la unión y la lucha obrero-estudiantil. De las instituciones de la sociedad tradicional, la Universidad parecía un lugar confiable. Cumplía con la formación de los cuadros dirigentes, profesionales e intelectuales demandados por una economía expansiva. No obstante, era también caja de resonancia y motor generador de cuestionamientos del orden que le había dado origen y legitimidad. Exceptuando la Argentina del yrigoyenismo, la democratización de las unidades académicas se enfrentó con las «duras realidades de tiranos e intervención extranjera». Esto evidenció la esterilidad de un reclamo sectorial y llevó al movimiento estudiantil a establecer una relación con la sociedad y la política que el marco autoritario proveyó de significado nuevo.

Inspirado en Ortega y Gasset, este criticismo juvenil eligió un concepto continente: «generación». «Hemos nacido bajo la égida de la Reforma Universitaria», decía el argentino Joaquín V. González. «Ella ha provocado nuestra aparición en la vida pública haciendo que en el transcurso de más de una década nos halláramos a nosotros mismos, nos reconociéramos como generación, es decir, como hombres llegados para trabajar en común por ideas comunes (...). Adoptando la clasificación que en "El Tema de Nuestro Tiempo" hace Ortega y Gasset, la que venimos a llenar nosotros (...) es una época eliminatoria y no cumulativa» (González, 1945: 139). La gran receptividad del pensamiento de Ortega no debió ser ajena al carácter histórico de su reflexión filosófica, que ayudó a legitimar el campo intelectual vernáculo. Una preocupación central de estos intelectuales fue, precisamente, su definición como tales y la redefinición de sus funciones.

A comienzos de los años 20, los intelectuales y políticos reformistas se adscribieron fuertemente tanto a la autorreferencia generacional como al calificativo «nueva» que acompañaba al vocablo «generación». Así, la «nueva generación» expresaba una «nueva sensibilidad» portadora de valores políticos, sociales, éticos y estéticos diferenciados de los de sus «padres». Lo nuevo y lo joven se convertían en valores en sí mismos: «hombres nuevos», novomundismo y juvenilismo fueron conceptos empleados para leer los procesos socioculturales y políticos de la región. Empero, al concluir la década, tal pertenencia generacional fue objeto de revisión e incluso de descarte por parte de muchos de sus iniciales representantes.

La preocupación política se tornó central, impostergable, llevando a artistas

Víctor Raúl Haya de la Torre, fundador del APRA, a su regreso del exilio.

e intelectuales a convertirse en militantes políticos, subordinando la labor artística a las directivas partidarias. Así, por ejemplo, los célebres pintores Xavier Guerrero, Diego Rivera y David Alfaro Siqueiros fueron miembros del Comité Central del Partido Comunista Mexicano, mientras los cubanos Rubén Martínez Villena y Julio Antonio Mella y los peruanos José Carlos Mariátegui y César Vallejo se comprometieron activamente en las luchas políticas, compromiso que Mella pagó con la muerte, ordenada por el dictador Gerardo Machado y ejecutada en México por un sicario. Incluso en los muralistas José Clemente Orozco (mexicano) y Cándido Portinari (brasileño), que se negaban a confundir arte y política, la cuestión social fue objeto de tratamiento en sus obras. El compromiso con la política llevó a conversiones en dirigentes sindicales (como en los casos de Mella y Siqueiros) o a la elaboración de la concepción del artista como un trabajador manual (figura y condición exaltada por encima de la del intelectual), bien notable en los muralistas mexicanos, quienes crearon el Sindicato Revolucionario de Obreros Técnicos y Plásticos y se vestían de obreros cuando pintaban.

El compromiso con la política fue, pues, la forma que algunos de los intelectuales latinoamericanos de los años 20 encontraron para acceder a ese mundo nuevo en un contexto marcado por la crisis y por una tensión entre pesimismo y optimismo. Antiimperialismo, indoamericanismo, reformismo, revolución, socialismo y problema nacional fueron tópicos frecuentados obsesivamente por el criticismo juvenil de los 20. Probablemente, el rasgo más acusado y novedoso respecto de las mismas preocupaciones en épocas anteriores, fue que se desplegó a partir de la certeza de la caducidad del orden precedente en todos los planos, sobre todo el genérico campo de la experiencia liberal. Fue la búsqueda de un reemplazo lo que incitó a estos intelectuales a bucear en nuevas formas

y contenidos, intentando trazar caminos tentativos frente a cierto desconcierto por el colapso europeo.

Ya el *Manifiesto Liminar* había interpelado a «los hombres libres de América», colectivo que fue precisándose a lo largo de la década. Antiimperialismo y latinoamericanismo se advirtieron embrionariamente en las resoluciones del ya citado Primer Congreso Internacional de Estudiantes, el cual —en su resolución quinta— «[condenaba] las tendencias imperialistas y de hegemonía y todos los hechos de conquista territorial y todos los atropellos de fuerza», invitaba a luchar «por la abolición de las tendencias militaristas» y protestaba contra «el avance imperialista que sobre Santo Domingo y Nicaragua [estaba] ejerciendo el gobierno de los Estados Unidos». Este antiimperialismo se refería casi sólo a la expansión de unos Estados Unidos fortalecidos y «manifiestos» *a posteriori* de la Gran Guerra, en el contexto de la política del *big stick* impulsada por el presidente Theodore Roosevelt, para quien debía utilizarse la fuerza toda vez que se considerase necesario. Tal política quedó sintetizada en la máxima «*Speak softly and carry a big stick*» («Habla suavemente y lleva un gran palo»).

Precisamente, «Contra el imperialismo yanqui» fue el primero de los puntos programáticos de la Alianza Popular Revolucionaria Americana (APRA), creada simbólicamente en 1924, en el clima hospitalario del México de Vasconcelos. El APRA fue otro de los movimientos políticos de clases medias urbanas que se pensó en escala continental. En cinco puntos, su programa resumía el conjunto de propuestas que representaba al criticismo juvenil reformista de la década. El correlato casi necesario del primer postulado era la «Unidad de América Latina». El tercero («nacionalización de tierras e industrias») y el quinto («solidaridad con todos los pueblos y clases oprimidas del mundo») mostraban los alcances y límites de la propuesta. Estos postulados, por el alto grado de amplitud, eran posibles de más de una interpretación, lo que explica la adhesión inicial de gran parte de la franja contestataria. Sin las intenciones políticas del APRA, pero en la misma sintonía ideológica, en 1925 se creó en Buenos Aires la Unión Latinoamericana, de orientación socialista.

Tal vez haya sido el aprismo quien mejor sintetizó la reflexión de América Latina como comunidad de destino y de proyectos, a través de las propuestas antiimperialistas y la prédica de la unidad política de «Indoamérica». Indoamérica e Indoamericanismo permitían una clara diferenciación del significado de otros tres nombres y corrientes: el Hispanoamericanismo corresponde a la época colonial; el Latinoamericanismo, a la República, y el Panamericanismo era la expresión del imperialismo yanqui.

Conservando el mismo eje lógico-discursivo, se invertía la posición leninista: para los países de América Latina el imperialismo no era «la etapa superior» del capitalismo sino la primera, y esto se fundamentaba en la peculiar concepción Espacio-Tiempo Histórico, interpretación de los fenómenos sociales que hizo Haya de la Torre y que tuvo sanción definitiva a finales de la década de 1940 cuando publicó su «teoría». La prioridad aprista del frente de clases liderado por los sectores medios y su carácter movimientista entró en colisión con las propuestas levantadas por los Partidos Comunistas latinoamericanos: «contra el imperialismo yanqui» tuvo su correlato en «la unidad de América Latina». La contracara de esta reflexión acerca del imperialismo fue, entonces, la unidad política de América Latina. Haya de la Torre acuñó la expresión «Indoamérica» para referirse a lo que Orrego llamó «Pueblo Continente». La reivindicación del sustrato indígena tuvo en su pensamiento dos vertientes. Por un lado, suponía la recuperación y apropiación de una historia de América que se remontaba a las culturas autóctonas, es decir, consideraba una temporalidad y una historicidad propias, independientes de

la cronología unidireccional de Europa occidental. Implicaba, a su vez, la reivindicación de una cultura y de un pensamiento propios y un desarrollo económico peculiar, en discrepancia con los análisis europeos y europeístas.

Por otra parte, la inclusión del campesinado indígena no fue ajena al proyecto político del APRA: el frente de clases lo incorporaba, si bien subordinado. El «problema indígena» fue uno de los debates más importantes del Perú de los años 20. Si bien Haya de la Torre y José Carlos Mariátegui separaron sus puntos de vista a partir de la ruptura de 1928, en este caso partieron del acuerdo: la cuestión no era étnico-racial ni educativa, sino social, y pasaba fundamentalmente por el acceso a la tierra. «Indoamérica» representaba también, semánticamente, tiempos mixtos, desarrollos desiguales, dualidades en las que convivían «el tractor y el arado de palo».

El APRA estuvo en el centro de una de las polémicas más descollantes del período: la que ocurrió en torno del binomio Reforma-Revolución. Si bien México representaba una contundente experiencia revolucionaria en curso, lo inconcluso del proceso en la década de los 20 no permitía su cristalización como referente revolucionario desde abajo. La sedimentación e institucionalización de un proceso de diez años de guerra civil se transitaba no sin muchas contradicciones. Los horizontes, los tiempos y los sujetos del cambio social fueron cuestiones de las polémicas entre Haya de la Torre y Mariátegui o entre Haya de la Torre y Mella —expresivas de las opciones reformistas y revolucionarias—. Haya y Mariátegui compartieron en un principio ideales comunes, un mismo diagnóstico de la realidad peruana y un explícito compromiso transformador. En sus respectivos escritos anteriores a 1928, ambos se reivindicaron en la misma arena de discusión e intercambio. Son tres los aspectos más significativos a partir de los cuales se separaron las soluciones propuestas por Haya y Mariátegui: la caracterización de la sociedad peruana en relación con el problema imperialista, los actores sociales protagonistas de su transformación y los horizontes de la misma.

Tanto para Haya cuanto para Mariátegui, en la sociedad peruana convivían feudalidad y capitalismo. Pero si para el primero el imperialismo tenía un aspecto constructivo, al completar el desarrollo capitalista del país, para el segundo no había tal aspecto positivo, pues el imperialismo articulaba funcionalmente capitalismo y feudalidad en una relación complementaria y, por ello, tendente a reproducirse. Este nudo conceptual se convertía en punto de fuga. De allí además diferían, en ambas posturas, los actores y los objetivos últimos del cambio social. Si para Haya la lucha contra el imperialismo antecedía a cualquier otra oposición, para Mariátegui el curso a seguir era más drástico. Aun cuando conservaba la idea de un frente policlasista, éste debía ser obrero-campesino (incluyendo, a lo sumo, a los «intelectuales progresistas» y excluyendo a la burguesía) bajo un liderazgo decididamente proletario. Para Haya, en cambio, el frente debía estar liderado por los sectores medios. El otro parteaguas definitorio era el modelo de transformación, que en el caso de Mariátegui sólo era el de una revolución socialista. Para Haya, por el contrario, se debía pasar por períodos previos de transformación económica, política y quizá por una revolución social no socialista que realizara la emancipación nacional contra el imperialismo.

En Brasil, las insurrecciones *tenentistas* fueron otra expresión de los movimientos de clases medias urbanas latinoamericanas de la década de 1920. Aunque el *tenentismo* no logró romper el orden oligárquico de la *República Velha*, sí comenzó a preparar los cambios de la década siguiente. Los *tenentes* se insurreccionaron contra el régimen en 1922 (Forte de Copacabana), siendo fácilmente derrotados. Mas en 1924, un nuevo levantamiento, en los estados de São Paulo y Rio Grande do Sul, dio lugar a una campaña de mayor envergadura, generando acciones de guerrilla y, sobre todo, la épica de la larga marcha encabezada por el capitán Luis Carlos Prestes, columna que recorrió, entre octubre de 1924 y febrero de 1927, casi 25.000 kilómetros, atravesando Goiás, Mato Grosso, el norte de la Amazonia, para finalmente entrar en territorio boliviano, donde se disolvió. En una sociedad simultáneamente sacudida, en el plano cultural, por la ya citada *Semana do Arte Moderno*, acta de nacimiento del modernismo, considerado por algunos una verdadera revolución intelectual, la Columna Prestes se convirtió, pese a su fracaso inmediato, en la manifestación más nítida de la crisis de la dominación oligárquica.

Otro movimiento que se enfrentó con relativos éxitos a la exclusión política y oclusión de la ciudadanía selladas con el pacto oligárquico fue el «primer feminismo», constituido fundamentalmente por mujeres de las clases medias que habían tenido acceso a la universidad. En la década de 1920, las mujeres se organizaron e institucionalizaron sus demandas, algunas más conflictivas que

Escena de la «Semana Trágica» de Buenos Aires, enero de 1919.

otras. En efecto, en varios países hubo acuerdo entre liberales, conservadores, socialistas y católicos, acerca de las leyes de protección a la madre y la trabajadora. En cambio, suscitó un gran debate el tema de los derechos de propiedad de la mujer casada —sometida según el Código Civil a la potestad del marido— y el derecho a voto. La mujer había entrado en la escena pública ya hacia finales del siglo XIX cuando fue interpelada como consumidora de diarios y revistas, a partir de lo cual fue también socialmente incluida como escritora y periodista de la novel prensa femenina. Hacia 1920, las mujeres latinoamericanas contaron, además, con el impulso recibido desde Europa por el protagonismo que la mujer había adquirido durante la Gran Guerra. En algunos países —como en Argentina y Uruguay— tuvo cierta magnitud el movimiento de mujeres vinculadas a la militancia anarquista y socialista. En otros —como en Brasil— el «feminismo» estuvo más primordialmente ligado al sufragismo de corte liberal.

Las primeras décadas del siglo XX fueron también escenario de otro gran movimiento disruptivo del orden oligárquico, de origen primordialmente urbano: el movimiento obrero, surgido de un nuevo sujeto social, la clase obrera generada por el capitalismo dependiente. Hacia el Novecientos, en la bisagra de los siglos XIX y XX, era posible distinguir cinco grandes grupos de trabajadores: 1) los de las plantaciones capitalistas (sustitutas de las esclavistas) dedicadas a los cultivos de banano (Colombia, Honduras), caña de azúcar y algodón (costa peruana); 2) los de las industrias extractivas: minería del cobre (Perú y Chile), plata y estaño (Bolivia), salitre (Chile) y, luego, del petróleo (Venezuela, México, Perú); 3) los de las agroindustrias, como ingenios azucareros, molinos harineros, frigoríficos, fábricas de calzado de cuero (importantes éstas en las ciudades argentinas de Buenos Aires y Córdoba); 4) los de las actividades vinculadas al comercio exportador, sobre todo portuarios y ferroviarios; 5) proletarios de industrias tales como metal-mecánica, metalúrgica, textil, bolsones de sectores más avanzados del capitalismo dependiente ubicados en algunas pocas grandes ciudades, como Buenos Aires (Argentina), Medellín (Colombia), Monterrey (México) y São Paulo (Brasil).

La clase obrera fue, en general, minoritaria en número, pero su papel en la producción capitalista (incluso pese a la condición dependiente de ésta) y su capacidad de organización y de acción independiente (menos sujeta a relaciones clientelares, por ejemplo) le llevó a desempeñar un papel relevante en las luchas sociales, contribuyendo decisivamente a la disrupción del orden oligárquico, especialmente en aquellos países en los cuales su adhesión al socialismo (como en Chile) le permitió aunar la lucha sindical con la política.

Tempranamente, la clase obrera —dividida ideológicamente en tres grandes corrientes: anarquistas, socialistas, sindicalistas revolucionarios (y después de la Revolución Rusa, comunistas)— se organizó en pro de sus demandas, básicamente referidas a la extensión de la jornada laboral (12, 14 y más horas), trabajo de las mujeres y los niños, condiciones de trabajo, mejores salarios, derecho de huelga y, en buena medida, derecho a la organización.

Frente a tales demandas, la política de los estados fue —excepto en el caso del Uruguay batllista— represiva, expresión de una concepción que llegó a considerar a la cuestión social como una mera cuestión policial. El carácter *capturado* del Estado oligárquico mostró en la cuestión obrera su inequívoco rostro clasista. Así, no extraña que, por doquier, fuerzas represivas —policías o ejército— actuaran con violencia sobre los trabajadores, como en los casos de las huelgas de los mineros de Cananea y los textiles de Río Blanco, en México, en 1906 y 1907, respectivamente. La mayor manifestación de violencia estatal contra la clase obrera se produjo en Chile, donde fue ejercida en 1903 contra los portuarios de Valparaíso, en 1905 en Santiago —Semana Roja— para reprimir una huelga general, en 1906 en Antofagasta, en ocasión de una huelga ferroviaria apoyada por salitreros, portuarios y fabriles, y, en el punto más alto, en 1907, contra los salitreros de Santa María de Iquique, localidad donde el ejército ametralló a unos 3.000 trabajadores refugiados en una escuela, matando a más de 200.

La clase obrera se organizó durante la década de 1920 con perfiles netamente combativos, siendo objeto de feroz represión en toda la región. Durante los años siguientes, hasta la primera mitad de la década de 1940 las exigencias de ampliación de la ciudadanía y la institucionalización del movimiento obrero estuvieron estrechamente ligadas. De la represión y la violencia se pasó después a una fase de integración del movimiento obrero, de lo cual buena cuenta da el fenómeno del populismo.

Otra vez Chile fue el país donde la represión contra la clase obrera alcanzó su mayor manifestación. En 1919-1920 la sufrieron obreros de los frigoríficos y empleados públicos de Magallanes y Puerto Natales en huelga; en 1921, las tropas mataron a 500 trabajadores salitreros, también en huelga, en San Gregorio, y en 1925, en el golpe más terrible, el ejército, enviado por el presidente Arturo Alessandri Palma, actuó con tal virulencia que produjo 1.900 muertos en La Coruña de Iquique (huelga de los salitreros). Este hecho —al que se sumó la deportación de más de 2.000 trabajadores— afectó de modo considerable a la Federación Obrera Chilena (FOCH, creada en 1808), cuyos locales fueron asaltados y saqueados. Otro período represivo se abrió en 1927, bajo la presidencia de Carlos Ibáñez, afectando a los partidos y los sindicatos obreros.

En Argentina, a los episodios protagonizados por los proletarios en Buenos Aires, particularmente, y otras grandes ciudades del país, violentamente reprimidos por el Estado en la «Semana Trágica» (enero de 1919), les siguieron otros, entre ellos los protagonizados por los trabajadores rurales de la Patagonia (1921-1922), de filiación anarquista, tratados con mayor violencia aún por fuerzas del ejército, en cumplimiento de órdenes del presidente Hipólito Yrigoyen, generando uno de los más terribles golpes contra el movimiento obrero y un peligroso antecedente de convocatoria a los militares para resolver un típico conflicto de la cuestión social de esos años. En 1931, la dictadura del general José Félix Uriburu fusiló a trabajadores anarquistas.

En Brasil hubo una serie de huelgas duramente reprimidas hacia finales de la década de 1910. Los rotundos fracasos de esos episodios sellaron el final del período explosivo del movimiento obrero en 1920. Dicho movimiento fue finalmente diezmado por el estado de sitio, vigente durante el gobierno de Artur da Silva Bernardes (1922-1926). A esto debe agregarse la inexistencia de un partido socialista significativo y que el Partido Comunista, creado en 1922, llegó a finales de la década totalmente debilitado.

En Guatemala, en 1922, una huelga general contra la miseria y la inflación fue violentamente reprimida por la mili-

El general Anastasio Somoza, en una instantánea de 1948.

cia. En Colombia, los trabajadores bananeros de la *United Fruit*, en Santa Marta, fueron ametrallados durante una huelga.

La represión adoptó también formas simbólicas y más sutiles que la pura violencia física. En la primera década del siglo XX se habían promulgado leyes contra los «agitadores extranjeros», como las de Argentina (leyes de Residencia y de Defensa Social, de 1902 y 1910) o las equivalentes en Brasil (de 1907). En algunos países hubo verdaderos campos de detención en zonas inhóspitas (Amazonia, Yucatán, Ushuaia). Pero hubo también otras formas de represión, como la clausura de las sedes sindicales, el saqueo a las redacciones de periódicos, la práctica de espías policía y agentes provocadores, la protección a los rompehuelgas, etc.

En varios países, el movimiento obrero se atrincheró detrás del anarquismo, contrario a la sindicalización, y del anarcosindicalismo, surgido como alternativa frente a la ineficacia del anarquismo y las posiciones cada vez más reformistas del socialismo. Es claro que los anarquistas cerraron toda posibilidad de luchar por la democracia. Del mismo modo, los anarcosindicalistas tampoco reivindicaron la eficacia de la lucha política y parlamentaria, exaltando, en contrapartida, al sindicato como vehículo de transformación social. El caso argentino, donde esta corriente fue hegemónica durante varias décadas —y en cierto sentido, se prolongó en el peronismo— es bien elocuente, contrastando con el chileno, donde el predominio de las corrientes marxistas —socialistas y comunistas— se expresó en una temprana y sólida articulación entre lucha sindical y lucha política, correspondiendo la dirección de las acciones al partido obrero y no al sindicato. No es casual, pues, que el movimiento obrero chileno tenga una historia de lucha por la democracia política que no se encuentra en muchos otros casos.

En general, el movimiento obrero semisecular del modelo primario exportador (*circa* 1880-1930) fue un sindicalismo clasista, de confrontación, con un alto grado de autonomía respecto del Estado y con escasa distancia entre la dirección y las bases. En opinión de Francisco Zapata (1993: 45), el sindicalismo de clase asumió directamente un papel político, o bien utilizó a los partidos de izquierda como un canal de acceso al sistema político.

Impugnaciones al orden oligárquico: la crisis de 1930 y el conflicto por la ampliación del principio de ciudadanía política

En los años 1930, en América Latina hubo crisis económica y crisis social, pero también crisis política, crisis de valores, y en algunos casos hubo soldadura de dos o más tipos de crisis e incluso hubo *crisis orgánica*. Las crisis son fenómenos históricos usuales, mas la conjunción de crisis económica, social y política no lo es tanto. Menos frecuentes aún son las crisis de mayor intensidad, que Gramsci llamó *crisis orgánicas*. La característica esencial de las crisis orgánicas es la de ser *crisis de hegemonía,* es decir, una crisis de autoridad de la clase dirigente, que deviene sólo dominante, y de su ideología, de la cual las clases subalternas se escinden. En una situación de crisis tal, los partidos políticos tradicionales se tornan «anacrónicos» y se encuentran separados de las masas. Hay, pues, una ruptura entre representantes y representados. Como la capacidad de recomposición de la clase dirigente o dominante es mayor y más rápida que la de las clases subalternas, en tal situación aquélla puede mantener el poder, reforzarlo y emplearlo «para destruir al adversario». Menos frecuentemente, la crisis se resuelve por la iniciativa política directa de las fuerzas y partidos políticos de las clases subalternas, que confluyen en una única organización política que mejor representa sus necesidades. Si se produce esta segunda salida, la solución es «orgánica». Hay una tercera solución: la del jefe carismático. En este caso, existe un equilibrio estático en el que ni el grupo progresista ni el grupo conservador puede vencer, e incluso éste tiene necesidad de un jefe. La crisis política es, en la mayoría de los casos, más de dominación que de hegemonía.

Ahora bien, es necesario distinguir entre *crisis básica de Estado* y *crisis de la forma de Estado*. «En su sentido más estricto, una *crisis básica de Estado* existe sólo cuando lo que está en cuestión es la matriz fundamental de la denominación social que le es inherente y sobre la que se constituye. (...) En la *crisis de una forma de Estado* lo que cambia es la figura de éste, manteniéndose como no variable la relación fundamental de dominación» (Graciarena, 1984: 44-45). En la década de 1930 en América Latina hubo una fuerte posibilidad de ruptura de la dominación oligárquica, aunque con frecuencia se constatan líneas de continuidad notables. Hubo, pues, en términos de Graciarena, *crisis de la forma de Estado*.

Las impugnaciones al orden oligárquico y la demanda de ampliación de la ciudadanía política se expresaron de modo diverso según las sociedades. En algún caso, como en el de Brasil, se produjeron cambios de relevancia, en el límite una verdadera revolución política. En otro, como en el de Argentina, se interrumpió el proceso de transición del régimen oligárquico al democrático, sin que el golpe de 1930 significara un retorno al primero. En un tercero, ejemplificado por Perú, la dominación oligárquica se reacomodó y persistió. No faltaron intentos reformistas, a la postre limitados, como en Chile, con la efímera República Socialista (1932) y los gobiernos del Frente Popular (1938-1947); Colombia, con su liberal *Revolución en marcha*, frenada por *La Pausa*, en 1936, e insuficiente para desplazar efectivamente a la dominación oligárquica, y Cuba, tras la insurrección popular de 1933. En otros varios países —como en la República Dominicana (con Trujillo), El Salvador (con Hernández Martínez), Honduras (con Carías Andino), Guatemala (con Ubico) y Nicaragua (con Somoza)— la salida a la crisis adoptó la forma de la dictadura despótico-personal, sultanística, sin reemplazar necesariamente a la dominación oligárquica.

A comienzos del siglo XX, los Estados Unidos comenzaron a intervenir directamente en la región, tanto en los planos económico y financiero (con los enclaves bananeros en Honduras, Guatemala y Nicaragua, y azucarero en República Dominicana, hacia finales de la década de 1920) como en el político-militar (intervención de la Marina de Guerra en República Dominicana y Nicaragua). En el caso de El Salvador, la intervención fue primordialmente política, pues allí se mantuvo el control nacional de su producción, el café. Con la crisis económica agravada por la coyuntura de 1929 y la crisis política, producto de una

Imagen de una calle de Bogotá en 1940.

oposición débil que no podía articular un proyecto alternativo coherente, la salida viable para los estados oligárquicos centroamericanos y caribeños fue la centralización del poder en un individuo, la coerción y la represión; en definitiva, la dictadura de tipo tradicional sultanística. Como bien expone Fernández, «(l)a forma en que estos déspotas llegaron al poder se relaciona más con la tradición política oligárquica, caracterizada por mantener una fachada democrática que ocultaba un fuerte componente autoritario, que con el golpe de Estado como forma típica de asunción de los dictadores militares. De hecho, es en El Salvador en el único país donde un golpe tal, encabezado por el sector conservador del ejército, (...) colocó a Hernández Martínez como presidente provisional» (2003: 280). En efecto, los dictadores accedieron al poder por la vía electoral, aunque ellos fueran candidatos sin oposición —el caso de Honduras (1933) es el único que tuvo un proceso electoral dentro de los márgenes formalmente legales.

La ocupación militar directa de Estados Unidos en Nicaragua (1912 a 1932) y en República Dominicana (1916 a 1924) se justificó por razones humanitarias y morales, y pretendía terminar con la violencia política. Se organizaron Guardias Nacionales, que en los casos de Somoza y Trujillo contribuyeron a su acceso al poder. De extracción civil y entrenados por los marines, ambos contaron con el beneplácito norteamericano. La intervención militar fue duramente combatida por organizaciones guerrilleras, como en el caso de Sandino en Nicaragua. En 1926, Estados Unidos intervino militarmente en Nicaragua, apoyando a los conservadores. La lucha contra los marines fue declarada por el Partido Liberal, cabeza de una insurrección que, empero, le llevó a una conciliación con los conservadores, bien mirada por los norteamericanos. Contra ella se levantó César Augusto Sandino, desencantado de su partido. Al frente de un pequeño ejército, el «general de hombres libres» llevó adelante una lucha que se tornó símbolo de la resistencia antiimperialista, incluso más allá de su asesinato en 1934.

La política estuvo fuertemente sesgada por la presión de los enclaves económicos y las necesidades geopolíticas de los Estados Unidos. El retiro de los *marines* se enmarcó en la política exterior de Estados Unidos inaugurada con Franklin Roosevelt en 1933, conocida como «política del buen vecino». Con la instauración de dictaduras despótico-personales con fachada democrática en Centroamérica y el Caribe, y con esos dictadores en particular, Estados Unidos vio garantizados sus intereses sin los costos, políticos y económicos, que la intervención militar significaba.

En definitiva, los países latinoamericanos atravesaron en distintos momentos procesos de crisis de la dominación política, aunque no siempre fue crisis de la dominación oligárquica. Sí lo fue en Brasil, Bolivia, Chile, Colombia, Perú. Sólo en Brasil se pasó a un nuevo tipo de dominación, el populismo. En Argentina, fue la crisis de la democracia o, más específicamente, de la transición del régimen oligárquico al democrático, iniciada en 1912-1916. En México, en cambio, los años 1930 fueron los de la coronación del proceso revolucionario bajo la triple forma de profundización de la reforma agraria, institucionalización política y populismo durante la presidencia de Cárdenas. En Centroamérica y el Caribe, se trató de la instauración de dictaduras patrimoniales. Hay dos casos más, que se destacan por su singularidad: Uruguay constituye una excepción, puesto que allí no hubo oligarquía; y el Ecuador de los años 30 es un caso exacerbado de crisis e inestabilidad política, una genuina situación de vacío de poder.

La de 1930 fue una década de notable ejercicio de la violencia en toda América Latina, y en el mundo. La Guerra Civil en España (1936-1939), la Segunda

Guerra Mundial (1939-1945), la «descampesinización» en la Unión Soviética, el genocidio de los ucranianos (1932-1933) ejecutado por el régimen estalinista fueron todas experiencias con millones de muertes, deportaciones y prisiones. En América Latina, tres situaciones de violencia se produjeron en 1932: la represión de los apristas y comunistas realizada por las fuerzas gubernamentales de Luis Sánchez Cerro en Perú; la guerra del Chaco, que enfrentó a Bolivia y Paraguay, y que continuó hasta 1935; y la salvaje represión de la insurrección campesina en El Salvador, ordenada por el dictador Maximiliano Martínez Hernández, en la cual perecieron entre veinte y treinta mil personas. Si la guerra es la continuación de la política por otros medios —conforme la célebre definición de Karl von Clausewitz—, no es menos cierto que la guerra es el fracaso de la política.

Y hay más: 1) la política del dictador guatemalteco, general Jorge Ubico (1931-1944), quien desestimó invertir fondos del presupuesto nacional en educación y salud, «argumentando» que los hospitales eran «instituciones de maricas»; 2) la felonía del general Anastasio Somoza en el asesinato del líder liberal nicaragüense Augusto César Sandino (21 de febrero de 1934); 3) el racismo del general Hans Kundt, comandante de las fuerzas bolivianas, dirigiendo las operaciones desde un avión para no entrar en contacto con sus soldados indígenas; 4) la «masacre de Río Piedras» (en la Universidad de Puerto Rico, el 24 de octubre de 1935); 5) la crueldad de Getulio Vargas al repatriar a la Alemania nazi a Olga Benario, esposa de Luis Carlos Prestes, apresada tras el fracaso de la insurrección comunista de noviembre de 1935; 7) la carnicería de hombres, mujeres y niños haitianos por fuerzas del dictador general Rafael Leónidas Trujillo, el 2 de octubre de 1937; 8) el uso generalizado de la tortura, «perfeccionada» con el terrible invento de la picana eléctrica, imputado al argentino Leopoldo Lugones (h)...

Entre todas estas situaciones, la guerra del Chaco fue el conflicto más violento y costoso en vidas humanas. Ella fue el resultado de un complejo entramado de factores: viejas disputas por definir territorios heredados de la colonización española, e intereses contrapuestos entre las grandes compañías petroleras *Standard Oil* y *Royal Dutch Shell*, los capitales anglo-argentinos y norteamericanos y las políticas exteriores del Reino Unido y de los Estados Unidos en relación con América del Sur. A esto se sumó el hecho de que el recurso bélico fue utilizado por el gobierno boliviano como un mecanismo para estimular el nacionalismo y galvanizar así al conjunto de la sociedad en pos de objetivos que permitieran disimular el fracaso de su gestión en el plano interno.

Otro conflicto, muchísimo menos intenso y que en poco tiempo encontró salida diplomática, fue el entablado entre Perú y Colombia: la llamada *guerra de Leticia*, un territorio amazónico objeto de reclamaciones controvertidas por su soberanía. Según Franklin Pease (1995: 184-185), el episodio bélico, iniciado el 1 de septiembre de 1932, fue parte de la estrategia política aprista contra la dictadura de Luis Sánchez Cerro, mas éste asumió la causa como propia y la apoyó, quitándole el contenido original. Un hecho imprevisto alteró el curso de los acontecimientos: el 30 de abril de 1933, un militante aprista dio muerte a Sánchez Cerro. La guerra no llegó a estallar y, tras las negociaciones diplomáticas, en 1934 se reconoció la pertenencia de Leticia a Colombia.

Entre las formas de violencia que se sucedieron en los años 30 es significativa la acción colectiva agraria que tomó la forma del *bandidismo social* —Juan Bautista Vairoletto o Bairoletto y Segundo David Peralta, más conocido como *Mate Cosido*, en Argentina; Antônio Silvino y Lampio, en Brasil— o bien la de *mesianismo* o *milenarismo* —como en los movimientos protagonizados por indígenas tobas y mocovíes en El Zapallar y Pampa del Indio, en 1933, continuación del de 1924, en Napalpí, todos en la provincia argentina del Chaco—, cuando no una combinación de uno y otro, como en el caso del Padre Cícero, en Juazeiro do Norte, en el nordeste en el Estado de Ceará, en Brasil. Obviamente, todas estas expresiones de rebeldía fueron objeto de represión estatal y/o privada.

Los años 1930 fueron también los del protagonismo político de los militares. Solos o en alianza con grupos civiles, participaron de golpes de Estado triunfantes en ocho países de la región: Argentina, Bolivia, Brasil, República Dominicana, Guatemala, Perú, en 1930; Chile y Ecuador, en 1931. Asimismo, hubo presidentes militares electos en México (Lázaro Cárdenas, 1934-1940), Venezuela (general Eleazar López Conteras, 1935-1941), Paraguay (mariscal José Estigarribia, 1939-1948, si bien antes, en febrero de 1936, había habido un golpe de Estado militar que llevó a la presidencia al general Rafael Franco, a su vez desplazado por el Ejército en agosto de 1937) y Uruguay (general Alfredo Baldomir, 1938-1942), después de la dictadura civil del colorado Terra.

La participación de los militares latinoamericanos en la política no fue homogénea. Las experiencias fueron desde el reformismo de los *tenentes* brasileños, los *julianos* ecuatorianos, los revoltosos oficiales chilenos —en la década de 1920— y los «socialistas» bolivianos, en la de 1930, hasta el conservadurismo de los militares argentinos y, en el límite, las ya mencionadas dictaduras despótico-personalistas centroamericanas y caribeñas. La corriente nacional-militarista parece haber sido predominante en las fuerzas armadas de la región. Dicha corriente no se oponía sistemáticamente al cambio si éste era realizado ordenadamente, ni a las mejoras de las condiciones de las clases trabajadoras si ellas se efectuaban tuteladas por el Estado. Los militares brasileños son en este aspecto

un caso paradigmático. Un caso excepcional fue el de los oficiales chilenos. En septiembre de 1924 un grupo de jóvenes militares interrumpió la sesión del Senado con aplausos y «ruidos de sables» y exigió la aprobación de unas medidas sociales, entre ellas el Código de Trabajo. Una segunda intervención, en 1925, le devolvió el mando a Alessandri. La dictadura de Carlos Ibáñez, que llegó al poder en 1927, y la efímera República Socialista de 1932, cuyo conductor Marmaduke Grove fue uno de los fundadores del nuevo Partido Socialista en 1933, también se inscribieron en el reformismo militar encabezado por aquellos revoltosos jóvenes oficiales.

Otro caso singular fue Ecuador, con la *Revolución Juliana* de 1925 encabezada por jóvenes oficiales antioligárquicos que proclamaban luchar «por la igualdad de todos y la protección del hombre proletario», y a los cuales Agustín Cueva (1984: 295) reputa «incapaces de concebir un proyecto profundo de transformación» y «condenados no sólo a seguir una línea zigzagueante frente a la oligarquía, sino a expresar su "protección al hombre proletario" con medidas tan ilusas que ni siquiera merecen el calificativo de "populistas"». En opinión de Juan J. Paz y Miño Cepeda (2002: 72-73), la Revolución Juliana y el gobierno de la primera Junta Provisional articularon un nuevo Estado-nación sobre un trípode formado por: 1) la supremacía de los intereses de «la nación», representada por el Estado, sobre los «intereses privados»; 2) «la imposición de la autoridad política, centralista e institucional del Estado», procurando superar «los fraccionamientos regionales, sociales, partidistas y de grupo, y (...) el juego de fuerzas tradicionales»; 3) la conversión de la cuestión social en política de Estado. Así, ese nuevo modelo apeló al intervencionismo estatal para modernizar y desarrollar el país, intentando terminar con el sistema oligárquico-terrateniente. La interpretación de Paz y Miño Cepeda contrasta con la de Rafael Quintero y Erika Silva (1991:

I, 379-380), para quienes el golpe de Estado del 9 de julio de 1925 no debe ser entendido como una «revolución de la clase media para la clase media», toda vez que, en rigor, no fue más que «un reordenamiento del juego de fuerzas de las clases dominantes regionales cuyo poder en el Estado» antes del golpe no era equivalente «al poder real que habían alcanzado en el terreno de la sociedad civil». La Revolución Juliana, argumentan Quintero y Silva, se dio en el contexto de la consolidación del dominio imperialista norteamericano en América Latina y su proceso de modernización no hizo más que sellar «la vía gamonal-dependiente de constitución del Estado abierta en 1912», tras el asesinato de Eloy Alfaro y la nueva presidencia de Leónidas Plaza, bajo la cual se consolidó la hegemonía de la plutocracia liberal, «anulando definitivamente la posibilidad de constitución de un Estado nacional en el Ecuador». Lo cierto es que, más allá de la polémica, durante los años 1930, la crisis de dominación no tuvo parangón: diecisiete presidentes a lo largo de la década y una cruenta guerra civil. El triunfo presidencial de José María Velasco Ibarra, en elecciones libres, y su destitución por un golpe de Estado (1934-1935) estuvieron antecedidos y precedidos por sendas sucesiones de presidentes de corto tiempo de gestión.

En el militarismo influyó la situación internacional y la consiguiente crisis de las clases gobernantes locales. Sin alcanzar el nivel del «nacionalismo antiimperialista de los militares bolivianos, escandalizados por el demoentreguismo y la cleptocracia de la oligarquía minera antinacional», se constata en el interior de las Fuerzas Armadas de América Latina el descrédito del liberalismo político y de los países centrales que lo practicaban. Un factor que contribuyó a la afirmación del poder militar fue la división existente en las clases gobernantes acerca de cómo afrontar las crisis y las transformaciones estructurales en curso, en particular respecto del modo de industrialización

a impulsar y la política a seguir frente a «una clase trabajadora en expansión y cada vez más combativa». Las clases dominantes se aislaron crecientemente del resto de la sociedad y perdieron la capacidad de organizar el consenso en torno a sus propuestas y valores. «Desorientadas, conmocionadas, en algunos casos totalmente fragmentadas», tales clases dominantes no encontraron el modo de ser dirigentes (en los términos de Gramsci). Era, pues, «el momento propicio para el nacional-militarismo». En ausencia «de la definición de un interés general claro por parte de la burguesía», el interés de los militares ocupó su lugar. De ahí que, durante cierto tiempo, fueron «los militares quienes, de acuerdo con sus propios valores de orientación estatal y autoritaria», definieron lo que fue «mejor para la nación, en nombre de la seguridad de la misma y, por ende, la defensa de los elementos esenciales del *statu quo*» (Rouquié y Suffern, 1997: 289).

Como se ha visto, la década de 1930 fue pródiga en acontecimientos políticos resonantes e intentos de transformación de distinto tenor: las insurrecciones aprista en Trujillo (Perú), paulista (Brasil), campesino-comunista salvadoreña (las tres en 1932), antimachadista (Cuba, 1933), comunista con apoyo de la Tercera Inter-

Alto horno de La Fundidora.

40

nacional (Brasil, 1935). Fueron, también, los años de la efímera República Socialista (1932) y de los gobiernos del Frente Popular (desde 1938 hasta 1947), en Chile. De la dictadura terrista (1933-1938) y la *Revolución de Enero* (1935), en Uruguay. Del triunfo presidencial de José María Velasco Ibarra y su destitución por un golpe de Estado (1934-1935), en Ecuador. En México, Lázaro Cárdenas profundizó la reforma agraria y realizó la primera experiencia populista latinoamericana. También se instauraron las dictaduras autocráticas de Jorge Ubico (Guatemala), Tiburcio Carías Andino (Honduras), Anastasio Somoza (Nicaragua), Maximiliano Hernández Martínez (El Salvador), Rafael Trujillo (República Dominicana). Bolivia y Paraguay se enfrentaron en la Guerra del Chaco (1932-1935) y, tras la derrota, en el primero de

estos países se vivió la experiencia del llamado *socialismo militar* (1936-1939); y otros dos países, Colombia y Perú, fueron también a la guerra, la de Leticia, mucho menos intensa...

La década de 1930 también fue la década en la cual la demanda de democracia política terminó en una notable frustración en América Latina. La aparición de los populismos, entre mediados de 1930 y sobre todo mediados de 1940, en sus expresiones más paradigmáticas —el cardenismo mexicano, primero, y el varguismo brasileño y el peronismo argentino, después— puso la cuestión de la democracia política en su forma más clásica —liberal y representativa— en una perspectiva diferente: estas expresiones sociopolíticas en distinto grado mantuvieron en lo formal los criterios de la democracia política, liberal y repre-

El proceso de industrialización llevó aparejado el desplazamiento de un gran número de campesinos hacia las zonas industriales de las ciudades.

sentativa, y pusieron el acento en el carácter plebiscitario que las caracteriza. Pronto, el Departamento de Estado norteamericano empezó a invocar fuertemente a la democracia política, mucho más como una forma de contener ese potencial que amenazaba la estabilidad de la región —fuera ella originada en el comunismo o en las experiencias populistas— que como una pretensión genuina. En efecto, y a despecho de esa apelación, nadie conculcó más fuertemente la posibilidad del ejercicio de la democracia política en su forma representativa liberal que la propia política exterior de los Estados Unidos. Ahí está el reguero de dictadores autócratas en el Caribe y en América Central (Trujillo, Batista, Somoza, Ubico...); Alfredo Stroessner, en Paraguay y Pérez Jiménez en Venezuela; los Duvallier, en Haití, entre otros, prueba evidente de la falacia de esta argumentación que alcanzó su punto paradigmático en la intervención norteamericana, ahora explícitamente probada, en el derrocamiento del gobierno de Salvador Allende, en Chile, en septiembre de 1973.

Capítulo 2

EL POPULISMO, LAS POLÍTICAS NACIONAL-DESARROLLISTAS Y EL ESTADO DE COMPROMISO SOCIAL

Un concepto esquivo: el populismo

Populismo es uno de los términos más utilizados en los análisis políticos contemporáneos, a pesar de lo cual no hay gran consenso respecto de qué significa. En verdad, más que una tendencia a la coincidencia se percibe una inflación semántica que multiplica su uso hasta una amplísima y divergente variedad de casos, en su mayoría difíciles de ser considerados en un mismo plano.

Sin pretender resolver aquí las controversias que su uso ha generado, puede decirse que el populismo se define como el surgimiento político de las masas en las condiciones creadas por la crisis de la dominación oligárquica y de la democracia liberal (mejor dicho, de la idea de democracia liberal) en una coyuntura de desarrollo autónomo relativo y de las peculiaridades de la urbanización e industrialización en países agrarios y dependientes. Según define Francisco Weffort, un sistema populista es una «estructura institucional de tipo autoritario y semicorporativa, orientación política de tendencia nacionalista, antiliberal y antioligárquica, orientación económica de tendencia nacionalista e industrialista, composición social policlasista mas con apoyo mayoritario de las clases populares» (Weffort, 1978: 84-85).

En efecto, el populismo fue una experiencia histórica que comenzó en la década de 1930, tras la crisis de la dominación oligárquica y del liberalismo (en Europa cuestionado por el fascismo y por el comunismo) y con el desarrollo de la industrialización sustitutiva de importaciones. Se apoyó en una alianza policlasista entre el Estado, la burguesía local y la clase obrera nacional; mantuvo una relación ambigua con el capital extranjero y estuvo atravesado por un discurso nacionalista fuertemente antiimperialista

y, a menudo, también anticomunista. Fue característica del populismo que en él las demandas de la sociedad hacia el Estado se expresaran en mediaciones corporativas, especialmente de los sindicatos, y que se diera una ampliación de la ciudadanía, en particular de los derechos sociales, extendida desde arriba.

En el plano económico, en general, todas las visiones sobre el fenómeno coinciden en relacionar el populismo con el advenimiento de la industrialización por sustitución de importaciones. En los procesos de industrialización sustitutiva las burguesías nacionales tuvieron el control de los medios de producción y de los recursos productivos (Argentina, Brasil y México). Un mercado interno desarrollado y una economía diversificada estuvieron en la base de dicho proceso. En general, las clases terratenientes que habían sido el eje de la política del orden oligárquico fueron desplazadas por las burguesías nacionales industriales.

La industrialización sustitutiva de importaciones

Según las acepciones establecidas por la CEPAL (1965: 33, n. 12), en su estudio sobre la industrialización en América Latina, «(e)l concepto de sustitución de importaciones admite diversas interpretaciones: como equivalente a una disminución en la cuantía absoluta de las importaciones; como diferencia entre la demanda potencial de importaciones que habría ocurrido de mantenerse constante el coeficiente de importaciones y las importaciones efectivamente realizadas, o bien como una diferencia similar pero respecto a una demanda potencial calculada, admitiendo cierta elasticidad —generalmente superior a la unidad de

43

la demanda de importaciones respecto al producto total».

La industrialización por sustitución de importaciones (ISI) es señalada generalmente como un proceso generado por la crisis de 1929 y sus secuelas en la región. Empero, no son pocas las investigaciones que han mostrado, hace ya buen tiempo, que en varios países la misma se había iniciado *antes* de los años 1930 (Thorp, 1988). Conforme los resultados de varias investigaciones, resulta claro que la ISI de los años 1930 fue, al menos en América del Sur, más intensiva en fuerza de trabajo que en capital y que formaron parte de ella muchas pequeñas y medianas empresas, de propiedad de capitales nacionales —con propietarios igualmente nacionales, pero sin desdeñar la presencia de nuevos inmigrantes provenientes de la Europa castigada por aires de persecución y guerra, pero que no trajeron capitales desde sus países de origen—, si bien se produjeron casos de inversión directa por parte de empresas extranjeras (Díaz-Alejandro, 1988: 60), continuando una tendencia ya observada en los años 1920 en la producción de automotores, llantas, cemento y aparatos eléctricos, entre otras mercancías.

Charles Kindleberger señala que la sustitución de importaciones industriales «estaba en macha desde largo tiempo atrás, como había ocurrido también con la fundación de bancos centrales, el establecimiento de aranceles, la depreciación de la tasa de cambio, etcétera». Ello no inhibe la constatación de que tal sustitución y el financiamiento deficitario fueron «inducidos alrededor de 1932 en la mayoría de los países, y emprendidos más activamente como una política escogida en el período posterior» (Kindleberger, 1988: 363-364 y 367).

En Argentina, argumenta Arturo O'Connell (en Thorp, 1988: 255-256 y 258), si bien el crecimiento de la actividad manufacturera fue mayor que el del PBI —tal como había ocurrido en el período previo a la crisis—, no fue espectacular ni excepcionalmente alto en la mayoría de los sectores. Fue también desparejo. Las refinerías de petróleo y las fábricas de artículos de goma —dos de los rubros de mayor crecimiento— incrementaron su producción sobre la base de plantas fabriles instaladas y en funcionamiento desde antes de la Depresión, mientras la sustitución de importaciones textiles fue, «más bien, un fenómeno del período de la guerra». En rigor, si bien existieron actividades industriales nuevas, «es evidente que el crecimiento» fue resultado, en gran medida, «de un uso intensivo de plantas ya existentes». Incluso, se trató de un crecimiento industrial más lento que el de otros países de la región. Jorge Schvarzer (1996) llama a los años que van de 1910 a 1930 de «consolidación fabril sin cambio tecnológico ni progreso productivo y social». Por lo demás, Argentina fue, al comenzar la crisis, el país latinoamericano más rico, más diversificado económicamente y más industrializado. En términos de renta *per cápita*, sólo Uruguay alcanzó valores próximos.

Para Díaz-Alejandro (1988: 58), la que llama notable industrialización de los países cafetaleros, Brasil y Colombia, es explicable, en parte por el hecho de contar, desde antes de la crisis de 1929, con sectores manufactureros con escasas conexiones directas con las exportaciones, a diferencia de los casos de Argentina y Cuba. En Brasil, la ISI, un proceso de entre

Guerrilleros manejando un mortero durante la guerra del Chaco.

guerras, comenzó en los años 1920, tal como tempranamente lo había demostrado Warren Dean, al menos en los casos de hierro en lingotes, cemento, instrumentos y motores eléctricos, maquinaria textil, equipos procesadores de azúcar, partes automotrices, implementos agrícolas, aparatos de gas, relojes y básculas, textiles de rayón. Al igual que en otros países, fue un proceso de importación de bienes de capital. Así se aprecia cómo grandes corporaciones de capital extranjero, especialmente norteamericano, levantaron plantas fabriles durante la década previa a la crisis, tales como *General Electric* (1919), *RCA Victor* (1919), *International Bussines Machines,* IBM (1924), *Ericsson* (1924), *Philips* (1925), *Standard Electric* (1926), *Burroughs* (1929), *Pirelli* (1929) y las automotrices *Ford Motors* y *General Motors*. Las mismas (y otras) empresas comenzaron a producir en Argentina, en fechas más o menos simultáneas, si no previas: *The Remington Typewriter* (1911), *National Cash Register* (1913), *Kodak* (1915), *Standard Electric* (1919), *General Electric* (1920), *Westinghouse Electric International* (1921), *Standard Oil* (1922), *Ford Motors* (1922), IBM (1923), *General Motors* (1925), *Colgate-Palmolive* (1927), Refinerías de Maíz (1928) y ya con la crisis, *RCA Victor* y *Philco* (1931).

México conoció importantes inversiones industriales durante el porfiriato, las cuales reaparecieron tras la etapa más convulsionada de la Revolución que terminó con la larga dominación oligárquica. El país contó, incluso, con una industria siderúrgica desde 1904: La Fundidora fue la primera productora latinoamericana de rieles ferroviarios. Los años 1930 fueron, en ese sentido, también aquí propicios para acelerar un proceso iniciado en los años de plena vigencia del modelo primario exportador.

Otros países de América Latina adoptaron el modelo ISI, aunque no en el marco político de sistemas populistas, como sí lo hicieron Argentina, Brasil y México. En Colombia, la ISI fue, considerablemente, el resultado de un proceso iniciado en décadas anteriores, sobre todo en la de 1920. Los textiles (de algodón y de rayón), en particular, seguidos de la cerveza, el azúcar y el cemento fueron parte de la industrialización previa a la crisis, sin olvidar a la pequeña industria metalúrgica existente en Medellín desde los años de la crisis del café, a comienzos del siglo XX, la que impulsó a los cafetaleros a la diversificación de sus inversiones. El proceso colombiano, por lo demás, se produjo «en un momento de rápida consolidación del capitalismo moderno», fenómeno más tardío que en otros países de la región. La industrialización de Chile, según Gabriel Palma (en Thorp, 1988: 70), se remonta a los años de la Primera Guerra Mundial y se afirmó desde 1919, por causa de la caída de las exportaciones de nitrato producido por el país, sin capacidad de competir con el producto sinté-

Lázaro Cárdenas.

tico desarrollado por lo países centrales durante la contienda. En su opinión, «la crisis de los años 30 no representa tanto un rompimiento con el pasado inmediato, como una aceleración de un proceso de transición del crecimiento impulsado por la exportación a la industrialización con sustitución de importaciones que ya se había iniciado». Incluso Perú atravesó una fase de inversiones industriales durante la década de 1890, luego sólo sostenida en momentos de precios relativos favorables.

Los países centroamericanos, en cambio, siguieron aferrados al modelo primario exportador. Allí, las clases dominantes argüían la pequeñez de los mercados nacionales para la producción industrial. Empero, se realizaron algunos cambios con «implicaciones favorables a largo plazo», entre los cuales puede citarse «el reconocimiento de la necesidad de cierto grado de intervención estatal en la economía» (Bulmer-Thomas, en Thorp, 1988: 354).

Juan Domingo Perón.

En síntesis, puede decirse, siguiendo a Bulmer-Thomas (1997: 37-39), que la ISI fue un proceso generador de cambios significativos en la composición industrial en buena parte de los países de la región. Si bien la producción fabril de textiles y alimentos elaborados siguió siendo dominante, nuevos sectores industriales comenzaron a pesar en las economías nacionales: bienes de consumo duradero, productos químicos y farmacéuticos, metales, papel... El mercado de bienes industriales se diversificó, al tiempo que se tornaron más complejas las relaciones interindustriales. Empero, la magnitud de tales cambios no debe exagerarse: en 1939, en Argentina, el país más industrializado, el índice de la producción manufacturera neta respecto del PBI llegó a sólo 22,7 por ciento. Le siguieron Chile (18,0), México (16,0), Uruguay (15,9), Brasil (14,5), mientras en Perú (10,0) y Colombia (9,1) alcanzaron niveles aún más modestos. Los límites del crecimiento industrial se reforzaron por la actitud de las burguesías, las cuales se orientaron, en un contexto de mercados internos protegidos, en la dirección fácil y segura de la ganancia inmediata, despreocupándose de llevar adelante acciones tendentes a superar sus insuficiencias e ineficiencias y a proyectarse competitivamente en el mercado externo. La baja productividad de la industria se explica por escasez de electricidad, falta de fuerza de trabajo calificada, acceso restringido al crédito y tecnología anticuada.

En fin, si Bulmer-Thomas (1997: 42-43) está en lo cierto, los cambios acaecidos en la década de 1930 pueden verse como «los fundamentos para una transición hacia el modelo puro de sustitución de importaciones», cuya fase más intensa se alcanzó en las décadas de 1950 y 1960. «Con seguridad, esto es exacto respecto a Brasil, Chile y México, que se habían sumado a Argentina a finales de los años 30 como los únicos países que habían impulsado la industrialización y el cambio estructural hasta conseguir que la demanda interna no fuera ya determinada por el sector exportador». A juicio de este autor, el cambio más importante que se produjo en la década de 1930 fue la sustitución de «las políticas económicas autorreguladoras» por instrumentos de política activados por el Estado.

Ya a finales de los años 1960, el economista brasileño Celso Furtado destacaba que la ISI sólo se concretó «en los países que ya habían pasado por la primera fase de industrialización, esto es, en aquellos que ya poseían un núcleo significativo de industrias de bienes de consumo». En esos países —básicamente, Argentina, Brasil, Chile y México—, lo que aconteció en los años 1930 fue una «intensificación de la industrialización» y «una clara indicación de que ese proceso podría haber ocurrido anteriormente si tales países» hubiesen llevado adelante «políticas adecuadas» (Furtado, 1991: 140 y 143).

Es bueno tener presente que los procesos sustitutivos de importaciones industriales no fueron procesos de alcance nacional, situándose en espacios restringidos, aunque altamente poblados: Buenos Aires, en Argentina; São Paulo, en Brasil; Medellín, en Colombia; Monterrey, en México; Concepción, en Chile.

La distribución de ingresos fue diferente para los distintos sectores sociales. Así, los grupos exportadores tradicionales declinaron «su posición relativa e incluso absoluta, a pesar de las acciones públicas destinadas a paliar los choques externos», mientras los grupos empresariales de la ISI y la agricultura sustitutiva de importaciones (ASI) acumularon «jugosos beneficios», resultado de la combinación de precios internos elevados y costos «desusadamente bajos» de la fuerza de trabajo y las materias primas. Las familias burguesas y de clase media (alta) en cuyos presupuestos

El general Getulio Vargas (en el centro), encabezando una comitiva militar.

tuvieron «escasa participación los alimentos y gran participación los bienes de consumo importados», incluyendo los durables de lujo (como automóviles) y las vacaciones en Europa, enfrentaron «tendencias desfavorables de los precios relativos». Los trabajadores y asalariados en general, tanto urbanos como rurales, de ingresos bajos, no parecen haberse beneficiado con considerables incrementos reales en materia de alimentos; «la mejor conjetura es que (...) los salarios reales de finales de los años 30, para los trabajadores no cualificados y semicualificados, tomando en cuenta todos los componentes de su canasta de consumo, no fueron mucho mayores que un decenio atrás» (Díaz-Alejandro, 1988: 64). Dicho en otros términos, que no son los de Díaz-Alejandro, se trata de un proceso de acumulación sin distribución de ingresos en favor de los trabajadores. En el mejor de los casos, ella tuvo tal carácter favorable, cuando lo tuvo, a partir de mediados de los años 1940.

La industrialización por sustitución de importaciones es una referencia obligada en la historia de América Latina, mas no fue el único «motor de crecimiento», como le llama Carlos Díaz-Alejandro, autor que destaca el papel relevante desempeñado por la sustitución de impor-

Jorge Eliecer Gaitán dirigiéndose a las masas.

taciones agrícolas y de servicios (entre ellos el turismo, ya importante en algunos países, como Argentina). La agricultura por sustitución de importaciones (ASI) alcanzó, en materia de alimentos, resultados modestos en Cuba, o esfuerzos más ambiciosos en Guatemala, según Díaz-Alejandro (1988: 61), opinión que contrasta con la de Bulmer-Thomas (1997: 39), para quien la misma tuvo una expansión «particularmente impresionante en el área del Caribe». Allí, las pequeñas repúblicas, carentes de base industrial, encontraron «en la ASI una manera fácil de compensar la falta de oportunidades en la ISI». Ambos autores coinciden en señalar la importancia de la ASI en América del Sur, especialmente en el caso de cultivos como algodón, cáñamo y oleaginosos, insumos de las industrias textil y aceitera, respectivamente. Díaz-Alejandro acota que, en contraste con la ISI, la ASI se realizó, en gran parte, «a expensas del comercio intralatinoamericano», como ilustra el caso de la producción argentina de yerba mate, cuyo impulso perjudicó a la producción paraguaya, a la cual sustituyó. Como es fácil deducir, frecuentemente, la ASI es inseparable de la ISI, a la cual proveyó de las materias primas necesarias para la producción de alimentos y bebidas.

Los precios relativos de las mercancías nacionales e importadas experimentaron cambios, considerados «un factor importante para la expansión de la ASI y la industria». A su vez, los bienes y servicios no comercializados en el mercado externo también crecieron, «en conformidad con el crecimiento de la economía real y la recuperación de la demanda nacional final. La orientación de recursos hacia el sector industrial y el crecimiento concomitante de la urbanización» tuvieron efecto multiplicador en, por ejemplo, la demanda de energía eléctrica y con ella en el estímulo de «nuevas inversiones en fuentes de electricidad (incluidas represas hidroeléctricas), la explotación petrolera y las refinerías de petróleo». Si bien el desfase entre oferta y demanda constituyó «un problema constante durante la mayor parte de la década de 1930», el exceso de demanda operó como «un estímulo poderoso para el crecimiento tanto de los servicios públicos como de la industria de la construcción» (Bulmer-Thomas, 1997: 40).

En palabras de Bulmer-Thomas (1997: 45-46), el crecimiento económico observable en los años 30 no implicó «un cambio estructural significativo», produciéndose «poca modificación en la composición de las exportaciones». Empero, tales años «no pueden presentarse [en América Latina] como una radical ruptura con el pasado, aunque la década tampoco representa una oportunidad perdida. En un contexto externo generalmente hostil, la mayoría de países logró reconstruir su sector externo», casi todos expandieron la producción de mercancías exportables donde fue factible, y acrecentaron «la oferta de bienes y servicios no comercializables en el comercio exterior». La importancia de tales cambios se apreció, casi de inmediato, cuando la Segunda Guerra Mundial cerró el acceso a las importaciones extrarregionales. Con todo, se trata de un proceso con muchos límites, los cuales han llevado a Luiz Carlos Bresser Pereira, un economista brasileño, a caracterizar el proceso económico latinoamericano como un «subdesarrollo industrializado». Alain Rouquié ha acotado con justeza que la debilidad de la industria latinoamericana es explicable por sus objetivos originales y su historia: la ISI «[produjo] bienes de acuerdo con un modelo de consumo exógeno», de donde surgió —siguiendo un patrón imitativo— la producción de mercancías «poco adecuadas a las necesidades fundamentales de la mayoría de la población y destinadas a grupos sociales relativamente estrechos y privilegiados». Tal situación se agravó por la adopción de «políticas económicas de redistribución regresiva de los ingresos con el fin de crear un mercado concentrado para esos productos», entre los cuales se contaron,

Juan Velasco Alvarado.

hacia los años 1960, los automóviles particulares, la «línea blanca» de los electrodomésticos, la televisión (Rouquié, 1990: 278).

En otras palabras, la ISI generó un proceso de *crecimiento*, mas no de *desarrollo* industrial. Crecimiento indica incremento cuantitativo, mientras desarrollo significa cambios cualitativos. Es cierto que la ISI mostró niveles más altos en la producción de determinadas mercancías —en su mayoría destinadas al consumo—, pero tal situación no conllevó modificaciones sustanciales de la estructura social de los países que realizaron la experiencia. Dicho de otra manera, no hubo una subversión de las viejas estructuras. Por el contrario, ellas sirvieron de base para la ISI. Fue un proceso en el que predominaron elementos negativos: 1) no se apreció un aumentó de la composición técnica del capital y el crecimiento industrial se basó en el aumento de la fuerza de trabajo y el agotamiento de las instalaciones disponibles; 2) no se desarrollaron las industrias generadoras de medios de produc-

Juscelino Kubitschek (en el centro), con Lucio Costa y Oscar Niemeyer, en 1960.

ción, la generación de energía y los transportes; 3) la productividad del trabajo no se incrementó significativamente, los costos fueron elevados y la eficiencia, baja, al tiempo que predominó la pequeña producción escasamente mecanizada; 4) el crecimiento de la producción de artículos de consumo fue continuamente superior al incremento de la producción de medios de producción; 5) la agricultura permaneció estancada y no se tecnificó. Un proceso tal puede denominarse *pseudoindustrialización* (según Víctor Testa, 1964) o también industrialización sin revolución industrial. En otras palabras, un proceso de cambio *en*, y no de cambio *de*, la matriz societal. La tan mentada industrialización por sustitución de importaciones (ISI) y la menos conocida agricultura de sustitución de importaciones (ASI) entraron en crisis en la década de 1960.

En el período ubicado entre ambas crisis, la de 1930 y la de 1960, el proceso de industrialización sustitutiva de importaciones se desarrolló simultáneamente con otros dos procesos: institucionalización del movimiento obrero y ampliación de la ciudadanía (especialmente en su dimensión social). En algunos países —como Argentina, Brasil y México— esto ocurrió en el marco de regímenes populistas considerados «paradigmáticos». En otros, el proceso ocurrió en marcos tan disímiles que difícilmente pueden ser considerados como populismo.

La ISI alteró la estructura ocupacional, llevando el peso creciente de los obreros industriales y al fortalecimiento de los servicios financieros, del transporte y la construcción, como también de la burocracia estatal. Al mismo tiempo, el hecho de que un sector considerable de la industria —siderurgia, electricidad, petróleo, entre las principales— fuera propiedad estatal, hizo posible la aparición de un sindicalismo importante y con rápida capacidad de presión para alcanzar resultados positivos.

Durante los años 30 y primera mitad de los 40 las demandas de ampliación de la ciudadanía y las luchas a favor de la institucionalización del movimiento obrero estuvieron íntimamente relacionadas. Se trata de un período de unos tres lustros que pasó por la agitación y movilización desarrolladas *pari passu* la crisis económica, las propuestas de frentes populares (segunda mitad de los 30) y la tranquilidad laboral de la Segunda Guerra Mundial, período en el cual la relación entre el Estado y el movimiento obrero pasó de la represión a la integración.

Hacia los años 1920, las sociedades de resistencia anarquistas y anarcosindicalistas habían desaparecido y, desde entonces hasta bien entrados los 40, se constituyeron organizaciones sindicales nacionales, fueran de sindicatos profesionales y de empresa, fueran de sindicatos por ramas de actividad. Así, por ejemplo, la Confederación General del Trabajo argentina (CGT), creada en 1930 (por fusión de las precedentes Unión

Sindical Argentina y Confederación Obrera Argentina); la Confederación de Trabajadores de México (CTM), la Confederación de Trabajadores de Colombia (CTC), ambas en 1936; la Confederación de Trabajadores de Chile (CTCh), en 1938; la Confederación de Trabajadores de Cuba (CTC), en 1939.

Un dato significativo de estos años es la frecuente apelación estatal a una legislación laboral focalizada en la atención favorable de demandas de trabajadores que subordinaban la lucha a la negociación o bien eran parte de sindicatos creados «desde arriba», es decir, por el propio Estado. Esto se encuentra ya en los comienzos del gobierno de Getulio Vargas, en Brasil; en los gobiernos de la democracia ficta argentina (1932-1943) y, sobre todo, en el de Perón, para citar tan sólo los casos de mayor envergadura. Constituyó un momento importante no sólo en la historia del movimiento obrero latinoamericano —el triunfo del sindicalismo populista (típico de Argentina, Brasil y México) sobre el sindicalismo de clase (predominante en Bolivia, Chile y Perú), para decirlo en los términos de Francisco Zapata (1993)—, sino también en la dinámica del sistema político, en el cual introdujo o fortaleció, según los casos, la mediación corporativa, en detrimento de la mediación partidaria. La intervención del Estado en la actividad sindical produjo en ésta, en mayor o menor medida, una pérdida de autonomía organizativa —y a menudo ideológica— y una subordinación a las políticas estatales.

El caso brasileño ilustra de manera inequívoca tal aserto, tal como se percibe durante el *Estado Novo* (1937-1945), período en el cual se destacan la política autoritaria (control riguroso de los fondos de los sindicatos —generados por el *imposto sindical*, una contribución anual obligatoria deducida directamente del salario de cada trabajador, sindicalizado o no, y constituida por el importe de la remuneración correspondiente a un día de trabajo—); investigación de los dirigentes sindicales por parte del *Departamento da Ordem e Política Social*, el temible DOPS; prohibición de constitución de una confederación obrera nacional, y codificación de la legislación corporativa mediante la promulgación de la *Consolidaçâo das Leis do Trabalho* (CLT) en 1943.

En el agro, trabajadores rurales y campesinos se sumaron a la movilización social y política. En algún caso, como en El Salvador, los campesinos protagonizaron un intento insurreccional que concluyó en una brutal matanza, y que constituyó el punto más alto de la conflictividad rural latinoamericana durante los años 30. En otro, como en Bolivia después de la Guerra del Chaco, fueron parte del movimiento reformista llevado adelante por jóvenes oficiales del Ejército —el trienio del *socialismo militar*—, comenzando un proceso de sindicalización, impulsado por el gobierno, que los convirtió en protagonistas de un movimiento que culminó en 1952 con la Revolución Nacional. Los campesinos mexicanos, a su vez, fueron sujetos principales de la Revolución y, dentro de ésta, experimentaron un fuerte retroceso en posiciones de poder conquistadas a lo largo de la Revolución, cuando el presidente Lázaro Cárdenas logró subordinar la Confederación Campesina de México, creada en 1931 y luego convertida en Confederación Nacional Campesina (CNC), a la estructura burocrática del Partido de la Revolución Mexicana (PRM), la denominación que adquirió en 1938 el Partido Nacional Revolucionario (PNR). Esa pérdida de poder real quedó enmascarada por los beneficios recibidos en contraposición. Dicho de otra manera, los logros materiales —el acceso a la tierra en primer lugar— tuvieron como costo la cuota de poder alcanzada duramente.

En esta fase, la organización y la participación popular tuvieron un carácter crecientemente subordinado. Los líderes obreros fueron cooptados y la legislación social fue promulgada «desde arriba». Así, en Brasil, la citada Consolidación de las Leyes del Trabajo estableció que los deberes de los sindicatos eran «colaborar con los poderes públicos para el desarrollo de la solidaridad social» y «promover la conciliación en los conflictos laborales». En México, la ampliación de la ciudadanía social y el sindicalismo también tuvieron ese carácter vertical, ligados históricamente al PRI a través de la CTM. En 1917, la Constitución había dispuesto en su artículo 123 la jornada de ocho horas; la reglamentación del trabajo de mujeres y niños; restricciones al derecho de despido; el salario mínimo; la indemnización por accidente; la participación en los beneficios; la eliminación de economatos; los sindicatos y las huelgas y un sistema de arbitraje y conciliación que concentraba amplios poderes en el Estado. Muchas de estas cuestiones no tuvieron aplicación sino hasta después de 1930, cuando el Estado populista se erigió finalmente como mediador en el conflicto capital-trabajo. En México, en 1918 surgió la Confederación Regional Obrera Mexicana (CROM), que fue un instrumento central del control estatal en todo el decenio de 1920, especialmente durante la presidencia de Calles. A diferencia de otros países, en México las organizaciones campesinas estuvieron afiliadas a esta institución. En 1931 la CROM perdió posiciones con la sanción de la Ley Federal de Trabajo, de neto corte corporativista, que ponía las funciones antes ejercidas por la CROM en manos del Estado: inscripción en sindicatos; contratos laborales, huelgas, arbitraje, etc. En el mismo año, también Chile tuvo su código de trabajo.

El nuevo contexto favoreció la constitución de grandes organizaciones sindicales nacionales —por ejemplo, las ya mencionadas Confederación General del Trabajo (CGT) argentina, en 1931; la Confederación de Trabajadores de México (CTM), en 1936, y la Confederación de Trabajadores de Chile (CTC), en 1936—, con mayor capacidad de representación y de negociación con la patronal y con el Estado.

Durante la vigencia del modelo ISI —y notoriamente en las experiencias populistas— se estableció «un marco institucional de regulación de las relaciones laborales para el proceso de acumulación de capital», que permitió la expansión cuantitativa del sindicalismo (más asalariados sindicalizados) y el ingreso de los trabajadores en alianzas políticas que, a su vez: a) incrementaron las tasas de sindicalización, aumentando la capacidad de presión colectiva del sindicalismo sobre el sistema político y, al mismo tiempo, b) fueron resultado del proceso de cooptación inducido por el Estado (Zapata, 1993: 41).

Así, el sindicalismo del populismo se caracterizó por la escasa o nula autonomía respecto del Estado. El liderazgo sindical, señala Zapara (1993: 91), estuvo «más vinculado a las instancias decisorias del Estado que a la representación de las demandas de los trabajadores», y el conflicto sindical, cuando apareció, reveló «tensiones en esa articulación más que una radicalización de la base obrera». El *peleguismo* brasileño, el charrismo mexicano y la burocracia sindical argentina fueron expresiones de esa dependencia del movimiento obrero. Se trataba de una especie de transacción entre el movimiento sindical y el Estado: el primero apoyaba al segundo a cambio de beneficios económicos y sociales. A diferencia del sindicalismo clasista, de confrontación, el sindicalismo populista fue de negociación. Significativamente, las tasas de sindicalización de las experiencias negociadoras han sido más altas que las clasistas.

Argentina, Uruguay y en menor medida Chile eran países con alta tasa de urbanización ya durante el modelo primario-exportador. La ISI contribuyó a incrementar la urbanización, en esos y en otros países, y ésta acentuó el carácter urbano de la clase obrera y, por ende, el tipo de reivindicaciones de trabajadores cuyo *locus* eran la fábrica y los barrios pobres de las ciudades. Así, el movimiento obrero no sólo demandó mejoras de los salarios y de las condiciones de trabajo en las plantas, sino también acceso a la vivienda, a la educación, a la salud y a los medios de transporte (reducción del costo de éste).

En suma el populismo como «estructura institucional de tipo autoritario y semicorporativa» se apoyó en dos políticas públicas fundamentales, la ampliación de la ciudadanía social y la industrialización por sustitución de importaciones; al tiempo que tuvo en la integración del movimiento obrero institucionalizado su fuente de legitimación y base social predilecta.

Los casos paradigmáticos: cardenismo mexicano, varguismo brasileño, peronismo argentino

Según el concepto elaborado por Weffort (1978) —definición que compartimos—, el populismo latinoamericano es una experiencia observable históricamente en el México cardenista (1934-1940), el Brasil varguista (1945-1954) y la Argentina peronista (1945-1955). La primera diferencia que salta inmediatamente a la vista es que el cardenismo fue un fenómeno de los años 30, mientras el varguismo y el peronismo lo fueron de los 40, aunque en el caso brasileño se aprecian algunos antecedentes ya bajo la dictadura del *Estado Novo* (1937-1945). En tanto experiencia populista, la mexicana se produjo de veinte a veinticinco años después de la ruptura del orden oligárquico; la argentina, treinta años más tarde de tal ruptura y la brasileña, alrededor de los doce a dieciséis. De los tres populismos, el único que se aproxima a la secuencia régimen oligárquico-populismo es el de Brasil, si consideramos las tres primeras fases del varguismo (1930-1934, 1934-1937 y 1937-1945) como intentos fallidos de salida a la crisis de la dominación oligárquica. En Argentina, el populismo fue respuesta a la crisis de la democracia liberal y a las insuficiencias develadas por su práctica viciada. En México, fue freno a la eventual mayor radicalización de la revolución, tal como se advierte en la exitosa (para sus promotores) desarticulación del bloque obrero-campesino durante, justamente, la presidencia de Cárdenas.

En los tres casos, el populismo propició la industrialización y el desarrollo económico bajo una creciente regulación estatal. Al respecto, sin embargo, cabe notar que en México, la reforma agraria no eliminó a las burguesías agrarias regionales, sino que éstas transfirieron sus recursos económicos de la agricultura a la industria. El cardenismo pretendió llevar adelante una «industrialización inducida con fuerte grado de conciencia social», cuyas bases eran los ejidos y las pequeñas comunidades industriales. Empero, en poco tiempo, la gran triunfadora fue la burguesía, desplazando a las cooperativas agrarias, contando con fuerte apoyo del Estado y su intervención en la economía. Tampoco en Brasil el proceso de industrialización sustitutiva implicó el desplazamiento de los grupos dominantes del sector primario, puesto que la exportación del café siguió teniendo una importancia clave. En Argentina, cuando la bonanza económica generada por la segunda guerra aceleró las condiciones para la industrialización, ya existía una burguesía industrial vinculada al sector agroexportador, de él dependiente, a la cual se sumó una fracción burguesa industrial nacional que el peronismo estimuló. Salvo unos pocos casos, irrelevantes en el conjunto, éste no afectó la estructura de propiedad latifundista de la tierra, aun cuando mejoró las condiciones laborales de los peones y las contractuales de los chacareros (medianos productores, en su mayoría arrendatarios), amén de los términos de la comercialización de granos y cereales, cuyo monopolio por parte de empresas multinacionales fue transferido al Estado al crearse el Instituto Argentino para la Promoción del Intercambio (IAPI).

El populismo no sólo llevó adelante una política de intervención estatal en la economía, sino que hizo del Estado un propietario de industrias y servicios, especialmente en áreas sensibles y estratégicas. En algunos casos, mediante la nacionalización de empresas hasta entonces de capital privado, en particular imperialista; en otros, creándolas. Adicionalmente, tal nacionalización fue utilizada simbólicamente como expresión de autonomía, dignidad e independencia del país. Cárdenas transfirió al Estado la propiedad del petróleo y los ferrocarriles y ello hizo posible una disminución de los costos del combustible y de los fletes, favoreciendo el proceso de ampliación del mercado interno. Vargas levantó fábricas de propiedad estatal y/o mixta de materiales aéreo y naval, acero, energía eléctrica, motores para camiones y aviones, y no vaciló en apelar, para ello, al capital extranjero, como en el caso de la *Companhia Siderúrgica Nacional*, establecida con aporte del gobierno norteamericano (a través del *Export-Import Bank*). También puso bajo control del Estado a la industria del petróleo. Argentina tenía, en el momento de acceso del peronismo al gobierno, una tradición de Estado propietario (del petróleo, de la fabricación de aviones y de insumos militares), iniciada y practicada por gobiernos conservadores y radicales. En este sentido, Perón innovó menos que Cárdenas y Vargas, pero ello no quita importancia a las nacionalizaciones realizadas por su gobierno: las del Banco Central y los depósitos, los ferrocarriles y otros medios de transportes, la generación y distribución de energía eléctrica, los teléfonos y telégrafos, la provisión de agua potable y de gas natural, entre otras.

El populismo favoreció la integración del movimiento obrero a partir de una política laboral de gran radicalidad. En los tres casos estudiados los sindicatos jugaron un papel de envergadura. En Brasil, la legislación laboral constituyó el primer elemento de ciudadanía y participación de las masas en los asuntos del Estado, siempre bajo la tutela del Estado. A diferencia de Argentina y México, donde el sufragio universal data de principios de siglo, en Brasil se instituyó en la Constitución de 1988. Además, contras-

tando con México, en Brasil la legislación laboral estuvo limitada a los grupos urbanos y no interfirió con los intereses de los grandes terratenientes. En efecto, el varguismo no implementó ni una reforma agraria ni la sindicalización de los campesinos y trabajadores rurales. En Argentina, el justicialismo (o peronismo) se constituyó a partir de interpelar a las masas («el pueblo») en términos de justicia social, en perjuicio de la libertad. La demanda de justicia social se asoció con el proletariado, en particular (pero no sólo) el industrial urbano. Los peronistas levantaron esa demanda y la construyeron en términos antagónicos (justicia social *contra* libertad).

La clase obrera —y en particular el movimiento obrero organizado— fue un sujeto social principal del populismo. A diferencia del *sindicalismo de confrontación* del periodo agro-exportador, el del modelo ISI en general, y del populismo en particular, fue un *sindicalismo de negociación*.

La columna vertebral del populismo fue la alianza de clases entre la burguesía industrial nacional y la clase obrera industrial. Vargas, como se ha dicho antes, no atendió a los campesinos y en Argentina éstos eran una minoría, razón por la cual Perón privilegió a los obreros industriales. En México, en contraste, Cárdenas dio gran importancia a la incorporación de los campesinos a la alianza. Una cuestión clave de su gobierno fue la agraria, donde una extensa reforma —corolario y asignatura pendiente de la revolución iniciada en 1910— expropió latifundios centrales (por un total de 17.000.000 de hectáreas), transfiriendo las tierras a los ejidos (propiedad comunal) en tal magnitud que la mitad de superficie agrícola cultivada estaba en manos de éstos, a lo cual hay que sumar la multiplicación de la pequeña propiedad campesina individual. Los campesinos ya habían sido un factor de peso en el apoyo a la candidatura presidencial de Lázaro Cárdenas, a través de la Confederación Campesina Mexicana, base de la posterior Confederación Nacional Campesina (CNC) que levantó las consignas «lucha de clases» y «socialización de la tierra». Por otra parte, la ya indicada política cardenista de transferencia de recursos de los sectores industrial y de servicios al rural favoreció a los campesinos, aun a costa de la pérdida de poder, para decirlo una vez más.

En México y Brasil, el populismo también favoreció la formación de un sistema de partidos en escala nacional. En México, aunque la creación del PRN en 1929 fue anterior a la centralización e institucionalización política lograda por Cárdenas, tuvo especial importancia la creación del PRM, suma de representaciones corporativas campesinas y populares (como la Confederación Nacional de Organizaciones Populares) y el ejército. De hecho, el populismo cardenista fortaleció el proceso de sustitución de la política caudillista por la institucional, con un partido con fuerte capacidad y poder para disciplinar y cohesionar a sus huestes y a la sociedad. En Brasil, el sistema de partidos se basó sobre dos grupos creados por Vargas en los años precedentes de la dictadura del *Estado Novo*: el *Partido Social Democrático* (PSD), conservador y agrario, y el *Partido Trabalhista Brasileiro* (PTB). Además, se formó la *Unió Democrática Nacional* (UDN), el partido de la derecha liberal creado en 1945, obviamente de oposición al populismo. Esta estructura de partidos fue la que siguió vigente, aunque desde luego con reacomodamientos, durante la dictadura institucional de las Fuerzas Armadas que se inició en 1964 y que, singularmente, mantuvo el formato representativo. En Argentina, en cambio, el Partido Peronista —más tarde, Justicialista (PJ)— surgió en un sistema de partidos débiles pero con fuerte identidad que ya contaba con un partido de alcance nacional y larga trayectoria, como lo era la Unión Cívica Radical (UCR), y un Partido Socialista de alcance espacial restringido (la ciudad de Buenos Aires y alguna que otra ciudad del interior), pero

con una notable incidencia dentro del sistema. Incluso con las restricciones que el peronismo impuso a la oposición durante el período 1946-1955, durante esos años se modificó el sistema de partidos de modo tal que se polarizó en el juego bipartidista del PJ y la UCR, signado por sucesivas y recíprocas exclusiones (del partido en la oposición) e impugnaciones (al partido en el gobierno), largamente prolongado y cuyos ecos, debilitados, todavía persisten.

Los casos de México y Brasil se destacan porque en ambos sus líderes nacionales —Cárdenas y Vargas— habían sido gobernadores en el sistema político anterior y conocían personalmente los vericuetos de la política tradicional de la oligarquía. En México, el populismo se apoyó en un movimiento surgido desde abajo del mismo proceso revolucionario que Cárdenas institucionalizó. En Brasil —más que en Argentina— el populismo ordenó la sociedad desde arriba, desde el Estado, a tal punto que la construcción de la ciudadanía en ese país ha sido denominada, por José Murilo de Carvalho, «estadanía».

Más notoriamente en Brasil y en Argentina, las experiencias populistas fueron un factor fundamental en el proceso de construcción de la concepción de la democracia con énfasis en lo social antes que en lo político. Aun cuando pueda argumentarse que la relación vertical entre el líder y las masas tendió a generar sumisión de estas últimas, el populismo fue sin duda una experiencia histórica que dotó a la ciudadanía de mayor densidad.

La relación entre populismo y democracia es por lo menos ambigua. Arditi (2004) sostiene que en general los estudios acerca del populismo han tendido a resaltar la conexión entre éste y la modernización, la irrupción de los excluidos en la arena política y la importancia dada a los liderazgos carismáticos. En su contribución, el autor propone pensar en el populismo como una periferia interna de la política democrática, explorando aspectos inquietantes del populismo, que es concebido como un posible reverso o némesis de la democracia. Arditi también destaca, con justeza, la ambigüedad del populismo respecto de otras dos cuestiones centrales: el pueblo y la representación. Al respecto, debe recordarse que en la construcción maniquea que los populismos hacen del «otro» —llámese oligarquía, antipatrria, gran capital, etc.— el «pueblo» es siempre portador de lo bueno, lo mejor, lo auténtico, la verdad, la capacidad de no equivocarse nunca, etc. Pero ese colectivo es, por lo general, definido de modo muy impreciso en cuanto a su identidad y composición. En cuanto a la representación, dice Arditi, también ella es ambigua. El populismo plantea una identificación inmediata entre el pueblo y el líder, con lo cual la representación se disuelve en una «presencia conjunta». Así y todo, el populismo puede ser entendido como una respuesta a la democracia «formal» en la medida en que desarticuló el orden oligárquico y propuso la extensión de la ciudadanía.

Populismos, políticas nacional-desarrollistas y Estado de Compromiso Social o Tutelar

En América Latina no se desarrollaron experiencias de Estado de Bienestar Social como las europeas y, en el mejor de los casos, sólo pueden encontrarse Estados de Compromiso. El Estado de Compromiso Social o Tutelar es una forma de Estado que sucedió a la oligarquía, excepto en el caso de Uruguay, donde, con el reformismo batllista, fue la forma en la que se consolidó el Estado sellando al fin de las luchas *inter*oligárquicas posindependentistas. Desde un punto de vista analítico puede decirse que el Estado de Compromiso se funda en unos arreglos inestables con incorporación de los sectores medios y movilización de las masas desde arriba, quienes cuentan con distintos grados y cuotas de poder según los casos. La pauta general es que ninguna clase o fracción

de ella es capaz de ejercer la hegemonía y llevar adelante un proyecto nacional con éxito duradero. En efecto, ni las experiencias populistas ni las experiencias excepcionales de democracia liberal, muchas veces y con distintos argumentos tildadas de populistas, fueron capaces de administrar con éxito y continuidad las crisis políticas y sociales recurrentes que se desencadenaron con el fin de la Segunda Guerra Mundial, el predominio de Estados Unidos y la universalización de la guerra fría.

El *populismo* se distingue de los *movimientos y políticas nacional-populares y movimientos y políticas nacional-desarrollistas*, en todos los casos experiencias posteriores a 1930. Es conveniente también diferenciar, según propone Alain Touraine (1989), *partidos populistas, estados populistas y movimientos populistas*. Es posible añadir un cuarto, el de las *formas populistas de hacer política*.

Existieron algunos *movimientos* de incorporación temprana de las masas en el escenario político que han sido tildados de populistas, justamente en virtud de la dimensión participativa que dicha incorporación supuso. Se trata de los movimientos de masas que encumbraron en la presidencia a Yrigoyen, en Argentina, y a Alessandri, en Chile, en las primeras décadas del siglo XX. Ellos se dieron en el contexto de un acelerado crecimiento urbano y un marcado desarrollo de las fuerzas productivas capitalistas, y obtuvieron su apoyo de las clases medias y elites no comprometidas con el poder. En estos casos, sin embargo, el movimiento obrero no participó de la alianza de poder en el Estado y la ampliación de la ciudadanía fue fundamentalmente política y de sesgo liberal. En el caso de Chile hay quienes han extendido el carácter populista al gobierno de Ibáñez.

El caso de Colombia, con el gaitanismo, ilustra bien el caso de un *movimiento* populista, que no remite ni a un partido ni tampoco a un gobierno o Estado. El año 1948 es un hito emblemático en la historia social y política de

Colombia del siglo XX. La violencia como recurso de acción sistemático y permanente fue un elemento que apareció en ese momento, con el *bogotazo* desencadenado con el asesinato del líder del ala izquierda del Partido Liberal, Jorge Eliecer Gaitán. En 1933, bajo el liderazgo de éste, se había fundado la Unión Nacional Izquierdista Revolucionaria (UNIR), que tuvo una efímera duración. Por entonces, el partido obtuvo pésimos resultados y Gaitán decidió disolverlo y plegarse al reformismo de cuño liberal. Gaitán supo apropiarse del capital político derivado de la agitación en el campo, a partir de *la pausa* de 1936 y primordialmente después de 1940. Ese capital fue el que en 1948 le permitió movilizar a 200.000 personas en la *marcha del silencio*, prólogo de la institucionalización de la violencia civil en Colombia. Si bien algunos autores prefieren denominar este proceso como populismo, lo cierto es que el fracaso de Gaitán en las elecciones de 1946 y su asesinato en 1948 impiden caracterizar al gaitanismo como la «estructura institucional» que es el populismo, al menos si se siguen los términos propuestos por Weffort. También en Colombia, el gobierno liberal de López, con su discurso nacionalista y su interpelación a las masas con la consigna «revolución en marcha», vigente entre 1934 y 1936, puede ser tomado como ejemplo de una forma populista de hacer política.

Existe también un militarismo de corte reformista y nacionalista que se define por su apelación a lo popular y la construcción de una amplia base participativa, y cuyo ejemplo paradigmático es el caso de Velasco Alvarado en el Perú de 1968. En rigor, se trata de una forma de autoritarismo que se inició con un golpe de Estado y que finalizó en 1975 cuando otro golpe, el de Morales Bermúdez, puso fin al proceso iniciado por Velasco Alvarado. Perú también ofrece un ejemplo de lo que Touraine denomina *partido* populista: el APRA liderado por Haya de la Torre. A este ejemplo se agrega el del partido del Movimiento Nacionalista Revolucionario (MNR) de Bolivia, con Paz Estensoro en el gobierno.

La experiencia del *impulso* batllista en Uruguay es otro claro ejemplo de inflación semántica del término populismo. La notable y muy temprana instauración de los derechos de ciudadanía social se desplegó en Uruguay *pari passu* la restricción de los derechos de ciudadanía política, aunque hay que considerar que en 1932 se aprobó por ley el derecho a voto de las mujeres. El énfasis en la democracia social más que en la democracia política no es un argumento consistente para considerar al batllismo como una experiencia populista.

En un tratamiento detenido de la cuestión cabe analizar, en cada caso, hasta cuándo es posible mantener la caracterización de populismo, sin desdeñar la alternancia o la combinación con fases desarrollistas.

El desarrollismo es una propuesta de política económica elaborada por la Comisión Económica para América Latina (CEPAL) bajo el liderazgo del economista argentino Raúl Prebisch, acompañado por el brasileño Celso Furtado y otros. El punto de partida fue el diagnóstico de economías en las cuales el capital era un recurso escaso, escasez que afectaba la expansión de la infraestructura básica necesaria para el desarrollo de la economía (comunicaciones, energía eléctrica, transporte), debiendo suplirse o superarse tal escasez apelando a la puesta en movimiento de factores hasta ese momento ociosos. Específicamente, el capital necesario para el desarrollo industrial debía provenir de un mejor empleo de los recursos generados por las exportaciones y de la inversión extranjera directa, correspondiendo al Estado un papel central en tales tareas.

El desarrollismo, como teoría del crecimiento económico, sostuvo la existencia de un centro (países más industrializados) y una periferia (países menos desarrollados), entre los cuales existía una decisiva *brecha* de desarrollo y una desfavorable relación real de intercambio de los países menos industrializados o periféricos. Esa situación negativa podía y debía superarse aumentando la producción de bienes y servicios, sin romper la matriz capitalista de la sociedad, pero sí su dependencia del centro del sistema capitalista mundial. A diferencia del populismo, más orientado a privilegiar la distribución del ingreso a favor de las clases populares, el desarrollismo hacía hincapié en el incremento y diversificación de la producción.

Los mayores éxitos del sistema *nacional-desarrollista* se alcanzaron, sin romper la dependencia ni instaurar un capitalismo autónomo, principalmente en Brasil y en México, aunque hay diferencias entre una y otra experiencia. En México, mucho más eficazmente que en el resto de los países, la política económica era un asunto decidido por la cúpula del poder político que controlaba el Estado, con mucha más independencia de las organizaciones de la sociedad. Y esto era así toda vez que en México el proceso revolucionario había permitido destruir la capacidad de presión tanto del poder terrateniente oligárquico como de los trabajadores rurales y urbanos, como se ha visto, mediante el control «desde arriba» de su aparato sindical.

Los logros en toda la región, sin embargo, no consiguieron opacar la situación crítica que ya se venía planteando desde la segunda posguerra. En aquel momento, América Latina se encontraba en una coyuntura signada por el comienzo del agotamiento de las respuestas que desde la década de 1920 se habían dado a las limitaciones del modelo primario-exportador y, después de 1929, a los desafíos por superar la crisis, cuyos efectos, tras la recomposición del capitalismo en los países centrales se vieron atenuados por la Segunda Guerra Mundial. Es el final de la guerra, precisamente, el que terminó con las ilusiones y desnudó (una vez más) la debilidad estructural de las economías del subcontinente.

Así, al concluir la década de 1950, con las excepciones de México y Brasil, las economías latinoamericanas revelaban claros indicadores de estancamiento, cuando no de regresión. Política y socialmente, América Latina —otra vez con la excepción mexicana— no conseguía afirmarse o estabilizarse. Ni las dictaduras militares autocráticas, ni las experiencias populistas, ni las excepciones democrático-liberales pudieron conjurar las crisis político-sociales renuentes a toda solución más o menos consolidada con cierta permanencia o continuidad. La conjunción de crisis económica y crisis política tornó evidente una conclusión elemental fuertemente resistida por las clases o sectores tradicionalmente dominantes en la región: los desequilibrios económico-sociales producían problemas políticos, las tensiones aparecían en primer plano y no podían ser resueltas con los tradicionales mecanismos de ejercicio del poder. Clases sociales dominantes acostumbradas a tratar la cuestión social como una cuestión policial, se encontraron entonces en una encrucijada de más difícil resolución. La efímera bonanza de la guerra y la posguerra acabó cuando el centro capitalista se recompuso, recomposición económica cuyos efectos en las economías latinoamericanas se advirtieron bien pronto: deuda externa (si bien todavía muy lejos de los estragos de los años 1980 y 1990), balanzas de comercio y de pagos deficitarias, importación de insumos industriales... Entrelazado con todo esto, el predominio norteamericano se expandió y la guerra fría se tornó universal.

En dos sociedades predominantemente campesinas se intentaron soluciones por la vía de la revolución: en Bolivia (1952), con éxito relativo, y en Guatemala (1954) con un fracaso al que no fue ajeno el celo estadounidense por una alteración supuestamente radical en su patio trasero. En cambio, en otras dos —mucho más urbanas y con significativa presencia proletaria— se intentó salir de la crisis mediante la aplicación de la panacea del desarrollismo, una concepción que propugnaba una transformación amplia de la economía, capaz de equilibrar la agricultura y la industria, los polos desarrollados y los marginales (es decir, unificar sociedades duales), e integrar social y políticamente a las masas asalariadas y, donde cabía, campesinas, todo ello (y sus efectos) dentro de, y sin modificar radicalmente, la matriz social existente. Este populismo sofisticado se practicó temporalmente en Brasil y Argentina, bajo los gobiernos de Juscelino Kubitschek (1955-1960) y de Arturo Frondizi (1958-1962), respectivamente, si bien el primero tuvo cierta continuidad hasta el golpe militar de 1964, que instauró una larga dictadura institucional de las Fuerzas Armadas. En un tercer país, México, el desarrollismo se practicó en un contexto de estabilidad que le valió el mote de «desarrollo estabilizador». En efecto, con Miguel Alemán Valdés en la presidencia (1946-1952) se inauguró una nueva etapa de la revolución o en todo caso la etapa *pos*revolución. Alemán no había participado del proceso, no provenía de los sectores militares y con él el partido de la revolución tomó el nombre de Revolucionario Institucional (PRI). Durante su gestión hubo un crecimiento industrial formidable que tuvo como contracara un aumento también formidable de la corrupción y la inflación. A diferencia de los otros dos países, en México el fin del desarrollismo ocurrió en un marco de continuidad democrática, en el que la matanza de Tlatelolco de 1968 significó para las clases dominantes una señal inequívoca de crisis. Hacia 1970, el desarrollo del país tocó fondo y «el milagro mexicano» tuvo su crisis.

En toda la región, antes de agotarse y al no poder vencer los límites y las resistencias al cambio estructural dentro del capitalismo, el desarrollismo encontró adicionalmente, y contra toda previsión más o menos fundada, el formidable anta-gonismo generado a partir de la Revolución Cubana en la década de 1960.

La crisis del Estado de Compromiso en América Latina llevó a la instauración de las dictaduras institucionales de las Fuerzas Armadas y a la adopción de políticas económicas neoliberales desde mediados de la década de 1970, en varios países de la región. Los arreglos políticos que correspondieron a las democracias reestablecidas después de esa coyuntura, a partir de los años 1980, fueron caracterizados como populistas o, más a menudo, *neo*populistas. En contraste con el populismo «clásico», y lejos de los términos en los que Weffort lo define, el llamado neopopulismo es una experiencia resultante de las reformas neoliberales y de la crisis de la deuda externa de los años 1980 y 1990 (Roberts, 1998). Así, los gobiernos de Alberto Fujimori (1990-2000), en Perú; Carlos Menem (1989-1999), en Argentina, y Fernando Collor de Mello (1990-1992), en Brasil, han sido caracterizados como neopopulistas. Más recientemente, el gobierno norteamericano ha rotulado a Hugo Chávez como populista. Pero está claro que en todos estos casos se trata, por lo menos, de un abuso del lenguaje.

La dimensión temporal es clave para distinguir, histórica y analíticamente, los casos clásicos de Argentina, Brasil y México de estos fenómenos *nuevos*. En efecto, ya se ha dicho que el populismo paradigmático es un fenómeno que tuvo su origen en la crisis de 1930, la crisis del modelo agro exportador y la crisis de la oligarquía como forma de Estado. El modelo ISI y la política de masas son dos de sus rasgos constitutivos, que no estuvieron de ningún modo presentes en las versiones neopopulistas de los últimos años.

Los casos paradigmáticos de populismo se basaron en la incorporación social de las masas, a través de una proliferación de derechos sociales, y en la incorporación política, a través de la participación mediada por el Estado y las corporaciones. Se basaron, también, en la incorporación simbólica de las masas a través de una noción extensiva e inclusiva del pueblo. El neopopulismo, en cambio, apeló a una integración fragmentaria, a través de programas económicos, por ejemplo, que erosionaron la ciudadanía y la institucionalización y la organización de la sociedad civil. El neopopulismo estuvo lejos de promover políticas distribucionistas y, por el contrario, propulsó los procesos de «achicamiento» del Estado fundados en el Consenso de Washington.

Específicamente, la clase obrera, uno de los pilares del populismo, fue la principal perjudicada por tales políticas, que negaron, cuando no arrasaron, todas las conquistas obreras en materia de ciudadanía social. No ayuda a la cabal explicación de la historia del tiempo presente el apelar al neologismo neopopulismo, una contradicción en sus términos al ser aplicado a gobiernos destructores de los derechos de ciudadanía social, el logro máximo de los populismos clásicos.

Capítulo 3

LAS REVOLUCIONES

La revolución como concepto

Las revoluciones constituyen uno de los grandes temas del siglo XX, no sólo en América Latina sino en el mundo entero. Entre los sociólogos, es convicción de muchos que ese siglo es quien mejor merece el título de «siglo de la revolución».

Las revoluciones, a las cuales Karl Marx consideraba locomotoras de la Historia, son las manifestaciones más espectaculares del cambio social, la cumbre del cambio social, como las llama el sociólogo polaco Piotr Sztompka. Las más «grandes» de ellas —la inglesa de 1648-1649, la norteamericana de 1776 y la francesa de 1789 (conocidas como revoluciones burguesas)— marcaron el nacimiento de la modernidad. La revolución rusa de 1917 y la china de 1949 (sin contar las frustradas en Europa en 1918-1919) abrieron la fase del llamado socialismo realmente existente, clausurada por las revoluciones anticomunistas de Europa central y oriental de 1989. En América Latina, los grandes cambios están claramente asociados con las revoluciones mexicana (1910), boliviana (1952) y cubana (1959), y con las frustraciones de Guatemala (1954) y Nicaragua (1979).

A partir de Alexis de Tocqueville (1805-1859), Lorenz von Stein (1815-1890) y Karl Marx (1818-1883), el concepto revolución comenzó a ser elaborado de un modo que todavía hoy

Emiliano Zapata (sentado en el centro), junto a su hermano Eufemio (sentado derecha) y algunos de sus colaboradores.

sustenta los más ricos análisis. En 1833, Tocqueville llamó la atención sobre la necesidad de distinguir la forma del contenido, destacando que la relevancia de éste puede ser mucho mayor que el modo en que se expresa. En 1844, en carta a Arnold Ruge, Marx formuló una breve distinción entre revolución *política* (la que derroca el poder antiguo) y social (la que termina con la vieja sociedad). A su turno, en 1850, también Stein propuso diferenciar la *revolución política* de la *revolución social*, asignándole una importancia determinante, tanto para el análisis de la ciencia de la sociedad como para las acciones prácticas.

En el siglo XX, la socióloga histórica norteamericana Theda Skocpol (1984: 21), en un libro que renovó la teoría de las revoluciones y los debates sobre ellas, retomó la distinción de Stein y Marx de las revoluciones en políticas y sociales y la refinó de manera tal que la convirtió en un instrumento conceptual y analítico preciso: «Las revoluciones sociales son transformaciones rápidas y fundamentales de la situación de una sociedad y de sus estructuras de clase; van acompañadas, y en parte son llevadas por las revueltas basadas en las clases, iniciadas desde abajo. (...) Las revoluciones políticas transforman las estructuras del Estado, y no necesariamente se realizan por medio de conflictos de clases. (...) Lo que es exclusivo de la revolución social es que los cambios básicos de la estructura social y de la estructura política ocurren unidos, de manera tal que se refuerzan unos a otros. Y estos cambios ocurren mediante intensos conflictos sociopolíticos, en los que las luchas de clase desempeñan un papel primordial.»

Asimismo, la autora establece tres principios de análisis de los procesos revolucionarios: la perspectiva estruc- tural (no voluntarista) de sus causas y proceso; una referencia sistemática a las estructuras internacionales y a los acontecimientos de la historia universal; y una concepción de los Estados como organizaciones administrativas y coactivas potencialmente autónomas (Skocpol. 1984: 36-37).

Utilizando la definición de Skocpol para estudiar los procesos sociopolíticos latinoamericanos, es posible distinguir revoluciones políticas —las de independencia, en el siglo XIX; la de 1930, en Brasil, por ejemplo— y revoluciones sociales —México, Bolivia y Cuba, todas en el siglo XX—, y comprender mejor procesos truncados —tales como la revolución haitiana en la bisagra de los siglos XVIII y XIX; la guatemalteca y la nicaragüense, también en el siglo XX.

Las revoluciones del siglo XX: México, Bolivia, Cuba, Guatemala, Nicaragua[6]

Las revoluciones mexicana, boliviana y cubana, en tanto revoluciones sociales, constituyen las manifestaciones más altas de transformaciones sociales y políticas acaecidas en América Latina. Las dos primeras terminaron con el sistema de hacienda, de origen colonial, y con la dominación oligárquica instaurada en tiempos republicanos. La tercera, la más radical, acabó con capitalismo y se proclamó socialista.

Alan Knigt (1993) discute la pertinencia de la aplicación de los tres principios analíticos formulados por Skocpol y, aunque sus argumentos contestatarios también pueden ser objeto de controversia, no deja de ser valioso su aporte en términos comparativos.

Según Knight —un gran historiador de la Revolución Mexicana, por lo demás— la rivalidad internacional y la bancarrota económico-financiera tuvieron

---

[6] Se exponen aquí grandes líneas de comparación entre las revoluciones mexicana, boliviana y cubana, más algunas consideraciones sobre los procesos truncados de Guatemala y Nicaragua y los frustrados procesos revolucionarios surgidos como consecuencia de la cubana. Ésta y la mexicana, por otra parte, son objeto de estudios particulares en sendos volúmenes de la misma colección a la cual pertenece el libro que se está leyendo.

poco que ver en las revoluciones cubana y mexicana. Cuba, México y Bolivia compartían una situación de dependencia respecto de Estados Unidos, pero esto no significa estrictamente rivalidad internacional. Empero, es imposible explicar el desarrollo de las tres revoluciones —especialmente la cubana— sin atender a la política norteamericana, por acción o por omisión, respecto de cada una de ellas. México experimentó una breve intervención militar de su poderoso vecino (en 1914, contra el gobierno de Victoriano Huerta), es posible sostener la alta probabilidad de una de mayor intensidad, tras la incursión de Pancho Villa y sus fuerzas en territorio norteamericano (1916), de no haber mediado la decisión estratégica del gobierno de Thomas Woodrow Wilson de entrar en guerra contra Alemania (1917). De hecho, y con la anuencia del presidente Venustiano Carranza, una expedición militar estadounidense operó en territorio mexicano persiguiendo, sin éxito, al líder revolucionario. Si bien Carranza, temeroso de una acción de las tropas yanquis en su contra, exigió y logró su retirada, esta acción no invalida la presunción de una nueva intervención.

Asimismo, Knight argumenta que el enfoque concentrado en el Estado —como el de Skocpol— es deficiente para explicar el caso de Cuba y de México. Por ejemplo, el Estado mexicano no estaba atravesando un colapso militar y administrativo, sino que la revolución causó ese colapso. En el caso de Bolivia, si bien la revolución tuvo como antecedente la guerra del Chaco (1932-1935), ésta se debió más a la necesidad del gobierno de recuperar su credibilidad que a rivalidades internacionales. Y en todo caso, la revolución fracasó en establecer un Estado poderoso y duradero.

La tensión o efervescencia social como causa de la revolución también merece ser puesta en tela de juicio, en opinión de Knight. En Bolivia y en México, la efervescencia del proceso tomó por sorpresa a víctimas y protagonistas. Cuba y Bolivia sí tuvieron una aceleración política, en 1933 y 1943 respectivamente, pero nada hacía suponer la insurgencia popular posterior. Por su parte, en el caso de Cuba contribuye a la explicación el hecho de que este país no había tenido, como los otros dos, un período de dominación oligárquica —y mucho menos con el carácter estable que tuvo en México.

Las supuestas etapas clásicas tampoco son una buena lente para estudiar las revoluciones latinoamericanas. La mexicana tuvo cambios recurrentes hacia la derecha y la izquierda, la boliviana se orientó originalmente hacia la izquierda y luego viró a la derecha, y la cubana fue inicialmente moderada. Es en el nivel de los resultados, más que en el nivel de las causas, donde las revoluciones latinoamericanas ofrecen pautas comunes y son permeables a la comparación.

La mayoría de las definiciones de revoluciones sociales suponen gran movilización de masas y cambios estructurales profundos. Sin embargo, no hay una pauta común. El caso cubano muestra que el proceso revolucionario no tuvo una movilización de masas de envergadura —como en México—, pero que sí condujo a un cambio estructural radical. La boliviana fue en un comienzo una insurrección urbana, pero pronto capitalizó el conflicto agrario latente en el valle del Altiplano.

Los conceptos «burgués» o «socialista» son centrales para explicar y comparar las revoluciones, y uno y otro «resultado» vienen de las características particulares de la sociedad prerrevolucionaria. Las revoluciones burguesas difieren de las socialistas por el papel protagónico que en estas últimas tuvieron los partidos de vanguardia. La Revolución Mexicana tuvo su partido «de vanguardia» bastante después de iniciado el proceso y la boliviana tuvo al Movimiento Nacionalista Revolucionario (MNR) en el poder durante sólo doce años —poder al que había accedido por ausencia de competencia electoral—. Pero no hay que confundir un cambio de régimen con un cambio social. En este sentido, las tres revoluciones son sociales.

Si los resultados son comparables, ellos no lo son, para Knight, desde la perspectiva del Estado que postuló Skocpol: en México y en Cuba, fuerte; en contraste, en Bolivia, débil frente a los conflictos de la sociedad civil. El resultado socialista en Cuba —propiedad estatal de los medios de producción, sector privado reducido, economía planificada y compromiso con un ideal igualitario— responde a rasgos de la sociedad prerrevolucionaria bien distintos de los de las sociedades mexicana y boliviana. La de Cuba era una sociedad integrada, organizada en base a la plantación del azúcar y con un vasto proletariado rural. Así, los conflictos de clase eran manifiestamente visibles y favorables a un desenlace socialista. El carácter burgués de las revoluciones mexicana y boliviana es más discutible si por burgués se entiende democrático-burgués. Sin embargo, una definición económica que asimila burgués a capitalista es más precisa. Las revoluciones profundizaron el desarrollo capitalista en esos dos países. Puede decirse que tanto México como Bolivia nacionalizaron empresas; sin embargo, ellas estuvieron sometidas a una estricta economía de mercado. En ambos países, las revoluciones contribuyeron al fortalecimiento del mercado interno y la industrialización. Esto no significa que las revoluciones fueran la obra de una burguesía modernizadora con un proyecto delineado intencionalmente. Tanto en México como en Bolivia, la participación de la clase obrera significó un giro a la izquierda del proceso —aunque cerrado por un nuevo giro a la derecha—. Pero en ambos casos, también, la movilización campesina se combinó con el reformismo burgués y dotó a la revolución de un resultado similar (capitalista-burgués). Fue entonces esta combinación (insurrección campesina/revolución burguesa) la que orientó la mayor transformación: desmantelamiento del poder terrateniente tradicional. El cambio, el binomio insu-

rrección campesina/revolución comunista, no se plasmó en América Latina, ni siquiera en el caso cubano, donde el campesinado jugó un papel menor y el Movimiento 26 de Julio (M26) no era comunista.

Hans W. Tobler (1989), al analizar la Revolución Mexicana en clave comparativa, encontró en ella algunas particularidades destacables. Según su parecer, a diferencia de las revoluciones europeas del siglo XIX y las del XX (Rusia, China), la mexicana se caracterizó por la larga duración, la amplia movilización de masas y la intensa violencia.

El papel de los campesinos es uno de los elementos que comportan la singularidad al caso mexicano. Hacia finales del siglo XIX, hubo profundos cambios económicos que, no obstante, ocurrieron en un contexto de conservación de la estructura social y de las estructuras de poder —modernización conservadora en los términos de Moore—, lo cual puede ser apuntado como causa central de la revolución.

La modernización agrícola porfirista estuvo acompañada de crisis en el sector agrario, dadas las consecuencias sociales regresivas que ella tuvo, sobre todo para los campesinos de Morelos como para los aparceros que padecieron la modernización de las haciendas.

Esto explica el carácter central de los campesinos en el proceso revolucionario. Sin embargo, durante los dos primeros decenios que siguieron al triunfo militar y político de la revolución no se produjeron cambios profundos en la estructura agraria. Los terratenientes fueron despojados de su poder político, pero conservaron su primacía social y económica. Y si hubo modificaciones parciales, ellas beneficiaron más a los nuevos hacendados vinculados a los generales de la revolución que a los campesinos —excepto en la región de Morelos.

Otro factor importante fue la guerra civil y las relaciones con Estados Unidos. Durante el período de guerra desarrollado entre 1910 y 1920, los norteamericanos amenazaron varias veces con intervenir militarmente en el país y efectivamente enviaron tropas, según se señaló más arriba (ocupación de Veracruz, en 1914, y expedición punitiva comandada por el general Pershing, en 1916-1917). Sin embargo, esa intervención no tuvo como consecuencia una mayor radicalización de la revolución; por el contrario, las alas moderadas de la revolución salieron fortalecidas. Sólo en el norte del país la intervención produjo una reacción antinorteamericana y con ello cierto fortalecimiento del ejército de Villa, aunque sin llegar a exigir la firma de ninguna tregua entre Villa y Carranza. A diferencia de otras revoluciones —como la china—, la intervención externa no se proyectó a largo plazo. Por una parte, la inminente participación de Estados Unidos en la Primera Guerra Mundial obligó a este país a retirar sus tropas —lo cual a su vez fue capitalizado por Carranza como un éxito de su administración—. Más tarde, la eventual radicalización se vio frustrada por la política diplomático-económica de Estados Unidos durante los años 1920 y 1930, que logró limitar las reformas hasta la presidencia de Cárdenas. Por otra parte, el ejército zapatista estaba fuertemente arraigado a la tierra y era poco propenso a participar en campañas militares de gran alcance geográfico y temporal.

A partir de 1916 los campesinos fueron movilizados «desde afuera» por los constitucionalistas. Con la victoria de éstos contra los convencionistas aquel ejército pasó a constituir el núcleo central del ejército federal. En contraste, el ejército de Villa debía su existencia a la adhesión desde debajo de la División del Norte, pero el origen de su financiamiento hizo que los impulsos de políticas sociales más radicales, especialmente reformas estructurales en el sector agrario, se vieran desalentados. La contracara de todo esto fue el fortalecimiento de los ejércitos del norte, Sonora y Chihuahua y el norte en general, en condiciones de competir y derrotar al ejército federal. El ejército zapatista, por su parte, necesitaba de las reformas sociales radicales como elemento para satisfacer y promover la participación de sus integrantes. El reclamo por la tierra se mantuvo por la escasa relación con Estados Unidos, además de la escasa profesionalización y la gran homogeneidad social en su composición —factores ausentes en el ejército villista.

La exclusión de villistas y zapatistas de los cargos de poder claves, concluye Tobler, marcó el rumbo conservador del proceso revolucionario posterior a los años 1920 y primera mitad de los años 1930.

En comparación con las otras revoluciones, la cubana, bajo el liderazgo de Fidel Castro y Ernesto Che Guevara, empezó su historia en una lucha anti-dictatorial y concluyó realizando el proceso de transformación socio-político más radical del continente, poniendo en la agenda de la región la posibilidad de la revolución socialista. La notoria torpeza norteamericano hizo mucho por convertir a la Cuba dirigida por el Movimiento 26 de Julio en el campo antagónico, un caso claro de profecía auto-cumplida (de tanto insistir en el supuesto carácter comunista de la revolución, ésta terminó siéndolo). Según el balance de Ernesto Che Guevara, el proceso cubano aportó tres evidencias: a) las fuerzas populares podían ganar una guerra contra el ejército; b) no era necesario que estuvieran dadas todas las condiciones para el asalto al poder, pues ellas podían ser creadas por el foco guerrillero; c) en América Latina, el terreno de la acción insurreccional debía ser el campo. En efecto, el «resultado» socialista de la Revolución Cubana es un elemento que no se encuentra en los otros procesos, de «resultado» burgués.

En cuanto a los sujetos de la revolución hay marcadas diferencias en lo que respecta al peso de los militares, los campesinos y los obreros. La Revolución

Nacional Boliviana de 1952 fue una revolución de carácter social que terminó violentamente con el Estado oligárquico. El proceso de desmoronamiento de la oligarquía se inició después de la Guerra del Chaco (1932-1935), cuando un movimiento reformista constituido por jóvenes oficiales del Ejército comenzó un proceso de sindicalización. A este período, que culminó años más tarde, en 1952, con la Revolución Nacional, se le conoce como el trienio del socialismo militar. Bolivia era un país predominantemente rural y no es casual entonces que allí la revolución haya tenido a los campesinos como los sujetos claves de la revolución. En rigor, la insurrección de abril de 1952 tuvo cuatro sujetos principales: los pobres de las ciudades, los campesinos, los trabajadores sindicalizados y la clase media urbana (profesionales, comerciantes, estudiantes), siendo central, para su cabal comprensión, su conversión de revolución proletaria en revolución campesina.

A la luz de los últimos acontecimientos ocurridos en Bolivia, con el creciente protagonismo de sujetos sociales con doble pertenencia o condición, étnica (pueblos originarios) y clasista (campesinos), adquiere relieve la conclusión a la que llegó Fernando Mires (1988: 278) en su estudio sobre la Revolución Boliviana: «La revolución no fue obrera y campesina a la vez. Primero fue obrera (y popular) y después derivó en campesina. La revolución agraria surgió como continuación de la revolución de 1952, pero luego siguió un desarrollo independiente. 1952 significó para los campesinos indígenas una oportunidad histórica para articular las múltiples rebeliones campesinas que se venían gestando, intermitentemente, desde los mismos días de la Colonia. Cualquiera que sea la evaluación final de la revolución, *esos indígenas demostraron que ellos constituyen la verdadera base de la sociedad*» (las cursivas son nuestras).

A diferencia de Bolivia, los campesinos mexicanos perdieron aquellas posiciones de poder que habían conquistado durante las primeras décadas de la Revolución. Como se ha señalado antes, en los años 1930, Lázaro Cárdenas subordinó la Confederación Campesina de México, creada en 1931 y más tarde convertida en Confederación Nacional Campesina (CNC), a la estructura burocrática del partido de la revolución.

En Cuba, los trabajadores fueron más importantes que los campesinos, aun cuando no hay al respecto pleno acuerdo entre los autores. En buena medida, tal primacía derivó de la estructura social del país, especialmente en el sector agrario, donde fue crucial la mayoritaria presencia de trabajadores, en particular del azúcar, economía ésta cuyo ritmo de trabajo incluía tres o cuatro meses de pleno empleo y ocho o nueve de desempleo, de real condena al hambre. Así, en el campo cubano la demanda principal no fue la tierra sino el trabajo. De ahí también la política de la revolución de nacionalizar las propiedades agrícolas y crear en ellas granjas estatales —demandantes de fuerza de trabajo para el proyecto de diversificación de la producción rural— , mucho más que impulsar una reforma agraria que tornase propietarios a los campesinos, como en México y Bolivia, si bien no dejó de haber un reconocimiento al papel político, nada menor, que desempeñaron durante la lucha contra la dictadura de Batista. Amén de las medidas tomadas incluso antes de la toma del poder (cuando para el ejército rebelde el campo era concebido como una base militar de operaciones subordinada a la estrategia de la insurrección urbana), la primera ley de reforma agraria (mayo de 1959) puede ser leída como manifestación de la opción por las granjas estatales, sin mengua de reconocer la propiedad campesina e incluso de favorecerla, mas sin estimular su reproducción o ampliación. Así, el carácter agrario de la Revolución fue un hecho posterior a la toma del poder por el M26.

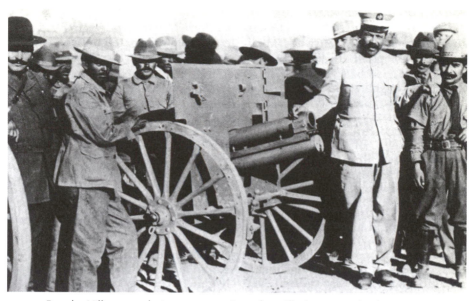

Pancho Villa posando junto a una pieza de artillería capturada al enemigo.

También en Guatemala los campesinos tuvieron una participación central en la fracasada revolución democrática de Alvarado-Arbenz (1946-1954). En efecto, la reforma agraria llevada a cabo en 1952, bajo la presidencia de Jacobo Arbenz, significó la confiscación de tierras a la *United Fruit Company,* repartidas entre 100.000 familias indígenas y la obligación de los propietarios de tierras ociosas de rentarlas a los campesinos. En 1954, el golpe de Estado que, con la intervención de la Agencia Central de Inteligencia (CIA) norteamericana, depuso al gobierno democrático de Arbenz restituyó el 95 por ciento de las tierras a sus antiguos dueños y desde entonces recrudeció la violencia y también la resistencia y organización armada de los campesinos. Algunas organizaciones siguieron la tradición marxista ortodoxa y adjudicaron a la clase obrera un papel protagonista, excluyendo a los indígenas no proletarizados y por tanto no considerados actores de la revolución. Hacia finales de la década de los años 60 esta estrategia estaba totalmente agotada. En cambio, hubo otras organizaciones que se fundaron sobre una concepción que incorporaba la dimensión étnico-nacional y lograron perdurar en el tiempo.

En Nicaragua —país donde el proceso revolucionario hundió sus raíces, como en Cuba, en un pasado de lucha— el Frente Sandinista de Liberación Nacional (FSLN) logró constituirse, en la segunda mitad de la década de 1970, en una fuerte opción contra la larga dictadura de la familia Somoza, decididamente apoyada por los Estados Unidos. En buena medida, contribuyó a ello el fracaso de la Unión Democrática de Liberación (UDEL), una heterogénea alianza de disidentes del somocismo, empresarios y sectores de la clase obrera (débil, por otra parte). El FSLN supo articular —al igual que el Movimiento 26 de Julio en Cuba— una alianza de fuerzas opositoras a la dictadura, sobre la base de una «extrema diplomacia y flexibilidad en la relación con la oposición» llevada adelante por el Frente (Mires, 1988: 418).

El papel de Estados Unidos es fundamental para entender el fracaso

Fidel Castro y Ernesto Che Guevara en una imagen del final de la Revolución Cubana.

de la revolución en Guatemala y en Nicaragua, países que geopolíticamente se encuentran en su «patio trasero». En Cuba, a su vez, fue su inclusión en el tablero de la política mundial dominado por la guerra fría la que permitió, tras el acuerdo soviético-norteamericano de 1962, al clausurar la llamada crisis de los misiles en octubre, la que permitió obstruir el designio estadounidense de intervenir militarmente, de manera directa o efectiva, en Cuba. No deja de ser significativa la diferente política de los Estados Unidos frente a los procesos revolucionarios de Guatemala, Bolivia y Cuba, sincrónicos o muy próximos en el tiempo: apoyó a la dirección del MNR boliviano —movimiento al cual en los años 1940 había acusado de filonazi—, inicialmente el más radical de los tres, y combatió fuertemente —hasta el punto de la intervención solapada o más o menos directa— a las otras dos, que fueron en sus comienzos muy moderadas en cuanto a sus objetivos fundamentales. Lo que no pudieron en Cuba, los gobiernos norteamericanos lo lograron en Nicaragua: destruir una nueva revolución. Empero, no está dicha la última palabra: no son pocos los que dan como posible un triunfo sandinista en las elecciones presidenciales de 2006. En tal hipotético caso, será interesante saber qué política llevarán adelante aquellos que, elecciones democráticas mediante, vieron frustrado su plan de transformación social diez años después de ganar el poder mediante las armas.

La década de 1960: transformaciones revolucionarias en América Latina[7]

El siglo XX presenta dos décadas inequívocamente diferenciadas: la de 1920 y la de 1960. Ambas correspondieron a tiempos de transgresión, innovación, crítica, compromiso, transformaciones y expectativas. Los años 20 trajeron los ritmos del tango argentino y el *samba* brasileño, que dieron identidad musical a ambos países y los proyectaron al mundo. El tango, en verdad más porteño que argentino, vio diluida su connotación pecaminosa y marginal (en tanto propia de los burdeles, como el jazz) cuando Carlos Gardel lo impuso en París. El *samba*, en rigor más carioca que brasileño (y con más componentes africanos que el tango, que también los tiene), nació en conjunción con la democratización del carnaval y quedó inseparablemente asociado a él. Por su parte, los afroamericanos no tuvieron efectivos reconocimientos en materia de derechos de ciudadanía, ni en América Latina ni en Estados Unidos durante los años 20. En buena medida, la impronta racista y despreciativa del positivismo siguió siendo notable, incluso en pensadores progresistas.

[7] Resumimos en este párrafo lo sostenido previamente en Ansaldi y Funes (1998).

A su turno, los 60 fueron también pletóricos de transformaciones, incluso más que los 20. En América Latina ellos trajeron: la *bossa nova* y el tropicalismo brasileños, la inauguración de Brasilia, la aparición de Mafalda de Quino, el *boom* de la literatura latinoamericana, la magia de Pelé, la renovación católica impulsada por el Concilio Vaticano II, el diálogo marxismo-cristianismo, la Teología de la Liberación y un original desarrollo de las ciencias sociales con enorme dimensión en América Latina. También se destaca el notable desarrollo de la cinematografía que permitió un amplísimo despliegue de manifestaciones, tendencias, géneros y estilos, entre los que descuella el *cinema novo* brasileño, encabezado por Rocha; el notable desarrollo del cubano, en particular con la producción de Tomás Gutié-rrez Alea, y, en menor medida, el argentino a través de Leonardo Favio, del «realismo social» de Birri y, más comprometido políticamente, el Grupo Cine Liberación (Fernando Solanas y Octavio Getino). En Estados Unidos, la década de los 60 trajo la Alianza para el Progreso, los asesinatos de los hermanos John y Robert Kennedy y de Martin Luther King, la exacerbación de la «guerra fría» —como lo muestra Playa Girón— y la «crisis de los misiles» en octubre 1962.

En 1958 el vicepresidente norteamericano Richard Nixon había organizado junto con el magnate petrolero Rockefeller una gira por todos los países latinoamericanos, la cual concluyó en una repulsa generalizada. Esta fractura no pudo ser corregida por el presidente Kennedy y su efímera política de Alianza

Pancho Villa junto al general Pershing.

Manifestantes sandinistas portan retratos de Lenin y Marx durante una marcha en Managua.

para el Progreso creada en 1961. La gestión de Kennedy proponía un esfuerzo conjunto de todos los países de la región para promover el desarrollo económico, iniciar reformas estructurales e instaurar o convalidar regímenes democráticos. Así, la Alianza recogía los postulados que desde 1955 venía elaborando la Comisión Económica para América Latina (CEPAL). En la conferencia excepcional de la OEA realizada en agosto de 1961 —después de la invasión norteamericana a Cuba— se buscaba avanzar en la propuesta. Allí se firmaron dos documentos: la Declaración de los Pueblos de América y la Carta de Punta del Este. El primero daba una serie de objetivos generales donde se recalcaba la cooperación, el desarrollo y la democracia. El segundo establecía doce objetivos específicos que los países firmantes debían alcanzar en el transcurso de diez años:

1) aumentar el producto bruto; 2) distribución equitativa de la riqueza; 3) reequilibrio de las estructuras económicas regionales y nacionales; 4) aceleración de la industrialización; 5) aumento de la producción agrícola; 6) reforma agraria; 7) alfabetización y escolarización obligatoria durante seis años; 8) mejora de las condiciones sanitarias; 9) construcción de viviendas; 10) estabilización de los precios; 11) acuerdos de integración económica; 12) programas de cooperación para equilibrar el comercio exterior. En realidad se trataba de un plan político más que económico-social, que apuntaba a contrarrestar las pretensiones de Cuba de extender la revolución al resto de la región. De ahí que la Alianza para el Progreso apelara a una transformación dentro del sistema capitalista cuya clave era la reforma agraria. En esta célebre conferencia Cuba estuvo representada por Ernesto Che Guevara, quien sarcásticamente caracterizó a la Alianza como «revolución de las letrinas». Cuba no sólo se opuso al proyecto impulsado por Estados Unidos sino que además aportó estadísticas que pronosticaban el fracaso del proyecto y la insuficiencia de los apoyos económicos que Estados Unidos se comprometía a brindar.

El proyecto de la Alianza para el Progreso naufragó estrepitosamente. No se llegó al 2,5 por ciento anual de crecimiento del PBI, las reformas fiscal y agraria fueron duramente resistidas por las burguesías nacionales y los sectores terratenientes y el fortalecimiento de la democracia se reveló como un elemento puramente retórico. La década de 1960 es la década del desencantamiento de la democracia liberal. La caribeña República Dominicana asistió a un álgido proceso: asesinato del dictador Rafael Leónidas Trujillo (1961), interinidad de Joaquín Balaguer, triunfo, breve gobierno y derrocamiento de Juan Bosch (1962-1963), intento de restablecerlo en el cargo, guerra civil e invasión de la isla por marines norteamericanos (1965). Son los años de las primeras dictaduras institucionales de las Fuerzas Armadas, basadas en la «doctrina de la seguridad nacional» (Brasil, 1964; Argentina, 1966); los «capítulos» africano y boliviano del Che, su muerte alevosa y su conversión en mito. En Panamá y Perú, militares «nacionalistas» (encabezados por Omar Torrijos y Juan Velasco Alvarado, respectivamente) impulsaron una política de reformas, mucho más intensa en el país andino, donde terminó con la larga dominación oligárquica. La década se cerró con formidables acciones de masas, como la movilización de los estudiantes mexicanos y la brutal represión de Tlatelolco (1968), el *cordobazo* (1969) y la absurda «guerra del fútbol» entre hondureños y salvadoreños (1969)... La expresión más acabada del proyecto de la Alianza para el Progreso fue la experiencia chilena bajo la presidencia de Eduardo Frei (1964-1970), quien llegó al gobierno con el apoyo del Departamento

Monumento al Che Guevara en La Habana.

71

Las propuestas del presidente Kennedy para el desarrollo del área latinoamericana, contempladas en su Alianza para el Progreso, no pasaron de ser una declaración de buenas intenciones.

de Estado de Estados Unidos y de grandes empresas norteamericanas, con la consigna «revolución en democracia». La política perseguía el objetivo explícito de oponerse al Frente Popular liderado por Salvador Allende, que nucleaba al Partido Comunista, el Partido Socialista y el Partido Radical de Chile. La democracia cristiana chilena tuvo como base la doctrina social de la Iglesia y como horizonte la igualdad, modernización, industrialización y reforma agraria. Más allá de esta experiencia excepcional, durante toda la década de los 60 en toda América Latina predominó la violencia.

Las décadas de 1920 y de 1960 muestran una fuerte apuesta por América Latina y su futuro venturoso, asociado a modificaciones estructurales, a la revo-

lución. Así, los jóvenes cordobeses que produjeron la Reforma Universitaria de 1918 proclamaban altivos y orgullosos: «Creemos no equivocarnos, las resonancias del corazón nos lo advierten, estamos pisando sobre una Revolución, estamos viviendo una hora americana» (La Juventud Argentina de Córdoba a los hombres libres de Sud América, Manifiesto Liminar de la Reforma Universitaria, Córdoba, 21 de junio de 1919). Y casi medio siglo más tarde, los revolucionarios cubanos sostenían, aún más orgullosa y altivamente: «Porque esta humanidad ha dicho basta y ha echado a andar y su marcha de gigante ya no se detendrá hasta conquistar la independencia, por la que ya han muerto más de una vez inútilmente. Ahora, en todo caso, los que mueran morirán como los de Cuba, los de Playa Girón, morirán por su única, verdadera, irrenunciable independencia» (Segunda Declaración de La Habana, 4 de febrero de 1962).

Las dos citas muestran un aspecto que comparten ambas décadas: la combinación de lo singular de la hora latinoamericana con la proyección de universalidad y la apuesta a un mañana de rupturas conquistadas por la voluntad y por la acción. También, como en los años 20, en los años 60 se destaca la producción del pensamiento propiamente latinoamericano.

Es imposible escindir del estudio de los 60 el notable fenómeno del *boom* literario que recorrió toda la geografía de la región e hizo célebres autores y títulos que exaltaron el realismo mágico que la caracterizó y del cual *Cien años de soledad* (1967, precedida de *El coronel no tiene quien le escriba*, 1961), del colombiano Gabriel García Márquez, probablemente sea, dentro de una vasta producción de buen número de novelistas, la obra paradigmática. Pero sería injusto dejar de lado la de Guillermo Cabrera Infante (*Así en la paz como en la guerra*, 1960, y la mucho más conocida *Tres tristes tigres*, original de 1964, pero publicada en 1968), Alejo Carpentier (con su formidable *El siglo de las luces*, 1962), Julio Cortázar (*Rayuela*, 1963), Carlos Fuentes (*La muerte de Artemio Cruz*, 1962), José Lezama Lima (*Paradiso*, 1966), Juan Carlos Onetti (*El astillero*, 1961), Mario Vargas Llosa (*La ciudad y los perros*, 1963, y *La casa verde*, 1966), e incluso a Augusto Roa Bastos, aunque su *Yo, el supremo* es de 1974. En otros casos, la escritura se hizo denuncia de crímenes cometidos contra luchadores populares, como en *Operación Masacre* (1964), de Rodolfo Walsh, y *La noche de Tlatelolco* (1971), de Elena Poniatowska.

Mas si se trata de reflexionar sobre el pensamiento latinoamericano, ninguna aproximación al mismo puede dejar de prestar atención a la renovación en el interior de las ciencias sociales, dentro de las cuales es claramente perceptible la doble intención de generar un pensamiento propio y de formar recursos humanos en la propia región. En efecto, el clima de la década muestra una preocupación por la nacionalización/regionalización de las ciencias sociales y por la jerarquización de la enseñanza y la investigación científico-social coexistiendo con una fuerte preocupación por cambiar radicalmente las estructuras de las sociedades, muy en la línea de la onceava tesis marxiana sobre Feuerbach, que en el límite se tradujo en el abandono de la práctica científica en favor de la militancia y la práctica políticas. De hecho, hay una tensión entre una y otra posición y ambas fueron partes constitutivas del proceso de construcción de las ciencias sociales latinoamericanas.

Revolución, realismo mágico y ciencias sociales críticas constituyeron el entramado de los 60. El entrelazamiento de las tres perspectivas pusieron en el centro del debate y de la toma de posiciones una cuestión nada nueva, la del papel de los intelectuales, que adquirió significado nuevo, hasta el punto de la casi inexorable toma de posiciones definida por el *dictum* cubano: el deber de todo revolucionario es hacer la revolución.

Los nombres constituyen una larga nómina, nada fácil de reconstruir, excepto en los casos de los detenidos, los muertos en combate o los desaparecidos por acciones represivas o, incluso, en circunstancias nunca aclaradas: los argentinos Jorge Ricardo Massetti (periodista), Francisco Urondo (poeta) y Rodolfo Walsh (periodista), el colombiano Camilo Torres (sacerdote), el guatemalteco Otto René Castillo, los peruanos Héctor Béjar (científico social) y Javier Heraud (poeta), el salvadoreño Roque Dalton (poeta), los venezolanos Douglas Bravo (estudiante de derecho) y Teodoro Petkoff (economista), por citar sólo unos pocos nombres de entre los más conocidos.

Gabriel García Márquez.

73

Mario Vargas Llosa.

Si bien es cierto que los científicos sociales no se enrolaron en masa en las acciones militares, no menos cierto es que la reflexión de muchos de ellos se orientó, implícita o explícitamente, en la dirección de generar una interpretación del pasado y del presente de las sociedades latinoamericanas que sirviera de fundamento a la política revolucionaria. Entre otras, la querella sobre los modos de producción y el carácter capitalista o feudal de la colonización del continente es bien ilustrativa al respecto; para todos quienes participaron de ella, fuera en la producción de los argumentos, fuera en su difusión, la conclusión a la que se arribó dictó un comportamiento político inequívoco: si América Latina había sido feudal y/o mantenía residuos de ese pasado feudal, la tarea política era la revolución democrático-burguesa; si, en cambio, ella era capitalista (y por añadidura dependiente), la revolución sólo podía y debía ser socialista. Los ecos del «debate» Haya de la Torre-Mariátegui, en los 20, resonaban, con significado nuevo, en los 60.

En la década de 1950 comenzó a pensarse de un modo diferente el conjunto de problemas y de soluciones necesarias, brutalmente puesto de relieve por el entramado de agotamiento del modelo de industrialización por sustitución de importaciones, insurgencia social (sobre todo campesina, no ajena al avance de las relaciones capitalistas en el agro), recomposición del capitalismo a escala mundial y guerra fría. Fue entonces, precisamente, cuando apareció la Comisión Económica de América Latina (CEPAL), tan estrechamente vinculada intelectualmente al economista argentino Raúl Prebisch, cuya obra fue la primera y la más original de las explicaciones sobre los resultados del crecimiento desigual y del funcionamiento económico de la periferia latinoamericana.

La creación de la CEPAL fue decidida por la Organización de las Naciones Unidas en 1947. Su primera reunión tuvo lugar en Santiago de Chile en junio de 1948. En 1950, sorteando la oposición de los Estados Unidos y apoyándose en el fuerte respaldo de los gobiernos de Chile y, sobre todo, de Brasil, comenzó a consolidarse bajo el largo liderazgo de Prebisch, quien ejerció la Secretaría General entre 1950 y 1961. Con la CEPAL adquirió dimensión regional el proceso de construcción institucional y teórica de las ciencias sociales latinoamericanas, un proceso en el que interactuaron institutos universitarios, centros académicos independientes y organismos internacionales regionales, como, amén de la propia CEPAL, la Facultad Latinoamericana de Ciencias Sociales (FLACSO) y el Consejo Latinoamericano de Ciencias Sociales (CLACSO), creados en 1957 y 1967, respectivamente. Se trató de un entramado en el que los actores involucrados actuaron entre sí con las sociedades de la región, en tensión por las relaciones entre ciencia y política. La construcción del conocimiento científico social latinoamericano, la práctica de las ciencias sociales y la aparición, consolidación e incluso desaparición de instituciones a ellas dedicadas fueron siempre partes de un proceso en el que el conocimiento apuntaba a la transformación de las sociedades. También, a menudo, el intento de impedir la práctica de estas ciencias estuvo relacionado con la voluntad de impedir tal transformación o, por lo menos, impedir aquella que afectaba a grupos sociales dominantes.

Cuando Raúl Prebisch, Celso Furtado y otros pioneros del cepalismo plantearon la búsqueda de la especificidad de América Latina, a partir de la original construcción de equivalencia entre subdesarrollo en la región y destrucción económica europea, encontraban la clave del primero en la relación centro-periferia y la solución en el desarrollo. Éste, a su vez, se basaba en la industrialización. Pero industrialización y desarrollo eran parte del pasaje de sociedades tradicionales, agrarias, a sociedades modernas. Este pasaje era la modernización, un proceso continuo de superación creciente de valores, actitudes, etcétera, donde se destacaba la racionalidad de los cambios y de los nuevos valores socioculturales. En Prebisch, Germani y José Medina Echavarría la modernización era concebida como un proceso susceptible de planificación, capaz de facilitar el tránsito en tiempo y costos, estrategia que potenciaba el papel del Estado como actor principal del cambio.

Los cambios tenían un carácter asincrónico y esa asincronía era múltiple: geográfica, institucional, en los diferentes grupos sociales, motivacional. Otra certeza campeaba entre quienes sustentaban la teoría de la modernización: las sociedades latinoamericanas eran estructuralmente duales, esto es, coexistían en ellas dimensiones «tradicionales» con «modernas», con una tendencia a la absorción de las primeras por las segundas. La noción de sociedades duales impactó fuertemente en las ciencias sociales de los 60 y fue objeto de rápidas objeciones. La polémica se situó en diferentes terrenos disciplinarios, en un verdadero entrecruce de ellos, toda vez que los partidarios de tal caracterización encontraban que la sociedad tradicional, agraria y estancada se originaba en los tiempos coloniales y conservaba importantes elementos socioculturales modelados durante los mismos; sus cambios eran lentos, escasos y por añadidura impuestos desde fuera de ella por la sociedad moderna, urbana, industrializada, dinámica, progresista, en desarrollo. Una interpretación más elaborada planteaba la dicotomía en términos feudal-capitalista: una de las sociedades era feudal y constituía el *locus* del conservadurismo social y político, de los terratenientes, oligarcas, caudillos...; la otra era capitalista, *locus* del progresismo de los sectores modernos, como la burguesía nacional, las clases medias y el proletariado industrial. La tarea política era terminar con el feudalismo o sus resabios y desarrollar un capitalismo progresista y autónomo, tarea que correspondía a la burguesía nacional —diferenciada de la aliada al capital extranjero o imperialismo— o, en algunas interpretaciones, a las clases medias urbanas. Como muchos autores y trabajos lo proclamaron, las alternativas, en definitiva, eran sólo dos: reforma (que incluía la que el viejo lenguaje leninista llamaba revolución democrático-burguesa) o revolución socialista.

En la búsqueda de América Latina, las hipótesis procurando aprehenderla con un pensamiento propio fueron múltiples. En este sentido, el momento de inflexión se produjo a mediados de la década: la asociación entre dos sociólogos —un brasileño y un chileno—, Cardoso y Faletto, que trabajaban como

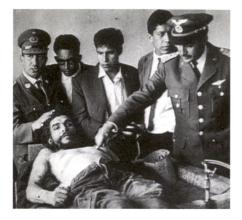

El cadáver del Che Guevara es expuesto para la prensa en Vallegrande (Bolivia).

investigadores y docentes en el Instituto Latinoamericano de Planificación Económica y Social de la CEPAL y mantenían un intenso diálogo con economistas y planificadores, produjo entre 1966 y 1967 la primera versión de una nueva interpretación de la naturaleza social y política de los problemas de desarrollo de la región. En 1969 se publicó en México la primera edición con forma de libro: *Dependencia y desarrollo en América Latina. Ensayo de interpretación sociológica*, rápidamente convertido en clásico y de lectura obligada. Su primera singularidad es la de ser un libro sobre el desarrollo económico, que es objeto de interpretación sociológica desde una perspectiva que potencia el análisis histórico y el carácter político que él tiene. Innegablemente, la interpretación se realiza desde un cruce de disciplinas que es, en verdad, un notable caso de hibridación de varias de ellas.

La noción de dependencia se situó en el centro de la atención, el debate y la polémica de las ciencias sociales latinoamericanas. No sólo generó discusión y estimuló algunos estudios concretos: también fue un *corpus* conceptual que constituyó un verdadero momento de ruptura en el desarrollo de aquéllas y les otorgó un rango distintivo a nivel mundial,

al punto que no fueron pocos —en la región y fuera de ella— quienes hablaron de una teoría de la dependencia, posición que Cardoso y Faletto no sólo no compartieron sino que rechazaron explícita y enfáticamente: para ellos, se trataba de analizar «situaciones de dependencia», siendo ésta una categoría de una teoría del desarrollo o bien de una teoría del imperialismo. A juicio de ambos, era necesario un análisis histórico-estructural y rescatar la acción de los sujetos en los procesos históricos. Como noción, dependencia no era nueva, pero hasta entonces había sido considerada una variable externa. El gran aporte teórico-metodológico radicaba en centrar el papel de la estructura interna de las sociedades capitalistas dependientes, cuyo proceso constitutivo era una doble dialéctica: la de su propia dinámica o conflictividad de clases y la del proceso de internalización de los factores externos.

Si en los 20 se prefería indoamericanismo, en los 60 se optó por latinoamericanismo: en los 20, la cuestión nacional tenía una relevancia que no se aprecia con igual intensidad en los 60, y en éstos hay una apelación, teórica y práctica, a la violencia como partera de tiempos, sociedades y hombres nuevos, que en los 20 no tiene parangón. En ambas décadas se anunciaron y llevaron adelante esfuerzos de solidaridad continental, de distinta concepción y sin convergencias necesarias u obligadas: la Alianza Popular Revolucionaria Americana (APRA) terminó siendo un partido político nacional (peruano), pero su matriz se definió en aquella macrodimensión, que también se encontraba en las diferentes invocaciones a la unidad de América Latina y a la recuperación del ideal bolivariano. En los 60, la lucha se planteó explícitamente como combate por la segunda independencia —que habría de ser la verdadera y definitiva— y a su triunfo convocaba la Organización Latinoamericana de Solidaridad (OLAS). La solidaridad de los 20 fue más bien retórica o se expresó en el plano discur-

Uno de los grandes artistas latinoamericanos del siglo XX es sin duda Diego Rivera. En este mural pintado en la Secretaría de Educación Pública de México, titulado El arsenal, *pintó a su esposa, Frida Khalo, repartiendo las armas.*

sivo; la de los 60, en cambio, fue material —armas, logística, dinero, entrenamiento de cuadros— e incluyó múltiples decisiones individuales de incorporarse a la lucha armada en países distintos del originario. El diferente impacto e incluso la política exterior de las revoluciones mexicana y cubana tienen mucho que ver en tal diferencia. La OLAS tenía por función organizar a los grupos político-militares que actuaban en el continente, definir estrategias comunes, entrenamiento, etc. Esto se tradujo en un conjunto de acciones cuyo punto culminante fue la fallida experiencia de Ernesto Che Guevara y su intento de construir una retaguardia en Bolivia con proyección hacia los países limítrofes, en un contexto en el que dos de los países prin-

cipales estaban sometidos a dictaduras institucionales de las Fuerzas Armadas (Brasil, 1964, y Argentina, 1966).

En otro plano de la solidaridad, el México revolucionario de los 20 fue tierra que cobijó a exiliados y perseguidos políticos, del mismo modo que la Cuba revolucionaria lo fue en los 60, aunque México no resignó tal práctica, exaltada como política exterior oficial desde los años del cardenismo y que en los duros 60 se resignificó hasta niveles no sospechados. La tolerancia del Estado mexicano para con los disidentes de otros países no rigió siempre para los propios connacionales. Los mexicanos aluden a esta política estatal con la expresión «Candiles en la calle, oscuridad en la casa». En ocasiones esa intolerancia se torno en brutal represión, como en la de los estudiantes que se manifestaban en la plaza de Tlatelolco, en 1968. En Cuba, igualmente, la ausencia de una política capaz de admitir el disenso se tornó —como en todos los casos del llamado «socialismo real»— en un punto débil del régimen, del que sus enemigos han hecho buen uso largamente.

Los 20 y los 60 tienen, en el plano político-ideológico, una coincidencia —la fragmentación de la izquierda— y una diferencia —la reversión de la imagen de los Partidos Comunistas—, una y otra centrales para la cabal comprensión de cuanto ocurrió. Los 20 y los 60 comparten, asimismo, la tensión entre un ámbito rural y uno urbano, donde la ciudad es portadora de la modernización y el progresismo. Los 20 y los 60 comparten también —y en Occidente— la exaltación de la utopía y de la imaginación. La gran utopía de los latinoamericanos era la unidad a escala cuasi continental: hispanoamericana en los 20, latinoamericana en los 60. En la primera de estas décadas, el contenido socio-político de la utopía era difuso; en la segunda, inequívocamente socialista y revolucionario.

En las artes y la producción intelectual, los 20 fueron más originalmente latinoamericanos en el caso del muralismo mexicano y, en cierto sentido, en el modernismo brasileño. En contrapartida, los 60 tuvieron mayores manifestaciones creativas, originales, propias, incluso cuando se adoptó la forma de «la originalidad de la copia». El caso las ciencias sociales, antes considerado, es paradigmático. En ambas décadas descuellan algunas publicaciones periódicas de circulación continental y expresión de la confraternidad en pos de la utopía unificadora. Fueron medios *par excellence* en materia de creación de un espacio de circulación de posiciones, aun con diferencias de matices o de grados, en tal dirección. No conocemos bien su impacto real en las sociedades de una y otra década, ni siquiera entre los grupos más directamente involucrados. En los 20, esas revistas fueron *Repertorio*

Americano (1919-1959), *Revista de Avance* (1927-1930) y *Amauta* (1926-1930), publicadas en San José de Costa Rica, La Habana y Lima, respectivamente. En los 60, *Casa de las Américas*, editada en La Habana, y el semanario *Marcha*, en Montevideo. Joaquín García Monge fue el director-fundador de *Repertorio Americano*; Mariátegui, de *Avance*, y Carlos Quijano, de *Marcha*. La primera de las publicaciones cubanas fue órgano del Grupo Minorista, jóvenes intelectuales y artistas que bregaban por la renovación de la cultura nacional. Entre sus integrantes se contaban Alejo Carpentier, Raimundo Lazo, Juan Marinello, Rubén Martínez Villena y otros, mucho más unidos por su común oposición a la cruel dictadura de Gerardo Machado que por el pluralismo ideológico que expresaban. En cuanto a *Casa de las Américas*, un genuino producto de la Revolución, ella estaba inextricablemente unida al nombre de Roberto Fernández Retamar.

En los 20 y los 60 aparecieron apelaciones al hombre nuevo, demanda y esperanza que en los 60 alcanzó su mayor elaboración en algunos escritos del Che Guevara, en especial su célebre artículo «El socialismo y el hombre en Cuba», publicado originariamente en *Marcha* (12 de marzo de 1965), y el discurso pronunciado en el II Seminario Económico de Solidaridad Afroasiática (Argel, 22-27 febrero 1965). Las proposiciones del Che, un hombre que unió como pocos la ética y la política —probablemente estuvo allí su grandeza y la clave de su actualidad—, se recogieron (no siempre se siguieron) por doquier.

En medida harto considerable, el Che encarnó, precisamente, esa otra nota distintiva de los 20 y los 60: la confianza en la capacidad transformadora del hombre, en primer lugar, por voluntad de cambio. La voluntad y el optimismo por sobre todo, incluso cuando la razón y la inteligencia se inclinaban por el pesimismo. Tal vez por esa combinación, por esa apuesta fuerte por la acción humana, que impelía a rechazar seguir viviendo como se había vivido y como se vivía —y cuyo *desiderátum* era la participación en la política—, es que los 20 y los 60 constituyeron las dos décadas más notables y fascinantes del siglo XX.

El foquismo y la guerrilla

Los 20 y los 60 coincidieron, como ya se ha dicho, en la fragmentación de la izquierda, aunque se distinguieron en cuanto al rol asignado a los Partidos Comunistas. En efecto, los 20 fueron los años de aparición de los Partidos Comunistas latinoamericanos, un efecto de la decisión del Primer Congreso de la Tercera Internacional (Moscú, 1919) de llamar a la formación de nuevos partidos en todo el mundo. Aunque sus dirigentes se interesaban mucho más por los países asiáticos que por los latinoamericanos —por lo menos hasta el IV Congreso, 1928—, algunos PC de nuestra región alcanzaron cierta importancia, en especial el de Chile y, en cierto sentido, el de Brasil, involucrado en el importante y fracasado intento insurreccional en 1935. Ellos fueron, se presentaron o fueron vistos como la expresión revolucionaria del cambio social y político, en contraste con los Partidos Socialistas —enrolados en la II Internacional—, a los cuales se consideraba sinónimos de reformismo. En los 60, en cambio, fueron los PC quienes fueron considerados en estos términos por la izquierda radicalizada al socaire de la Revolución Cubana.

En ambas décadas, los PC aparecían como una línea claramente divisoria en los términos de la fragmentación de las fuerzas de izquierda. En los 20, su posicionamiento frente a las clásicas de éstas —anarquistas, socialistas— y a las nuevas que surgían por entonces —el aprismo, el sandinismo— se tradujo en expresiones de franca condena, a veces después de haber aplaudido posiciones como las de

La corrientes innovadoras en el seno de la Iglesia católica favorecieron el nacimiento de lo que se dio en llamar Teología de la Liberación.

Haya de la Torre y Sandino (primero, héroes de la lucha contra el imperialismo, luego traidores nacionalistas). En Argentina, para el Partido Comunista local, el presidente reformista liberal Hipólito Yrigoyen era considerado expresión del «social-fascismo». En los 60, los Partidos Comunistas latinoamericanos —en el contexto generado por el cisma entre el de la Unión Soviética y el de China, por un lado, y el parte aguas cubano, por el otro— continuaban alineados en las posiciones que el PCUS adoptaba en el juego mundial por el poder, ahora con guerra fría y esferas de influencia. Mas el efecto de este posicionamiento les colocaba ahora, ante los revolucionarios latinoamericanos (también para buena parte de los africanos y asiáticos), en el campo equivocado. La ambigua postura frente a la experiencia cubana —donde el papel de los comunistas pro soviéticos distaba de ser modelo revolucionario—, de aplauso hacia afuera y de crítica hacia adentro del partido, y la más clara en materia de resistencia a la efectiva acción armada —con la importante excepción del PC colombiano, enrolado en ella, por razones de la propia política nacional, desde 1948— alimentaron los reproches de la izquierda radical. Fue particularmente el Che Guevara quien irritó a los comunistas pro soviéticos, hasta el punto que los argentinos llegaron a calificarlo de «aventurero pequeño burgués». No extraña, pues, el turbio juego de los bolivianos frente a la presencia y el plan del Che en (y desde) el país andino.

La década de 1960 fue, asimismo, un tiempo de acercamiento entre el pensamiento marxista y el cristiano, en relación muchas veces contradictoria y ambigua. Así como se repelieron, también surgieron casos de pensadores que desde uno y otro campo coincidieron en la lucha por la redención de la condición humana. En esos años, el Vaticano admitió por primera vez el derecho de los pueblos y los derechos humanos, que desde 1789 había combatido con fuerza. El Papa Juan XXIII terminó con la tradicional misa en latín y

estableció la obligatoriedad de celebrar el culto en la lengua nacional de cada país. Por su parte, el marxismo buscó formas alternativas para zafar del encorsetamiento impuesto por la influencia del estalinismo en la Unión Soviética y su irradiación al resto del mundo. Uno de los intentos más innovadores del socialismo real fue la denominada Primavera de Praga, en 1966, que terminó con la invasión de las tropas del Pacto de Varsovia y la reposición de un gobierno afín a las posiciones de la URSS. El pensamiento de un socialismo «con rostro humano» encarnó paradigmáticamente en el filósofo Karel Kosik, que recuperó quizá la mejor crítica del marxismo en lo que respecta a la eficacia de la dialéctica como método de análisis. Fueron estos también los años de la revolución cultural china, con la consigna «que florezcan cien flores», aun cuando dicha experiencia haya conducido luego a una mayor uniformidad en vez de mayor igualdad.

En América Latina, las corrientes innovadoras dentro del cristianismo que surgieron a la zaga de Juan XXIII se trasladaron a Medellín y Puebla, donde se realizaron sendos encuentros del catolicismo y donde se adoptaron posturas favorables al catolicismo de liberación. El movimiento más desarrollado fue el de la Teología de la Liberación, iniciado en Perú y Brasil, al cual se adhirieron muchos sacerdotes que optaron decididamente por la lucha armada. El símbolo máximo de esta posición dentro del cristianismo fue el colombiano Camilo Torres Restrepo, integrante de una de las familias oligárquicas de la más rancia tradición en su país. Camilo Torres se incorporó al Ejército de Liberación Nacional de su país y murió en un combate. En menor escala, Argentina contó con la figura del Padre Múgica. Al mismo tiempo, y en contrapartida, apareció una corriente integrista fundamentalista en buena parte del mundo occidental.

Los 20 y los 60 comparten, como ya se ha dicho, la tensión entre lo rural y lo urbano, entre campo y ciudad. En ambas fue fuerte la contraposición entre las capi-

Imagen de un campamento guerrillero de las FARC.

tales y las ciudades de provincia, con la notable excepción —en ambas décadas— del caso paulista en Brasil y, en los 60, la parcial de Córdoba, en Argentina, a raíz de su papel cultural y político-social (en un *spleen* muy marcado por la especial conjunción de movimientos obrero y estudiantil universitario, originada en los años de la Reforma e indemne a los estragos que en otros espacios del país había causado la experiencia peronista), cuyo clímax fue el *cordobazo*, en 1969, y su casi similar *viborazo*, en 1971. Sin embargo, los 60 introdujeron una novedad: la reivindicación del campo (y en buena medida de los campesinos) superó largamente la asociación con el indigenismo de los 20 y alcanzó la consagración —vía el foco guerrillero— en tanto *locus* de gestación de la revolución,

excepto en los casos de Uruguay —paradigma de país urbano— y, en diferente medida, Argentina y Brasil, donde el peso innegable de la realidad obligó a un replanteamiento de la estrategia campociudad en favor del papel de ésta, según la argumentación desplegada en su momento por el brasileño Carlos Marighella y potenciada en el terreno empírico por el uruguayo Movimiento de Liberación Nacional Tupamaros.

La Revolución Cubana enseñaba que la revolución era posible, que a las condiciones objetivas había que sumar las subjetivas, resumidas en la vanguardia revolucionaria con voluntad de transformación. Esto es lo que expresaba el foquismo, con su propuesta de la necesidad de contar con un núcleo de militantes fuertemente convencidos del ideal de lucha y suficientemente preparados política y militarmente, capaz, así, de crear en el ámbito rural las condiciones objetivas para iniciar y expandir el proceso revolucionario. El foquismo prestaba especial atención a un hecho clave: en América Latina, los países no sólo eran estructuralmente agrarios sino también predominantemente campesinos, con excepción de Argentina y Uruguay. El foco se apoyaba en tres elementos: el ejército rebelde revolucionario; la fusión de mandos —el político y el militar— en una única dirección, y la creación de un frente de liberación. En dicho frente podían converger en la lucha contra el imperialismo norteamericano tanto los campesinos como sectores de clase media, y aun de la burguesía nacional con intereses objetivamente comunes.

Uno de los elementos más novedosos fue la aparición de la guerrilla urbana, como se ha dicho más arriba, en Uruguay, en Brasil y en Argentina. En el caso uruguayo, no sólo no existían campesinos sino que tampoco estaban dadas las condiciones geográficas para iniciar una guerra de guerrillas. Si bien el Movimiento de Liberación Nacional Tupamaros se originó como resultado de las reivindicaciones de los trabajadores de la economía azucarera, rápidamente optó por privilegiar la guerrilla urbana. El caso uruguayo se destaca por la existencia de una «guerrilla limpia», que tuvo especial cuidado en realizar operativos de envergadura con el menor número de muertos —con excepción de la ejecución del asesor de la embajada norteamericana en Montevideo—. El caso brasileño se destaca por la participación de un sector escindido del Partido Comunista, liderado por un viejo militante, Carlos Marighela, autor del primer manual de guerrilla urbana, y por la creación de una organización político-militar a partir de una disidencia dentro de las fuerzas armadas, la del capitán Carlos Lamarca. En Argentina, hubo una pluralidad de organizaciones revolucionarias, finalmente reducidas, en cuanto a exten-

sión y capacidad de acción, a dos grandes organizaciones guerrilleras, Montoneros y Ejército Revolucionario del Pueblo (ERP). La primera contó entre sus miembros con sectores provenientes del catolicismo, fusionados luego con el peronismo, y terminó absorbiendo a otras muchas organizaciones, como la FAR (Fuerzas Armadas Revolucionarias). El ERP se mantuvo inicialmente fiel a la consigna guerra de guerrillas en el campo y operó en la provincia de Tucumán, donde las condiciones físicas (geografía de montaña y selva) y sociales (crisis de la economía del azúcar) eran favorables. El ERP, inicialmente una escisión del trotskismo, terminó adoptando posiciones guevaristas y en cierto momento decidió extender su acción al ámbito urbano.

En tres países centroamericanos —Guatemala, El Salvador y Nicaragua—, la insurgencia guerrillera fue resultado de una combinación de factores, bien resumidos por Torres Rivas (2004: 283): «(l)os movimientos sociales de los años 60 adoptaron gradualmente la modalidad de movimientos revolucionarios, por sus métodos y sus programas, como resultado de la combinación de la violencia estatal, el apoyo norteamericano a los ejércitos y, desde otro lado, el imparable efecto de la revolución cubana». El mismo autor señala, además, como dato clave, la elaboración política de los intelectuales de clase media de las reivindicaciones antioligárquicas sucesivamente frustradas y luego convertidas en reivindicaciones revolucionarias. Hay que decir que en dos de estos países se trató en rigor de un proceso de guerra civil (El Salvador y Guatemala) y en un tercero la revolución triunfó militarmente pero no políticamente (Nicaragua), con lo cual también fue la guerra la continuación de la política por otros medios.

La revolución guatemalteca fue, como afirma Torres Rivas (2004: 284), un proceso de «reorganización de las fuerzas guerrilleras», a diferencia de El Salvador, donde hubo «un movimiento violento de masas», y de Nicaragua, donde hubo «una ofensiva en diversos frentes cívicos».

De los tres casos, Guatemala fue el único que contó con una larga experiencia guerrillera en sentido clásico, en la que la clave de la persistencia fue la reivindicación de la tierra. Allí, la guerrilla fue derrotada hacia 1982 y el conflicto terminó formalmente en 1996 con un inconmensurable saldo genocida. En El Salvador, la guerrilla se transformó gradualmente en guerra civil y la lucha armada entre los contendientes —Ejército Nacional y guerrilla— llegó a una situación de empate en 1987, de donde las negociaciones llevaron a una solución política. En Nicaragua, la revolución triunfó 1979, pero la lucha militar y política prosiguió, sumándose a la oposición contrarrevolucionaria interna el fuerte apoyo de los Estados Unidos. La guerrilla del Frente Sandinista de Liberación Nacional tampoco fue un reflejo directo de la política foquista de los años 1960. Como en los otros casos, la insurgencia guerrillera de los años 1970 había adquirido fisonomías propias.

En estos países, la transición a la democracia fue de un cuño diferente al de las transiciones latinoamericanas postdictaduras que prevalecieron en el Cono Sur. Como señala Torres Rivas (2004: 291), «los primeros pasos hacia la democracia se dieron cuando la ferocidad del conflicto armado era mayor». Las primeras elecciones ocurrieron en El Salvador en 1982, en Nicaragua en 1984 y en Guatemala en 1985, con el objetivo de quitar un pretexto de la insurrección: «el combate de la dictadura» y con el resultado paradójico de alcanzar primero la democracia (en los años 80) y luego la paz (en los años 90).

Colombia fue otro gran caso de guerrilla rural. Se trata de un país que desde 1948, con el asesinato del líder liberal popular Gaitán —el *bogotazo*— ha vivido sumido en la violencia. De hecho, la etapa que va desde entonces hasta la dictadura militar del general Rojas Pinillas (1954-1957) es conocida con el nombre de *La Violencia*. La dictadura de Rojas Pinillas —la única que tuvo Colombia— fue fuertemente resistida, incluso por las fuerzas armadas, lo cual la hizo desembocar en un acuerdo entre liberales y conservadores, según el cual durante un plazo de dieciséis años —luego extendido a veinte— se alternarían ambos partidos en el gobierno. Así, el presidente no era electo por los mecanismos típicos de la democracia liberal, sino que su elección resultaba de la coincidencia de liberales y conservadores en una única candidatura. A pesar de todos estos matices, para nada desdeñables, la democracia formal colombiana fue sostenida como baluarte y modelo por la propaganda política norteamericana. En este clima político y social, hacia mediados de la década de 1960, un sector del liberalismo se trasladó a la montaña y comenzó a actuar como guerrilla, con base fuertemente campesina. De sus filas surgió más tarde el Ejército de Liberación Nacional, una organización político-militar claramente inspirada en los principios de la Revolución Cubana, que tuvo entre sus miembros al sacerdote Camilo Torres Restrepo, caído en combate en 1965.

La principal guerrilla colombiana fue y es la de las Fuerzas Armadas Revolucionarias Colombianas (FARC), que marca un rasgo singular en el contexto de esos años. En contraste con la liberal, aunque escindida de ella, las FARC tuvieron una orientación cercana a la del Partido Comunista Colombiano. El movimiento se expandió rápidamente hasta llegar a la actual situación de estancamiento, en la cual ni la guerrilla puede vencer a las fuerzas armadas estatales, ni éstas pueden desarticular totalmente a las fuerzas guerrilleras. El cuadro colombiano se complica por la actuación de otros sujetos sociales, tales como los grupos de autodefensa campesinos (organizaciones paramilitares creadas por los terratenientes para combatir la guerrilla) y el narcotráfico. El caso de las FARC es bien singular, sobre todo después de la caída del bloque soviético y el consecuente desdibujamiento de su filiación con el PC y de su propuesta de cambio en caso eventual de tomar el poder. Por su parte, otro movimiento guerrillero, el M19, legó un testimonio de características también singulares. El M19 aceptó la propuesta de desarme y de participación en el libre juego político impulsada por el gobierno colombiano, pero luego la mayor parte de sus cuadros, incluyendo su candidato a presidente, fueron asesinados por grupos paramilitares. Con esto se dio prueba fehaciente de la imposibilidad de una salida política sin el desarme de las fuerzas paramilitares. Si bien las prácticas de tortura, terror y muerte generados en Colombia se alejan sustancialmente de las inspiradas en los principios de la Revolución Cubana, el caso colombiano se inserta en la coyuntura de transformaciones que caracterizó a los años 1960.

De hecho, sólo los revolucionarios nicaragüenses lograron repetir exitosamente el camino cubano: fuerte y sostenido apoyo del campesinado; constitución y continuidad de una fuerza militar insurgente con capacidad para resistir el ataque de las fuerzas armadas regulares y para llevar adelante una ofensiva que llevó a la derrota de éstas; pérdida de toda legitimidad por parte del gobierno dictatorial contra el cual insurgieron las guerrillas y constitución de una nueva legitimidad, revolucionaria, admitida como tal por el pueblo (Wickham-Crowley, 2001: 188).

En el clima de ebullición social esbozado, y después del asesinato de Kennedy, la actitud de Estados Unidos y de su presidente Lyndon Johnson fue bien clara: apoyó abiertamente los golpes militares favorables a sus intereses, como ocurrió en Brasil, en 1964; en Argentina, en 1966, y manifiestamente en Chile, en 1973, o intervino directamente, como en el caso de envío de marines a República Dominicana en 1965. Los militares eran, para Estados Unidos, la garantía más sólida contra el peligro del «castrocomunismo».

En contrapartida, en el campo popular, la derrota de los intentos revolucionarios e incluso reformistas —como en la vía pacífica al socialismo intentada por el gobierno de la Unidad Popular liderado por Salvador Allende en Chile (1970-1973), hasta su cruel amputación— abrió una etapa de largo reflujo.

Capítulo 4

LAS DICTADURAS INSTITUCIONALES DE LAS FUERZAS ARMADAS

Teorizando la dictadura

Franz Neumann propuso, en su libro póstumo (*The Democratic and the Authoritarin State*, 1957), definir a la dictadura como «el gobierno de una persona o de un grupo de personas que se arrogan el poder dentro del Estado y lo monopolizan, ejerciéndolo sin restricciones» (Neumann, 1968: 218). Asimismo, entendió necesario distinguir, en cuanto a su intensidad —es decir, al respectivo grado de extensión y pene-

tración coercitiva—, tres tipos de dictadura: simple, cesarista y totalitaria. En la forma *simple*, el poder dictatorial es ejercido con la intensificación de los instrumentos clásicos de la coerción: ejército, policía, burocracia, magistratura. En la cesarista, el poder dictatorial se basa en el apoyo de las masas. En la dictadura *totalitaria*, a los rasgos de las otras dos formas se añade el control de la educación, de todos los medios de comunicación (prensa, radio, televisión) y el uso

Salvador Allende.

de técnicas coercitivas *ad hoc*, con la pretensión de establecer un control «total».

Por su parte, Giovanni Sartori, un destacado politólogo italiano, alegó, en un texto publicado originariamente en 1971, que es necesario definir mejor el concepto dictadura, para evitar su dilución en el muy vago de absolutismo. A su juicio, «la dictadura es un gobierno no constitucional en dos sentidos: a) que quebranta el orden constitucional en el momento en el cual toma el poder (dictador que podríamos llamar *ex defecto tituli*); b) que el dictador ejerce un poder no disciplinado ni frenado por límites constitucionales (*dictador quoad exercitio*)». Añade, más adelante, que las dictaduras son «sistemas de duración discontinua o intermitente, en los cuales ningún principio preestablecido de sucesión es considerado vinculante por los sucesores, y en los cuales, correlativamente, no existe ninguna garantía de continuidad y, por tanto, ninguna certeza» (Sartori; 1987: 198 y 206).

Para Sartori, «las dictaduras son, y han sido siempre, expresión de un poder concentrado que se basa —la mayoría de las veces— en el poder personal y discrecional de una sola persona» y cuando son colegiadas son soluciones efímeras o, por lo menos, dictaduras con menor poder (Sartori, 1987: 201-203). Puede argumentarse, dice, que una dictadura colegiada deja de ser un gobierno monocrático y asume características de un gobierno oligárquico o policefálico, pero en tal caso debería hablarse de «oligarquía dictatorial» (oligarquía pasa a ser el sujeto). Pero también, añade, que la colegialidad es «un mecanismo de asegurarse recíprocamente» (el jefe derribado tiene la seguridad de no ser muerto).

Ahora, bien, una nota distintiva de las dictaduras institucionales de las fuerzas armadas, en América Latina, es, justamente, la de haber establecido —y cumplido— normas para la sucesión en el ejercicio de la dictadura, asegurando la continuidad de la misma. El establecimiento y la observancia de normas para la sucesión obedecen, precisamente, al carácter *institucional* que las fuerzas armadas —claramente, en Argentina, Brasil y Chile, por ejemplo— le dieron a sus respectivas dictaduras. Incluso el carácter pactado de las transiciones —excepto en Argentina, por la derrota en la guerra de las Malvinas, y en Bolivia, por la connivencia de la dictadura con el narcotráfico— es un modo de sucesión normada. La evidencia empírica contradice, así, a Sartori, para quien «[l]as dictaduras manifiestan, de hecho, en forma característica, una incapacidad constitutiva para preestablecer normas aptas a disciplinar la sucesión al poder» (Sartori, 1987: 205).

Crisis del modelo ISI, del Estado de Compromiso Social y de las políticas tradicionales

La crisis de las políticas distribucionistas y desarrollistas fue expresión del agotamiento del modelo de industrialización por sustitución de importaciones (ISI) y coincidió con la crisis del Estado Social en los países capitalistas centrales. Adicionalmente, y como componente importante, se expandieron formas militarizadas de hacer política que presionaron con intensidad variada sobre el sistema político, que también soportó la presión de las grandes empresas transnacionales, expresión de la formidable expansión creciente de la transnacionalización de las relaciones económicas. Las fuerzas armadas de la región se constituyeron en los «aprendices de brujos» más calificados y más siniestros de la «teoría» de la ingobernabilidad por exceso de democracia que signó la crisis del Estado de Compromiso en la región.

Las políticas neoconservadoras fueron la respuesta de las burguesías a la crisis del modelo ISI, iniciada a fines de los años 1960. Ese modelo, recordemos, logró la expansión del mercado interno, creó una industria estratégica, diversificó la producción, modificó la estructura social y potenció el papel de (cuando no creó) sujetos sociales como el proletariado y la burguesía industriales, en el marco de la matriz capitalista de las sociedades latinoamericanas. La crisis se percibió a través de indicadores tales como los fuertes déficits de la balanza de pago (por la importación creciente de bienes intermedios para la industria), los desequilibrios macroeconómicos (generadores de inflación y movilizaciones sociales de protesta) y, en el plano político, la apelación a los golpes de Estado militares antipopulistas, de los cuales los de Brasil, en 1964, y Argentina, en 1976, son paradigmáticos, pese al posterior rumbo económico seguido por una y otra de estas dictaduras institucionales de las fuerzas armadas.

La crisis de modelo ISI produjo cambios en la estructura laboral, en la cual se produjo una disminución (en muchos chasos muy acentuada) del sector industrial y una concentración de la población económicamente activa en el sector terciario, tanto en su área dinámica (finanzas, transportes, comunicaciones, informática) cuanto en el atraso de los servicios personales y el trabajo informal. El reforzamiento del sector terciario, bueno es tenerlo presente, se relaciona con la crisis de la deuda externa, en 1982, que incidió con fuerza en el movimiento sindical, erosionando y reduciendo su base de sustentación y su capacidad de incidencia societaria (caída de la afiliación sindical, incremento de la desocupación, etc.). El sindicalismo de esta etapa o fase de exclusión actúa, dice Zapata, en un contexto que ha reducido su base de sustentación y su capacidad de incidencia societaria (caída de la tasa de sindicalización, incremento de la desocupación y del trabajo precario, dificultades de organizarse en el nuevo sector exportador). En algún caso, como en Argentina durante la década menemista, un número elevado de direcciones sindicales fue cómplice de las políticas de ajuste estructural que condenaban a sus propias bases.

El modelo sustitutivo de importaciones fue objeto de fuertes ataques, particularmente en el aspecto de la intervención estatal y en el del tipo de industrialización. Se impuso, en su reemplazo, el modelo neoliberal, centrado en el papel subsidiario del Estado —limitado a la condición de garante de la libertad del mercado, nuevo «ídolo»—, la privatización de empresas del sector público, la apertura de la economía (en los sectores productivo, comercial y financiero) y la reasignación de los factores productivos, procurando aprovechar las ventajas comparativas que brindarían los recursos naturales de cada país. El modelo neoliberal comenzó a imponerse, por la vía de las dictaduras militares, a mediados de los años 1970, con la cobertura ideológica de la Doctrina de la Seguridad Nacional y de las teorías neoliberales sustentadas, entre otros, por Friedrich Hayek, Milton Friedman, Ludwig van Mises y Gerhard Ritter, expandiéndose en las décadas de 1980 y 1990, ya bajo gobiernos democráticos.

Las dictaduras institucionales y doctrinarias de las fuerzas armadas —a diferencia del antiguo patrón de la dictadura autocrática y personal de algún jefe o caudillo militar (Ubico, Somoza, Trujillo, Batista, Pérez Jiménez)— se sucedieron tras sendos golpes militares en Uruguay (1973), Chile (1973), Argentina (1966 y 1976) y Bolivia (1971 y 1980). Las tradicionales se caracterizaron por el nepotismo, que beneficiaba a familiares y amigos del dictador de turno, y por el enriquecimiento personal, que permitía concentrar en estos grupos y en el dictador mismo el control monopólico de los sectores productivos, desplazando a los capitales nacionales y extranjeros. El caso de Nicaragua se destaca porque allí fue la fortuna personal y familiar la base de la dinastía somocista, haciendo posible su permanencia en el poder más allá del asesinato del primer Somoza. En este tipo de dictaduras, la fuente de legitimación primordial fue la identificación de la persona del dictador con la nación entera y la asimilación de cualquier otra alternativa con el caos. En contraste, en las otras, las dictaduras institucionales de las fuerzas armadas, surgidas a mediados de la década de los 60 y principios de la siguiente, se distinguen por ser regímenes en los que la institución militar se situó por encima de la persona del dictador. Ellas fueron producto de la coyuntura de crisis del Estado de Compromiso y de la proliferación de la guerrilla (urbana) y fueron características de la región del Cono Sur.

Estos casos constituyeron parte de la historia de hiperconcentración de fuerza represiva para «reducir la complejidad» de los problemas de ingobernabilidad de sistemas políticos más o menos democráticos. Se sumaron a situaciones previas y largamente persistentes en Paraguay (1954) y Brasil (1964). La peculiar dictadura brasileña —con su formato representativo, que mantuvo el funcionamiento del sistema de partidos políticos y Parlamento, aun cuando con fuertes recortes— fue también una dictadura institucional de las fuerzas armadas, fundada en los principios de la Doctrina de la Seguridad Nacional y fuertemente orientada a clausurar el populismo. De hecho, la dictadura brasileña fue respuesta a una situación calificada —por los propios militares y los grupos económicos a ellos vinculados— como ingobernable, si bien por entonces la expresión no aparecía en el lenguaje de la política. A diferencia de las dictaduras de los años 1970, la brasileña instaurada en 1964 (y prolongada hasta 1985) no aplicó una política económica neoliberal, sino que mantuvo y profundizó el modelo de industrialización sustitutiva de importaciones, con fuerte participación estatal.

La encarnación material de la Doctrina de la Seguridad Nacional

Las dictaduras institucionales de las fuerzas armadas pretendieron ser correctivos de aquello que consideraban «vicios de la democracia», particularmente los generados por el populismo (Brasil, Argentina), el reformismo socialista (Chile) y/o la amenaza potencial de la izquierda revolucionaria (Uruguay, Argentina). En su práctica del terrorismo de Estado llegaron a una coordinación supranacional de la represión, incluso por encima de diferencias importantes en otros campos, como las vinculadas a las hipótesis de guerra entre sí. Esa pretensión nació de la ausencia de un principio de legitimidad propio y por la clara deficiencia por parte de la apelación a la Doctrina de la Seguridad Nacional (en adelante, DSN) para cubrir ese rol. Así las dictaduras se colocaron en la paradójica situación de pretender legitimarse con el argumento de ser restauradoras de las democracias, que ellas veían conculcadas por las prácticas viciadas de los malos políticos.

Una de las características comunes de las dictaduras institucionales de las Fuerzas Armadas fue el recurso a la DSN para construir su fundamento ideológico. Aun con diferencias, algunas sustanciales, la aplicación de esta doctrina en escala nacional fue generalizada. Ante la falta de legitimidad de origen, todas las dictaduras buscaron en ella una fuente de legitimidad de ejercicio.

Si bien los antecedentes más lejanos parecen encontrarse en Brasil, ya en el siglo XIX, y en Argentina y Chile a comienzos del XX, la DSN, tal como la conocemos, comenzó a elaborarse a partir de teorías geopolíticas, antimarxistas y de las tendencias conservadoras o de extrema derecha del pensamiento social-católico de organizaciones tales como el *Opus Dei,* en España, y *Action Française.* Con el comienzo de la Guerra Fría, elementos de la guerra total y de la confrontación inevitable entre las dos superpotencias —los Estados Unidos y la Unión de Repúblicas Socialistas Soviéticas (URSS)— y sus respectivos bloques militares —la Organización del Tratado del Atlántico Norte (OTAN) y el Pacto de Varsovia— se incorporaron a la ideología de la seguridad nacional en América

Latina. La forma específica asumida en la región enfatizaba la «seguridad interna» frente a la amenaza de «acción indirecta» del comunismo. Así, mientras los teóricos norteamericanos de la seguridad nacional privilegiaban el concepto de guerra total y la guerra nuclear, y los franceses, envueltos en la guerra contra los guerrilleros comunistas en Indochina, primero, y en la guerra de Argelia (por la independencia), después, concentraban su atención en la guerra limitada como respuesta a la «amenaza comunista», los latinoamericanos, preocupados por el crecimiento de movimientos sociales de clase obrera, enfocaban la amenaza de la subversión interna y de la guerra revolucionaria.

Para los teóricos de la DSN, la bipolaridad del mundo constituida tras la Segunda Guerra Mundial llevaba a la desaparición de las guerras convencionales y a su reemplazo por guerras ideológicas disputadas dentro de las fronteras nacionales de cada país. A escala mundial, la confrontación entre el «mundo libre, occidental y cristiano» y el «totalitarismo comunista ateo» dejaba en las fuerzas armadas norteamericanas la responsabilidad de evitar eventuales conflictos armados entre sus aliados y encabezar una confrontación con la URSS y el Pacto de Varsovia. En esa escala, la guerra era, entonces, una guerra contra el comunismo internacional y se entablaba en todos los frentes: militar, político, económico, cultural e ideológico. En cada uno de ellos, las fuerzas armadas debían combatir y para hacerlo debían prepararse para un enfrentamiento no convencional, puesto que la subversión internacional actuaba en todos esos frentes. Esa tarea exigía una actitud vigilante y una preparación o capacitación especial, de la cual carecían, a juicio de los ideólogos de la DSN, los políticos y la propia democracia.

La DSN comenzaba con una teoría de la guerra. Al respecto, definía cuatro tipos de guerra: 1) guerra total; 2) guerra limitada y localizada; 3) guerra subversiva o revolucionaria, y 4) guerra indirecta o psicológica. En la guerra revolucionaria no había línea del frente de batalla, pues el enemigo estaba en todas partes.

La teoría de la guerra total, en tanto se basaba en la estrategia de la guerra fría, concebía a la guerra moderna como total y absoluta. Habida cuenta del inmenso poder destructivo de las armas nucleares y de la inevitable confrontación entre las dos superpotencias, decían los teóricos de la guerra total, la guerra no se limitaba al territorio de los países beligerantes, o a sectores específicos de la economía o de la población. En palabras del general brasileño do Couto e Silva, de guerra estrictamente militar se pasaba a *guerra total*, tanto económica, financiera, política, psicológica y científica como guerra de ejércitos, escuadras y aviaciones; de guerra total a *guerra global*; de guerra total a guerra indivisible y permanente.

En rigor, la formulación más elaborada de la DSN, tal como se la conoció y aplicó en las décadas de 1960 y 1970 (sobre todo, pero no exclusivamente), comenzó con la experiencia de los militares franceses en sus guerras coloniales en Indochina y Argelia, la primera desarrollada sobre todo en terreno selvático y la segunda, en urbano. Ambas terminaron con el fracaso de Francia, que perdió ambas colonias. La «técnica» de desaparición de personas y la actividad de los «escuadrones de la muerte», usuales en la América Latina, fueron «invenciones» de los militares franceses que combatían al Frente de Liberación Nacional en Argelia. Desde mayo de 1958, los procedimientos aplicados por las tropas colonialistas francesas se convirtieron en materia de enseñanza y estudio en el Centro de Entrenamiento en Guerra Subversiva, creado por el ministro de Defensa galo, Jacques Chaban-Delmas, participando de los cursos oficiales de su país, a los que luego se sumaron portugueses (en guerra contra los independentistas en sus colonias africanas, como Angola, Mozambique, Guinea-Cabo Verde), israelíes, norteamericanos y latinoamericanos, entre otros. Los cursos incluían un mes de práctica en territorio argelino. Un corolario de los mismos fue la firma de acuerdos de cooperación militar que solían incluir la creación de una misión militar francesa en el país contraparte.

Las derrotas francesas en Indochina y Argelia significaron un traspaso de la influencia en la formación de oficiales de Francia a Estados Unidos, en momentos en que este país comenzaba a involucrarse en la que fue la Guerra de Vietnam y enfrentaba, en América Latina, los múltiples desafíos generados por la Revolución Cubana. Los norteamericanos realizaron parte de su tarea en la Escuela de las Américas, establecida, en 1946, en la zona estadounidense del Canal de Panamá y especializada, a partir de mediados de los años 60, en la guerra antisubversiva. Se estima en 60.000 el número de oficiales de los ejércitos latinoamericanos que recibieron entrenamiento. Se la conoce también como «Escuela para dictadores».

Ahora bien, los militares norteamericanos fueron instruidos por colegas franceses, tras los acuerdos alcanzados con el ministro de Defensa de Francia, Pierre Messner, en 1960. Según lo estipulado en esos acuerdos, el país europeo enviaba a Estados Unidos oficiales en calidad de asesores en materia de guerra revolucionaria. Actuaban en Fort Bragg y entre ellos se destacó el general Paul Aussaresses, considerado uno de los mejores agentes galos en la materia, quien publicó, en 2001, un libro de contenido terrible, *Services spéciaux. Algérie 1955-1957*. Dicho libro, presentado como «mi testimonio sobre la tortura», renovó el debate sobre la cuestión. Dos años después, en 2003, se conoció el video documental *Escuadrones de la Muerte. La Escuela Francesa*, realizado por la periodista Marie-Monique Robin, de alto impacto en países europeos y latinoamericanos. El filme se difundió por primera vez el 1 de septiembre de 2003, a través del Canal Plus, de Francia, en este país y en otros once de Europa. El libro fue publicado recientemente (Robin, 2005).

Si bien la DSN fue el sustento ideológico de las dictaduras de las fuerzas armadas latinoamericanas, como se ha dicho, sus contenidos y aplicación no fueron similares en todos los países. Un caso singular es el de las fuerzas armadas peruanas, que también desarrollaron, durante las décadas de los 50 y, sobre todo, de los 60, una doctrina de «progreso social y desarrollo integrado» de contenido nacionalista y reformista, en la cual se aprecia la influencia de las posiciones de la CEPAL sobre la dependencia y el subdesarrollo. La doctrina de los militares peruanos —que se autoconsideraban «combatientes contra el subdesarrollo» al lado del pueblo— fue elaborada en el Centro de Altos Estudios Militares (CAEM) y tuvo como nota distintiva concebir la seguridad nacional en términos no sólo militares sino también económicos y sociales, en lo cual coincidía con la de los brasileños. Tal doctrina sirvió de fundamento a la denominada Revolución Peruana, el proceso de reformismo militar encabezado por el general Juan Velasco Alvarado, tras la toma del poder mediante un golpe de Estado perpetrado el 3 de octubre de 1968. La experiencia se prolongó hasta el 29 de agosto de 1975, cuando el presidente fue derrocado por otro golpe militar, encabezado por el general Francisco Morales Bermúdez. En el ínterin se tomaron decisiones tales como la nacionalización de la empresa norteamericana *International Petroleum Company*, la reforma de los aparatos estatales, la reforma agraria, la expropiación de las propiedades de los grandes terratenientes y la creación del Sistema Nacional de Apoyo a la Movilización Social (SINAMOS).

Ciertamente, el reformismo militar peruano no postuló construir el socialismo sino terminar con la dominación oligárquica y desarrollar una democracia con amplia base participativa. Ha sido caracterizado como un proceso autoritario de incorporación de las clases sociales populares urbanas y rurales en pos del objetivo del desarrollo del país. La experiencia peruana comenzó cuando ya estaban instaladas dos dictaduras institucionales de las fuerzas armadas en el Cono Sur, la brasileña (1964) y la primera argentina (1966). Significativamente, el CAEM no contó con militares norteamericanos en su cuerpo de profesores, a diferencia de otros países, como por ejemplo Brasil, donde la misión norteamericana se extendió entre 1948 y 1960.

Es interesante constatar la variante brasileña de aplicación de la DSN, caracterizada por su énfasis en la relación entre desarrollo económico y seguridad interna y externa, tanto que fue conocida como *Doutrina de Segurança e Desenvolvimento* (Seguridad y Desarrollo). El texto más importante para entender la posición de los militares brasileños en la materia fue el *Manual Básico da Escola Superior de Guerra*, publicado por su Departamento de Estudios en 1976. La singularidad del caso brasileño se aprecia en la disímil política económica impulsada por las fuerzas armadas, claramente contrastante con la adhesión a las posiciones del llamado, más tarde, Consenso de Washington, de ajuste estructural, neoliberales o neoconservadoras, que fue característica de las otras dictaduras del Cono Sur, muy especialmente la chilena. Es cierto que la dictadura brasileña se instauró *antes* de la aparición de esas posiciones, pero también lo es que ella se prolongó hasta 1985, tiempo para el cual ya se habían llevado adelante las experiencias chilena, argentina y uruguaya. Pero el modelo económico de éstas no sirvió de estímulo a la introducción de cambios por parte de los dictadores brasileños. Es claro que éstos optaron por una fuerte apertura a la inversión de capital extranjero, pero no debilitaron al Estado. Así, una de las primeras medidas tomadas por el gobierno del

general Humberto Castelo Branco (el primero de los dictadores) fue —en el marco de la llamada Reforma Administrativa— la creación del Ministerio de Planeamiento y Coordinación Económica, al que se encargó coordinar y aplicar el modelo económico, facilitando la inversión extranjera y aumentando la tasa de acumulación de capital.

El programa económico global de la dictadura brasileña formuló como objetivos la racionalización de la economía por la concentración del capital en las industrias más eficientes y el estímulo a la penetración del capital multinacional más moderno y productivo, en total correspondencia con una de las premisas de la Doctrina de la Seguridad Nacional y Desarrollo en cuanto a los efectos considerados benéficos de la inversión multinacional: la mejor manera de desarrollar Brasil consiste en transformar la economía del país en área prioritaria para la inversión extranjera.

La *Doutrina de Segurança Nacional e Desenvolvimento* fue elaborada en la *Escola Superior de Guerra* (ESG) a lo largo de veinticinco años y entre cuyos autores descolló largamente el general Golbery do Couto e Silva. La ESG se creó en abril de 1949, mediante un decreto del presidente de la República, el general Eurico Dutra. En ella siempre fue importante el papel de los civiles, incorporados por su formación profesional en las áreas de la industria, la educación, las comunicaciones y la actividad bancaria. Debían poseer título universitario o equivalente y probada capacidad de liderazgo. Según la *Doctrina* no podía haber seguridad nacional sin un alto grado de desarrollo económico, el cual debía incluir la industrialización, el efectivo aprovechamiento de los recursos naturales, la construcción de una extensa red de transporte y comunicaciones (con la función de integrar el territorio nacional, tarea en la cual se asignaba destacada importancia a las autovías y los ferrocarriles), el entrenamiento de una fuerza de trabajo altamente cualificada y el desarrollo científico y tecnológico. Para el logro de estos objetivos, en definitiva, la construcción de un «capitalismo moderno», los teóricos de la ESG consideraban clave la fuerte intervención del Estado en el planeamiento económico nacional, en la inversión en infraestructura, e incluso no desdeñaban la eventual apropiación directa de los recursos naturales por parte del propio Estado. Los militares fueron notablemente coherentes con esos principios. Así, es posible constatar que la participación del Estado en el planeamiento y la regulación de la economía alcanzó «niveles inéditos de centralización» a partir de 1964, aumentando también considerablemente la intervención del Estado en la producción directa en la explotación de recursos naturales mediante empresas de su propiedad (esto es, el Estado como propietario de medios de producción).

Las dictaduras institucionales de las FFAA en Argentina, Bolivia, Brasil, Chile y Uruguay

La cínica invocación a la democracia realizada por Estados Unidos durante la *guerra fría* se convirtió, en América Latina, en una desnuda y despiadada política de apoyo a dictaduras institucionales de las fuerzas armadas, como se ha visto, basadas ideológicamente en la Doctrina de la Seguridad Nacional. Según ella, los militares latinoamericanos tenían por misión principal combatir a los enemigos internos, es decir, «los quintacolumnistas del comunismo internacional» (según les llamaban), que actuaban dentro de las respectivas fronteras nacionales, dejando la lucha contra el enemigo exterior —el bloque de la Unión Soviética y China Popular— a las fuerzas de la OTAN. En rigor, se trataba de una respuesta brutal —una vez fracasada la vía de las reformas propuesta por la efímera Alianza para el Progreso— a la Revolución Cubana y la expansión de los movimientos insurgentes inspirados en ella. Es útil confrontar la política del demócrata Carter con la de sus sucesores republicanos,

especialmente por el impacto político-práctico que tuvo la distinción que gustaba repetir Jeanne Kirkpatrick entre gobiernos *totalitarios* (los comunistas) y *autoritarios* (las dictaduras latinoamericanas). Los primeros eran enemigos; los segundos, no.

A diferencia de las tradicionales dictaduras autocráticas predominantes en Centroamérica y el Caribe, las nuevas eran el resultado de la decisión de las fuerzas armadas, *qua* institución, de tomar por asalto el Estado (del cual eran parte), desplazar al poder civil y gobernar apelando a mecanismos de selección de los gobernantes decididos y ejercidos por las jerarquías militares. La primera dictadura institucional de las fuerzas armadas instaurada en América Latina fue la brasileña, prolongada a lo largo de veintiún años, entre 1964 y 1985. Le siguió, en 1966, la autodenominada Revolución Argentina que, más resistida que aquélla por las luchas populares, sólo llegó hasta 1973. En los años 70, la estrategia se aplicó en Chile (1973-1990), Uruguay (1973-1984), otra vez Argentina (1976-1983) y Bolivia (1980-1982, tras un breve intervalo institucionalizador que sucedió a la dictadura del general Bánzer, esta última desarrollada entre 1971 y 1978).

Pese a tener como común denominador sus fundamentos en la Doctrina de la Seguridad Nacional, las dictaduras fueron ejercidas con notables diferencias. Las similitudes y diferencias son apreciables en un análisis comparativo, tomando en cuenta cinco dimensiones: 1) la política económica; 2) la aplicación de la violencia y la represión de la oposición; 3) el ejercicio del poder político; 4) la duración, y 5) las fuentes de legitimidad.

En lo que respecta a la política económica, se ha visto que la dictadura brasileña es un caso de notable singularidad. La dictadura de Brasil implementó un desarrollismo apoyado en una alianza tecnoburocrático-militar, con importante intervención estatal. El tan mentado *milagre brasileiro* es comparable con el éxito en la aplicación de políticas neo-conservadoras en Chile —dos casos éstos que contrastan notablemente con los casos de Argentina y Uruguay, donde las políticas económicas neoconservadoras tuvieron un rotundo fracaso.

En Brasil, el modelo de desarrollo capitalista estuvo fundado en una alianza entre capitales estatales, privados multi-nacionales y privados brasileños. La alianza no fue sólo económica. La especificidad y fuente de poder político del régimen militar brasileño fue que la alianza entre la tecnoburocracia y el capital industrial fue también *política* (Bresser Pereira, 1985: 103). Dicha alianza cristalizó en 1967 cuando los militares, bajo la influencia de la UDN, percibieron claramente la conveniencia de un acercamiento al capital industrial y al capital bancario, abandonando la estrategia de alianza con la tecnoburo-cracia civil estatal, las clases medias pequeño burguesas (tradicionales) y la burguesía agrario-mercantil. El «pacto político autoritario y excluyente» se conformó entre 1964 y 1968, basado en la triple alianza de la tecnoburocracia estatal, la burguesía local y las empresas multinacionales. «Su carácter excluyente se [tradujo] en *la exclusión radical, de carácter económico y político, de los trabajadores y de amplios sectores de la clase media asalariada y de la pequeña burguesía*» (Bresser Pereira, 1985: 104; las cursivas son mías). En este aspecto el modelo económico de la dictadura brasileña anticipó una coincidencia estratégica con el de las otras tres del Cono Sur, aunque es evidente que difi-rieron en el carácter desarrollista de una y neoconservador de las otras. En efecto, el modelo llevado adelante en Brasil se inscribió dentro del llamado *nacional-desarrollismo*, pero la dictadura modi-ficó parcialmente ese modelo al rede-finir la política industrialista y establecer, como se ha dicho, una alianza entre empresas estatales, multinacionales y privadas de capital brasileño (nacional o local).

El modelo *nacional-desarrollista* hizo del Estado el principal sujeto del desa-rrollo, asignándole funciones de planifi-cación, ejecución de políticas y productor directo. Dicho modelo también se carac-terizó por el énfasis en la industrializa-ción y en el crecimiento del mercado interno, para lo cual se apeló a barreras arancelarias y no arancelarias, y un rígido control estatal del comercio exterior. A diferencia del caso brasileño, estos dos aspectos fueron cuestionados radical-mente por las dictaduras argentina, chilena y uruguaya, desde luego que en distinta magnitud y con distinto resul-tado. Chile avanzó más que ningún otro país en la desarticulación del Estado, aunque éste mantuvo el control estraté-gico del cobre. El modelo desarrollista se caracterizó, además, por el recurso al endeudamiento externo para cubrir la supuesta insuficiencia de recursos internos. En este punto todos los casos coinciden. Las dictaduras institucionales de las Fuerzas Armadas mantuvieron y acrecentaron dicho endeudamiento. Finalmente, cabe notar que la alianza entre tecnócratas y militares estuvo presente en los cinco casos, aunque no se expresó de la misma manera. En Uruguay, los tecnócratas neoliberales encargados de la economía provinieron de la fracción colorada *quintista*, de Jorge Batlle. El presidente (civil) *de facto*, Bordaberry, también del Partido Colo-rado, intentó lograr un amplio acuerdo político que garantizara la gobernabi-lidad del país, pero además de la mencio-nada tecnocracia sólo le acompañaron los minoritarios sectores de la derecha nacionalista. En Argentina, por citar otro ejemplo contrastante, la burguesía nacional fue excluida del bloque de poder.

En materia de aplicación de la violencia y represión de la oposición, la dictadura argentina fue la más dura: 30.000 desaparecidos (aunque este proceso comenzó, de manera sistemá-tica, casi dos años antes del golpe y se prolongó más allá del primer año de dictadura). A ella le siguen la chilena, que en el período inicial tuvo más de dos mil muertos, prisión, fuga o exilio de unos 9.000 dirigentes y simples partidarios de la Unidad Popular (Gazmuri, s.f.: 2 y 5). En ninguno de los dos casos se alcanzó la terrible magnitud de Guatemala: 200.000 personas muertas, en su mayoría asesinadas; 70.000 desaparecidos, 1.000.000 de desplazados, más de 600 masacres realizadas por el ejército en aldeas indígenas y campesinas —en un país de 108.889 km^2 que en 1994 tenía 10.322.000 habitantes—. En el caso de la dictadura de Bánzer en Bolivia hay que señalar como hecho que desnuda la capacidad represora del Estado el que se haya practicado la tortura en los sótanos del Ministerio del Interior. La dictadura de García Meza no tuvo una base civil y política que respaldara su gestión. Los únicos apoyos de García Meza fueron el partido de Bánzer y Bánzer mismo y el narcotráfico —introduciéndose así un nuevo actor social en el análisis, ausente en los otros casos—. Con esto el instrumento de dominación más efectivo de la dictadura de García Meza fue la apelación a la violencia física: la represión, las masacres, las torturas. En su enjuiciamiento, ocurrido en la década de 1990, los delitos de los cuales se le acusó fueron divididos en ocho grupos: contra la Constitución Política del Estado, la toma de la COB y los asesinatos entonces cometidos, el genocidio de la calle Harrington, y el resto, delitos económicos contra el Estado. El caso de Bolivia impacta no sólo por la crudeza de la violencia desplegada en tan breve lapso (la dictadura de García Meza fue en efecto la más breve), sino también por la repercusión internacional que le imprimió el Juicio por Responsabilidades contra el dictador y sus colaboradores.

Las cinco dictaduras —más la de Paraguay— coinciden en la coordinación de la represión implementada a través de la *Operación Cóndor*. Se trata de un plan secreto de persecución y asesinato de la oposición mediante tareas de inteligencia realizadas por los respectivos organismos represivos, pero que incluso actuaba fuera de las fronteras de los seis países. Stella Calloni (2001: 21) sostiene que «Estados Unidos proporcionó inspiración, financiamiento y asistencia técnica a la represión, y plantó la semilla de la Operación Cóndor. La CIA promovió una mayor coordinación entre los servicios de inteligencia de la región. Un historiador estadounidense atribuye a un operativo de la CIA la organización de las primeras reuniones entre funcionarios de seguridad uruguayos y argentinos para discutir la vigilancia de los exiliados políticos. La CIA también actuó como intermediaria en las reuniones entre los dirigentes de los escuadrones de la muerte brasileños y los argentinos y uruguayos. (...) La división de servicios técnicos de la CIA suministró equipos de tortura eléctrica a brasileños y argentinos, y ofreció asesoramiento sobre el grado de *shock* que el cuerpo humano puede resistir».

En cuanto al ejercicio del poder político, todos los casos asumieron el carácter de dictaduras institucionales de las Fuerzas Armadas. En el caso de la dictadura de Bánzer en Bolivia, la fase institucional de las fuerzas armadas propiamente dicha puede decirse que comenzó el 9 de noviembre de 1974, cuando Bánzer firmó los decretos que entregaban el gobierno a las fuerzas armadas hasta 1980. En ellos declaraba en receso a los partidos y a los sindicatos y convocaba a un grupo de tecnócratas liberales para resolver los problemas económicos del país. Pero más allá de esta gruesa coincidencia, un análisis más detallado señala notables diferencias. En general, los militares tuvieron como misión establecer una estructura política apta para el largo ejercicio del poder que ellos mismos se proponían practicar. Y para ello contaban con tres alternativas: la legitimación *carismática*, la *corporativista* y la de un *sistema de partidos*. Chile es un caso paradigmático de excesiva personalización del poder en un individuo. El general Pinochet ejerció simultáneamente las funciones de presidente de la República, presidente de la Junta de Gobierno hasta 1980, con poderes legislativos y constituyentes, y comandante en jefe del Ejército. A diferencia del caso chileno, las dictaduras argentina, brasileña y uruguaya pusieron especial énfasis en eludir la personalización del poder e insistieron en el carácter *institucional* del ejercicio del poder político por parte de las fuerzas armadas. En Argentina, por ejemplo, se creó una Junta Militar, integrada por el comandante en jefe de cada una de las tres armas (Ejército, Marina y Aviación), y se depositó en ella la condición de «órgano supremo del Estado». En tal calidad, se le asignó el poder de elegir al presidente de la República y de revocar su mandato y designar al sucesor. La Junta también asumió la conducción de las fuerzas armadas y tuvo poder de veto frente a la decisión presidencial de designación de ministros del Ejecutivo, gobernadores de provincias y jueces ordinarios. Además, la dictadura argentina reemplazó al Congreso Nacional por una Comisión de Asesoramiento Legislativo (CAL), integrada por tres oficiales de cada una de las fuerzas, uno de los cuales debía ejercer la presidencia, anual y rotativa.

Dos casos son sumamente contrastantes: el de Uruguay y el de Brasil, que si bien comparten ese carácter institucional se diferencian por no tener a las fuerzas armadas de manera directa en el ejercicio del poder formal (Uruguay) y por mantener el funcionamiento de partidos políticos y el Congreso y la periódica convocatoria a elecciones (Brasil). En Uruguay, el golpe de Estado —que, en rigor, se ejecutó en dos momentos, febrero y junio de 1973— no fue perpetrado directamente por los militares, sino por el propio presidente constitucional, José María Bordaberry. En 1981 la Junta de Oficiales Generales designó un oficial (retirado) del Ejército en la jefatura del Estado. Se trató del teniente general Gregorio Álvarez —comandante del Ejército en 1978-1979, condecorado con la «Gran Cruz del Libertador Bernardo O'Higgins» y la «Orden Libertador General San Martín», por los dictadores Pinochet y Videla, respectivamente—. En Uruguay el Congreso bicameral fue reemplazado por un Consejo de Estado, pero el ejercicio de la presidencia siguió a cargo de Bordaberry —que había ganado las elecciones de 1971 con apenas el 22,8 por ciento de los votos, en medio de una fuerte crisis partidaria—. A juicio de González (1984), la dictadura uruguaya puede estudiarse en tres etapas: la etapa de *dictadura comisarial*, que duró tres años y durante la cual ejerció la presidencia Bordaberry; la etapa de *ensayo fundacional* (1976-1980), con las presidencias del doctor Alberto Demichelli y el doctor Aparicio Méndez, un viejo político de larga militancia en el Partido Nacional, que paradójicamente fue quien firmó el decreto de prohibición de todas las actividades políticas durante quince años, y por último la fase de la *dictadura transicional* (1980-1984/1985), en la que, como se ha dicho, gobernó el militar retirado Álvarez.

Por su parte, Brasil se destaca por su *formato representativo*. En los cuatro primeros años se dictaron medidas claves. El *Ato Institucional* n.º 1 (AI-1) dejó en vigencia la Constitución, salvo en materia de los poderes del presidente de la República y el funcionamiento de los partidos y el Congreso Nacional, cuya legitimidad derivaba del mismo *Ato*. El Congreso, sin embargo, fue depurado en su composición y limitado drásticamente en el ejercicio de sus facultades y el presidente asumió importantes facultades legislativas. El AI N-2 introdujo nuevas enmiendas constitucionales y legisló sobre tres áreas: 1) el control del Poder Legislativo por el Ejecutivo, que fue reforzado aún más; 2) el incremento del número de miembros del Supremo Tribunal Federal, incorporando ministros favorables a las posiciones del Ejecutivo, y la transferencia de los procesos judiciales por razones políticas a los Tribunales Militares; 3) el control de la representación política, eliminando la elección directa del presidente y el vice-presidente de la república y reemplazándola por la indirecta a través de un Colegio Electoral integrado por la mayoría absoluta de miembros del Congreso Nacional, reunido en sesión pública y con el voto nominal y público de los electores. Más tarde, el AI-3 dispuso medidas similares para los gobernadores estaduales y para los prefectos de todas las capitales estaduales (elección privativa de cada gobernador). Finalmente, el AI-2 dispuso también la constitución de nuevos partidos. Estos nuevos partidos se formaron de arriba hacia abajo, a partir de una situación dada (representación parlamentaria previa), es decir, fueron partidos del Estado. Así surgieron la *Aliança Renovadora Nacional* (ARENA), el partido oficial, y el *Movimento Democrático Brasileiro* (MDB), de oposición. Ambos existieron hasta 1979, cuando una nueva resolución dio lugar a un sistema pluripartidario.

La opción por un régimen político que, al menos como *petitio principii*, apelaba al funcionamiento de los partidos políticos y el Congreso y a la periódica convocatoria de elecciones no fue circunstancia óbice para el fuerte condicionamiento de la actividad partidaria (sobre todo hasta 1979-1980) y para la modificación oportunista de las reglas del juego electoral a conveniencia del partido oficial. Esa opción puede explicarse por la experiencia del *Estado Novo* y su esfuerzo por dotar al régimen de alguna legitimidad, al menos «para uso externo», como ha sugerido Aspásia Camargo (en Carmagnani, 1995), o bien a la «inalterable veneración por las formalidades legales» o la «propensión de los militares brasileños por la legitimidad formal», como prefieren Alves (1984: 144, n. 5) y Skidmore (1988: 170). Pero no deben subestimarse otras explicaciones. Las características personales de

Campesinos bolivianos durante una concentración en favor de los derechos humanos.

los principales jefes militares con poder de decisión, como las del general Humberto Castelo Branco, explícitamente favorables a la democracia (o a su retorno). Una situación similar se observa en Argentina, donde cabe señalar las apetencias personales del almirante Emilio Massera por construir un soporte político apto para llegar a la presidencia (más que para instaurar la democracia). En Argentina —tanto como en Chile— predominó el rechazo de la función legitimadora de los partidos políticos, en contraste con los casos de Uruguay y Brasil donde, como se ha visto, los partidos fueron bien ponderados.

También en el caso de Bolivia, el rol de los partidos políticos es clave. El golpe de 1971 no fue solamente militar, puesto que de él participaron dos de los principales partidos políticos: el MNR y la Falange Socialista Boliviana. Tras el golpe de Estado asumió el gobierno el Frente Popular Nacionalista que integraba Bánzer junto al MNR y la Falange Socialista Boliviana. El primer gabinete tenía tres militares, cinco movimientistas, cinco falangistas y tres representantes de la empresa privada. El golpe también contó con la participación abierta de Estados Unidos, mediante unas medidas económicas que perseguían claros fines políticos: el bloqueo económico y la suspensión de los préstamos del BID y del Banco Mundial. Asimismo, hubo participación de funcionarios de la embajada en La Paz en la preparación y ejecución del golpe. Según las investigaciones de Sivak (2001), el gobierno de la dictadura argentina (1966-1973) aportó armas, igual que la dictadura brasileña, que además contribuyó en la organización operativa del golpe. Desde luego, la decisión del gobierno brasileño no fue inocente. El historiador Herbert Klein precisa que «el régimen banzerista firmó una serie importante de convenios que privilegiaban la participación brasileña frente a la Argentina en la explotación de recursos naturales de Bolivia, sobre todo en lo que se refiere a las reservas de gas y de hierro de la región cruceña» (Klein, 1994: 262).

En cuanto a su duración, las dictaduras militares argentinas fueron las más breves: las dos duraron sólo siete años cada una, menos que los doce de la uruguaya, los diecisiete de la chilena y los veintiuno de la brasileña. Sumando las dos, las dictaduras argentinas apenas superaron la duración de la uruguaya. Es curioso que los militares argentinos hayan sido quienes tuvieron mayor tradición golpista y hayan sido, al mismo tiempo, los que registraron el menor tiempo de ejercicio de la dictadura (desde 1930 hasta 1983, nunca superior a los siete años y meses). En contraste, los militares uruguayos, chilenos y brasileños tuvieron, a lo largo del siglo XX, menor incidencia, incluso más baja en ejercicio directo del gobierno. El caso boliviano presenta varias singularidades: una persistente inestabilidad política durante casi todo el siglo XX, la rebelión de las clases subalternas contra el estado de la revolución de 1952 y un marcado antagonismo en el seno de las fuerzas armadas que hizo que los golpes militares se sucedieran unos tras otros. El proceso revolucionario iniciado en 1952 fue interrumpido por el golpe militar encabezado por el general Barrientos en 1964. Luego, sobrevinieron los gobiernos de Alfredo Ovando y Juan José Torres (1969-1971), emparentados con el militarismo reformista peruano, que terminaron con el golpe militar de Bánzer. En 1980, y tras el breve intervalo que sucedió a la dictadura banzerista, se produjo un nuevo golpe que inauguró la breve dictadura del general Luis García Meza, inaugurándose así el proceso de «Reconstrucción Nacional», claramente fundado en la Doctrina de Seguridad Nacional y «contra el avance del comunismo». Al respecto, cabe notar que desde el principio, y a diferencia con el banzerismo, la dictadura de 1980 tuvo una Junta Militar por sobre todo el aparato institucional encabezado por García Meza.

En lo que concierne a las fuentes de legitimidad, como ya se ha dicho, las dictaduras no tuvieron un principio de legitimidad propio y, paradójicamente, tendieron a autofundamentarse precisamente en aquello que su práctica negaba, es decir, la democracia. Por ello, las dictaduras se instalaron —decían los dictadores y sus intelectuales— ya fuera para *restaurar* las democracias conculcadas por las prácticas corruptas, demagógicas y degeneradoras de los políticos, las cuales habían devenido creadoras de condiciones para la «subversión marxista»; o bien para *instaurar* una nueva democracia.

En Brasil, la dictadura se proponía la «reconstrucción económica, financiera, política y moral de Brasil» para alcanzar el objetivo de «la restauración del orden interno y del prestigio internacional», socavados por la acción del gobierno derrocado, que «estaba deliberadamente intentando bolchevizar el país» [*sic!*]. En Chile, el propósito del golpe era «restaurar la chilenidad, la justicia y la institucionalidad quebrantada». El general Augusto Pinochet prometió, unos días después: «Chile volverá a su tradicional sistema democrático.» En Argentina, el general Jorge Rafael Videla expresó en 1977 que el objetivo final del «Proceso de Reorganización Nacional» era alcanzar «un régimen político democrático capaz de gobernar, durante un largo futuro, una sociedad abierta y pluralista». En Uruguay, los militares justificaron el desplazamiento del presidente Juan María Bordaberry, a mediados de 1976, argumentando que «las FF. AA. sostienen que la soberanía está radicada en la nación y que, entre otras cosas, una forma auténtica de expresión de esa soberanía es el voto popular» (citado en Ansaldi, 2004).

En Bolivia, la dictadura de 1971-1978 vino a poner fin al proceso inscripto en lo que se llamó la izquierda nacional de los gobiernos de Alfredo Ovando y Juan José Torres (1969-1971), emparentado con la experiencia de Velasco Alva-

rado en Perú. Así, y al igual que en los otros casos vecinos, la dictadura boliviana surgió como correctivo de los «vicios de la democracia» y más prioritariamente contra la «amenaza del comunismo». El golpe de Estado del 21 de agosto de 1971 inició la llamada «restauración oligárquica» que encabezó el coronel Hugo Bánzer Suárez, heredero de René Barrientos, quien con su golpe de 1964 había interrumpido los doce años de gobierno del MNR. En marzo de 1972, Bánzer firmó un documento, donde hizo una declaración de principios de la dictadura y donde hubo observaciones que remitían a los postulados de la Doctrina de la Seguridad Nacional. Allí se afirmaba como uno de los objetivos primordiales el combatir a las fuerzas «castrocomunistas». Como se ha dicho, la dictadura de García Meza se erigió con las mismas metas, sólo que ahora la coyuntura mundial no era propicia para su perpetración en el poder por largo tiempo y el argumento legitimador fue muy débil para resistir a las circunstancias sociales, políticas y económicas que muy pronto socavaron su poder. En efecto, cuando García Meza se hizo cargo del poder en 1980 la crisis internacional estaba en su clímax y el dictador debía afrontar las consecuencias del endeudamiento externo heredado de la gestión de Bánzer.

En todos los casos, la apelación a la restauración de la democracia se complementó con otro rasgo significativo: la de proponerse como momento fundacional de un nuevo régimen político. En esta coyuntura la intervención de los militares en la política pasó de su rol de gendarmes y custodios del sistema al rol de transformadores del mismo. Las fuerzas armadas aspiraron a la construcción de una *democracia protegida y autoritaria*, con fuertes componentes corporativistas, como en el caso de las dictaduras chilena y argentinas (aunque cabe notar que si bien Chile prohibió la actividad de los partidos políticos no prescindió de la consulta popular; tales, la de enero de

1978, el plebiscito constitucional de 1980 y el decisivo plebiscito de 1988). Las fuerzas armadas chilenas abandonaron pronto la supuesta pretensión restauradora de la democracia. Mediante la «Declaración de principios» de 1974 se suspendió la institucionalidad jurídica consagrada en la Constitución de 1825; se procedió a la intervención y control de la prensa y las universidades; se instauró el estado de sitio, el toque de queda y la persecución de los funcionarios del régimen de la Unidad Popular. Además, se prohibió la actividad sindical y cualquier manifestación social y se mantuvo el exilio. Y mediante un segundo documento, también de 1974 (el «Objetivo nacional»), se impulsó un nuevo modelo económico neoliberal liderado por los *Chicago boys* chilenos, economistas que llegaron a cargos ministeriales en julio de 1974. Por su parte, los militares uruguayos también apelaron al plebiscito para cumplir su objetivo de fundar una democracia limitada y tutelada. En 1980 sometieron su proyecto de reforma constitucional a la consulta popular, pero —a diferencia de sus camaradas chilenos— los resultados no les fueron favorables.

La dictadura sultanístico-prebendaria de Paraguay

Paraguay —con una historia poco y mal conocida— es un país con una mayoría de la población rural y un peso decisivo de la producción agrícola en el Producto Bruto Interno. Una de las tantas singularidades del caso paraguayo es que la economía del país no pasó por la etapa de la ISI. Su historia poscolonial es la larga historia de una república despótica. Su cultura política es autoritaria y se caracteriza por el ejercicio del poder durante largos períodos, alternando con la inestabilidad y los golpes de Estado, amén de las prácticas electorales fraudulentas y la violencia. En 178 años —de 1811 (independencia) a 1989 (fin de la dictadura de Stroessner)— 95 fueron gobernados por cinco presidentes *de*

facto. Entre 1870 y 1954 hubo 44 presidentes (promedio: uno cada 23 meses), de los cuales 24 fueron destituidos por la violencia. Sólo nueve de los 44 fueron militares, pero los civiles estaban generalmente vinculados a las fuerzas armadas. Además, se vivieron dos guerras civiles (1922 y 1947) y dos internacionales, traumáticas: la de la Triple Alianza (contra Argentina, Brasil y Uruguay, 1865-1870) y la del Chaco (contra Bolivia, 1932-1935). El último dictador, el autócrata Alfredo Stroessner, superó a todos sus predecesores y estuvo 35 años (1954-1989) en el poder.

En cierto contraste con la historia señalada, Paraguay tiene partidos políticos organizados tempranamente: en 1887 se fundaron el *Partido Liberal* (en sus primeros años, Centro Democrático) y la *Asociación Nacional Republicana* o *Partido Colorado*, prolongaciones orgánicas de la Legión Paraguaya (militares de la vieja clase propietaria que combatieron en las filas argentinas contra López) y de los nacionalistas. Por entonces, dicho gruesamente, el primero reunía a la burguesía comercial y agraria vinculada al capital anglo-argentino y el segundo a terratenientes y militares conservadores pro brasileños, ampliando más tarde su base social con el campesinado. Entre 1870 y 1954, el Partido Liberal estuvo en el gobierno durante 42 años, y el Colorado, durante 33. Del Partido Liberal se escindió, más tarde, el *Partido Liberal Radical Auténtico*, con bases campesinas y populares. A mediados del siglo XX surgió el *Partido Revolucionario Febrerista*, de tendencia social demócrata y con una amplia base social: burguesía nacional, profesionales, estudiantes, terratenientes medios, artesanos, obreros. También, surgió el *Partido Demócrata Cristiano*, con igual base que el PRF, aunque con más penetración en la clase media y con un lenguaje desarrollista.

El 4 de mayo de 1954 se produjo el golpe de Estado contra el entonces presidente Federico Chávez, un nacionalista próximo a Perón (con quien había firmado un tratado de comercio y amistad en pro de una integración económica, similar al que el presidente argentino había firmado con el general chileno Carlos Ibáñez). El golpe fue apoyado por una burguesía comercializadora surgida después de la Guerra del Chaco y por el gobierno de los Estados Unidos. En las elecciones del mismo año fue elegido presidente el colorado general Alfredo Stroessner, el cual instauró una larga dictadura, caracterizada por el uso del terror y las sucesivas reelecciones del dictador. La dictadura stronista fue una dictadura militar autocrática, antiliberal, anticomunista, pro norteamericana y defensora de la Doctrina de la Seguridad Nacional, mas no fue una dictadura institucional de las fuerzas armadas. Durante treinta y cinco años, el ejercicio del poder fue acompañado de contrabando, corrupción, negociados, prebendas, nepotismo, narcotráfico... En política exterior, Stroessner fue pro brasileño, en buena medida por cálculo, especialmente en materia de control de estratégicos recursos hidroeléctricos (cuestión que afectaba a ambos países y a Argentina).

A pesar de invocar y practicar componentes de la Doctrina de la Seguridad Nacional, la dictadura stronista fue más similar a las tradicionales dictaduras centroamericanas y caribeñas que a las institucionales de las fuerzas armadas. Como tal, en ella predominaron el personalismo, el prebendalismo y esos otros rasgos de modos de dominación política a los que Juan Linz llamó «autoritarismos sultanísticos».

El segundo rasgo distintivo fue que los partidos políticos —básicamente, colorados y liberales— no dejaron de tener relevancia en la sociedad paraguaya. Se trata de un caso de sistema de partidos restringido, no competitivo y con poco margen para los partidos de oposición. En primer lugar, en la propia instauración de la dictadura, el Partido Colorado jugó un papel decisivo. De igual modo, fue una purga interna del coloradismo la que precipitó la caída del dictador. En segundo lugar, si bien la dictadura eliminó todo vestigio de pluralismo y de vigencia de libertades públicas, tanto el Partido Colorado como la principal fracción del opositor Partido Liberal mantuvieron algunos de los rasgos que los habían constituido como partidos históricos y, en particular, no dejaron de ser los referentes políticos de las identidades de numerosos paraguayos, percibidos como colorados o liberales. En tercer lugar, los partidos políticos paraguayos experimentaron —como los brasileños— cambios importantes para la transición durante el largo período de la dictadura: por un lado, el principal partido de oposición se transformó, en un proceso de interacción con grupos y movimientos sociales extrapartidarios, de oposición formal —más bien legitimadora del régimen— en oposición cada vez más real. Su naturaleza opositora se caracterizó por ser oposición propiamente política y demandar democratización. Por otro lado, el Partido Colorado, del gobierno, también sufrió transformaciones tales como fraccionamiento y surgimiento de tendencias internas que se fueron distanciando del régimen. Con todo, en el caso paraguayo, no se llegó al límite de este proceso, la implosión.

El stronismo fue un sistema dictatorial que afirmó un régimen político despótico, un orden social y económico de dominio y exclusión basado en una aberrante utilización de las raíces conservadoras de la sociedad, que funcionaron como reacción adaptativa o de sobrevivencia (estereotipo de inicuidad de los intentos de cambios, identificación de la idea de cambio con el riesgo, el caos y el desorden o la ingobernabilidad —es decir, contrapuso orden y cambio—, ordenamiento social y práctica de la coacción y el prebendalismo). El prebendalismo estatal se basó en cuatro grandes determinantes: la inmensidad de recursos disponibles bajo control directo o indirecto del Estado; la alta concentración de poder en la alianza Gobierno-Partido Colorado-Fuerzas Armadas; el casi ilimitado dominio de esa alianza sobre la sociedad civil, con fuerte autoritarismo y voluntad hegemónica del régimen, y la profunda fractura de la sociedad paraguaya, reforzada por la Doctrina de la Seguridad Nacional.

Entre 1973 y 1981, Paraguay atravesó una etapa de crecimiento económico acelerado y de urbanización intensa. Esa etapa permitió el surgimiento de un nuevo sindicalismo, nucleado en la Central Única de Trabajadores, cuyo principio rector fue el de la autonomía respecto del gobierno, la Iglesia católica y los partidos tradicionales. Durante la dictadura —mientras estuvo organizado como Movimiento Intersindical de Traba-

jadores (MIT)—, este sector de la clase obrera tuvo una posición de resistencia fundada en la acción simbólico-expresiva más que como grupo de presión. Empero, la transición generó un espacio para la apertura, para el conflicto y la negociación entre partes, posibles uno y otra porque el nuevo gobierno reconoció al conflicto y a los sujetos involucrados en él, en particular las nuevas organizaciones sindicales. Este reconocimiento contribuyó a superar la etapa del sindicalismo corporativo y oficialista.

Las cinco grandes crisis políticas del siglo XX —las de 1936, 1940, 1947, 1954 y 1989— tuvieron tres rasgos comunes: 1) presencia decisiva de parte o de la totalidad de las fuerzas armadas como actor central de cambio; 2) adopción de un

La pobreza y las desigualdades sociales han sido factores determinantes de las revueltas populares que han convulsionado toda Latinoamerica durante el siglo XX.

modelo político excluyente para salir de la crisis; 3) irrefrenable inclinación al autoritarismo totalitario para asegurar el orden político y social diseñado para usufructo y manejo de una minoría ilegítima. Estos tres rasgos estuvieron ausentes en la sexta crisis, la de 1999.

La dictadura entró en crisis en febrero de 1989 —crisis que estuvo determinada por la combinación de la crisis económica y la crisis de sucesión—. Inicialmente, la crisis de febrero de 1989 parece haber traducido un viraje verdaderamente insólito e inesperado: asumió como eje del proyecto político la vigencia de las principales instituciones de la democracia liberal. Como bien muestra la historia inmediata, esa tendencia no logró romper la inercia de un proceso, más inclinado hacia la conservación de las viejas estructuras y prácticas que a establecer una línea de ruptura. Se trata, en fin, de una estrategia gradualista, afín a una transición conservadora, tutelada o vigilada.

Otro componente decisivo de la coyuntura abierta en 1989 es la seria competencia de los medios de comunicación de masas con los partidos en la conformación de liderazgos. A lo cual debe añadirse el papel creciente del dinero, es decir, de los grupos financieros o con alta capacidad financiera, en la dinámica de los partidos y la acuciante búsqueda de nuevos caminos de representación de sectores de la sociedad con crecientes aspiraciones en la lucha por sus intereses, notable en el caso de los más carenciados. La participación de los jóvenes y los campesinos, en la crisis de marzo de 1999, es un buen ejemplo, aun con sus límites, si bien hay ausencia de otros actores sociales. Por último, cabe agregar los impactos fragmentadores de una sociedad afectada por una creciente tendencia a exacerbar la desigualdad social.

Las elecciones de mayo de 1989 mostraron cuatro rasgos: 1) la existencia de ciertas condiciones básicas para el funcionamiento de un sistema de partidos pluralista; 2) la continuidad del peso del Partido Colorado; 3) la emergencia del Partido Liberal Radical Auténtico como organización de sólida base popular (sobre todo campesina); 4) el escaso peso de los partidos Revolucionario Febrerista, Demócrata Cristiano y Comunista. Por otra parte, sin mengua del primero, hubo un quinto rasgo: una tendencia marcada hacia el bipartidismo, toda vez que el Partido Colorado y el Liberal Radical Auténtico sumaron el 95 por ciento de los votos.

Los movimientos en defensa de los derechos humanos

Las dictaduras son la negación de la política y se caracterizan por eliminar toda forma de disenso. Son la reducción de la polifonía a una única voz monocorde e incluso al silencio. El silencio se revela como la forma más rudimentaria de escape y supervivencia. De ahí que el punto de inflexión de la historia de las dictaduras suele encontrarse en el momento en el cual sectores importantes de la sociedad pierden el miedo, salen a la calle y hacen oír sus voces, hecho ya señalado en algunos textos de Norbert Lechner, Guillermo O'Donnell y Juan Rial.

Así, en la primera mitad de los años 80, las dictaduras institucionales de las fuerzas armadas comenzaron a ceder. Por entonces, varios factores se asociaron para jaquearlas, entre los cuales descollaron la crisis financiera o de la deuda externa y, de modo muy significativo, el comienzo de la pérdida del miedo por la gente que, aun con inicios modestos, salió a ganar la calle para reclamar libertad y democracia política. En Argentina, el papel de Madres de Plaza de Mayo, y luego de Abuelas de Plaza de Mayo, fue muy importante.

Más tarde o más temprano, las respectivas sociedades civiles generaron acciones que, rompiendo el miedo, recuperaron la primacía de la política mediante demandas, movilizaciones y acciones de diferente índole, limitadas a los espacios nacionales y sin conexión supranacional. La situación empezó a ofrecer perspectivas de cambio a partir del viraje en la política exterior del gobierno del demócrata James Carter, en los Estados Unidos. Más allá de los retrocesos operados bajo las posteriores gestiones republicanas, la administración Carter, cuando asociaba efectiva vigencia de los derechos humanos con democracia política, sentó las bases para generar formas de oposición a las dictaduras, incluyendo la posición del propio gobierno norteamericano, cuyas consecuencias todavía no conocemos bien por falta de investigaciones exhaustivas al respecto. Tal política marcó una línea de viraje importante en el momento en el que —por otro lado, con la excepción de Nicaragua y con la relativa que planteaba el avance de la guerrilla salvadoreña— la democracia apareció en el horizonte inmediato como la única salida política a las dictaduras. No es casual que por entonces intelectuales confrontaran la «vía revolucionaria» centroamericana con la «reformista democrática» del Cono Sur. Tampoco, que después de la derrota sandinista y la solución negociada entre la guerrilla del Frente Farabundo Martí y el gobierno salvadoreño —en una situación de empate militar irresoluble— se convirtieran, en los 90, en fervientes demócratas.

En cuanto a las democracias actuales, ellas muestran nítidas falencias en materia de castigo de los incursos en terrorismo de Estado (algunas de cuyas prácticas no han desaparecido por completo). En Argentina, Bolivia, Brasil, Chile, Paraguay y Uruguay, los años de las dictaduras fueron un tiempo de horror, de pérdida de libertades fundamentales, seguridad física y de trabajo, de robos de niños, de cárcel, exilios internos y externos e incluso de muerte.

Entre los logros destacables de las nuevas democracias —aún con fuertes límites— se encuentran los procesos judiciales que penaron a altos oficiales argentinos y bolivianos por sus crímenes durante la práctica del terrorismo de Estado. El caso argentino es más conocido, por ser el que alcanzó mayor magnitud, pese al retroceso que, en su momento, significaron las leyes de Obediencia Debida y Punto Final (aprobadas por el mismo gobierno que dispuso el enjuiciamiento de los dictadores y sus secuaces, el de Raúl Alfonsín), recientemente derogadas, y los indultos firmados por el presidente Carlos Menem (ya objetados por varios jueces, que declararon la inconstitucionalidad de los mismos). La decisión judicial argentina de declarar la imprescriptibilidad de los crímenes de lesa humanidad, en particular los secuestros de bebés realizados por fuerzas militares, y los juicios por la Operación Cóndor, que incluso afectan al ex dictador chileno Augusto Pinochet, ahora también acusado por enriquecimiento ilícito, son la última parte del capítulo por castigar la violación de los derechos humanos por parte de las dictaduras. Empero, conviene tener presente que los sucesivos gobiernos de Raúl Alfonsín (1983-1999), Carlos Menem (1989-1995, 1995-1999), Fernando De la Rúa (1999-2001) y Eduardo Duhalde (2001-2003) coincidieron en una política restrictiva en materia de enjuiciamiento y sanción de los responsables de las violaciones a los derechos humanos cometidas durante la última dictadura y, de lo que menos se habla, bajo la dictadura del general Agustín Lanusse (1971-1973) y el gobierno constitucional de María Estela Martínez de Perón (1974-1976). Es decir, la mayoría de los casos de terrorismo de Estado, genocidio y crímenes de lesa humanidad no han sido, siquiera, objeto de investigación. Un caso paradigmático es el de la llamada «masacre de Trelew», en la que fueron asesinados 16 guerrilleros (otros tres sobrevivieron, milagrosamente, aunque desaparecieron años después) en una base naval en la provincia de Chubut, el 22 de agosto de 1972. El juez Gabriel Rubén Cavallo ha demostrado los límites y la inconsecuencia de la política de

Alfonsín, complementada por la de Menem. En un excelente artículo, Gabriel Cavallo señala que la importancia que adquirieron los juicios sustanciados durante el gobierno de Alfonsín quedó opacada por la insuficiencia del número de casos efectivamente considerados. Su conclusión respecto de las políticas de Alfonsín y Menem en la materia son contundentes: A partir de las leyes de «Punto Final» (N.º 23.492) y de «Obediencia Debida» (N.º 23.521) y de los indultos de 1989 y 1990, «la impunidad fue prácticamente total» en Argentina. A su juicio, el balance al cabo de esas dos presidencias es «altamente negativo», toda vez que la inmensa mayoría de los casos quedó «sin investigar, no se determinaron judicialmente las responsabilidades y el reclamo de verdad y justicia, lejos de ser asumido por los gobernantes como un deber irrenunciable, fue defraudado» (Cavallo, 2003: 44-45). El fiscal Hugo Cañón (2003: 29) coincide: «El poder democrático fue zigzagueante y claudicante y los caminos de luz, verdad y justicia se fueron cerrando con telones de olvido, punto y aparte, vista ¡al frente! En síntesis, con garantía de impunidad.» El gobierno del actual presidente, Néstor Kirchner, ha replanteado la cuestión, pero todavía no es posible establecer hasta dónde se avanzará, efectivamente, en esta materia.

En Bolivia, a su vez, varias organizaciones de la sociedad civil —Universidad San Simón (de La Paz), la Central Obrera Boliviana, las Iglesias católica y metodista, entidades defensoras de los derechos humanos, familiares de las víctimas, sindicatos de periodistas— decidieron, en febrero de 1984, impulsar un Juicio de Responsabilidad, con el objetivo de investigar los crímenes cometidos durante la dictadura encabezada por el general Luis García Meza, a quien se le imputó la comisión de graves violaciones a los derechos humanos (desapariciones forzadas, torturas y expulsiones ilegales del país). El Juicio de Responsabilidades fue realizado contra el

dictador y 55 de sus principales colaboradores, y en abril de 1986 experimentó un cambio sustancial al decidir el Congreso de la Nación acusar a García Meza y otros militares ante la Corte Suprema de Justicia. El proceso judicial se extendió a lo largo de casi siete años y concluyó con sentencias condenatorias para buena parte de los imputados, fijándose penas privativas de la libertad de entre 25 y 30 años, sin derecho a indulto. García Meza y Luis Arce Gómez, que fue su ministro del Interior, se contaron entre los condenados a las penas máximas. Los jueces dividieron los delitos cometidos en ocho grupos, entre los cuales descollaron los de asesinato, genocidio, desapariciones forzadas, masacres, amén de numerosos actos de corrupción y enriquecimiento ilícito. Exactamente, los ocho grupos fueron: 1) Delitos contra la Constitución (privación de libertades, atentados contra la libertad de prensa, entre otros). 2) Asalto a la Central Obrera Boliviana y asesinatos. 3) Genocidio y masacre sangrienta en la calle Harrington. 4) Caso la Gaiba (negociaciones incompatibles con el ejercicio de las funciones públicas, contratos lesivos al Estado, etc.). 5) Cobro de un cheque por 278.085,45 dolares (producto de un proceso seguido por el gobierno boliviano al gobierno estadounidense por comercialización de productos alimenticios en mal estado). 6) Piscina Olímpica (deterioro de bienes del Estado, conducta antieconómica e incumplimiento de contratos, incumplimiento de deberes y disposiciones contrarias a la Constitución y a las leyes). 7) Equipos petroleros (uso indebido de influencias, concusión, resoluciones contrarias a las leyes, incumplimiento de deberes, etc.). 8) Puerto Norte (resoluciones contrarias a las leyes, incumplimiento de deberes, entre otros). En 1994, García Meza, que se había ocultado en Brasil, fue extraditado y alojado en una prisión de alta seguridad de Chonchocoro, próxima a La Paz, donde cumple su sentencia.

Pero la defensa de los derechos humanos no fue privativa de las sociedades del Cono Sur y de las transiciones que siguieron a las feroces dictaduras de las fuerzas armadas. Se sabe que un hecho fundamental para comprender la historia de México de las últimas décadas es la feroz represión del movimiento estudiantil de los años cercanos a 1968, cuyo momento más patético fue la masacre de estudiantes en la Plaza de las Tres Culturas del barrio capitalino de Tlatelolco el 2 de octubre de 1968, ocurrida bajo la presidencia de Díaz Ordaz. Entonces la represión estuvo en manos del Ministerio de Gobernación, encargado de la seguridad interna y encabezado por Luis Echeverría, luego electo presidente para el período 1970-1976. Según cifras oficiales, las víctimas de Tlatelolco fueron apenas 30, aunque fuentes no oficiales indicaban entre 300 y 400 personas. Pero la violencia continuó. En junio de 1971, el gobierno de Echeverría y sus paramilitares reprimieron nuevamente a estudiantes que se manifestaban en una protesta callejera —la masacre conocida bajo el nombre de «Corpus»—. La elección de Fox (2000) indicó un cambio auspicioso en la maquinaria política de corrupción y fraude: el fin de la hegemonía indisputable del PRI. En enero de 2002, el presidente Vicente Fox dio lugar a la creación de una fiscalía especial para investigar la violencia y otros hechos relacionados con la desaparición forzada de personas, según el mandato del Informe Final de la Comisión Nacional de Derechos Humanos. En este marco, en julio de 2002, Echeverría fue citado a declarar. La presentación de Echeverría ante la Justicia Federal fue una de las consecuencias —con todas las limitaciones del caso— de la fase de transformación política que significó la elección de Fox.

En un estudio comparativo, Patricia Funes analiza las diversas Comisiones e Informes sobre violaciones a los derechos humanos en América Latina. Señala que en los casos de Chile y Argentina las investigaciones fueron iniciativa de los recién instaurados gobiernos democráticos, en contraste con los casos de Uruguay, Brasil y Paraguay, donde la iniciativa correspondió a la sociedad civil y también distantes de los casos centroamericanos de El Salvador y Guatemala, donde hubo un acuerdo de partes en el que mediaron organismos internacionales. Los títulos que se dieron a estos Informes son por demás elocuentes: *Nunca Más* en el Cono Sur; *De la Locura a la Esperanza* (El Salvador); *Memoria del Silencio* (Guatemala). Más allá de los resultados alcanzados en estas investigaciones, señala Funes, «(r)esta, además, un largo camino para que la defensa de los DDHH y las demandas de verdad y justicia se desplacen efectivamente de las víctimas y familiares a los "ciudadanos", que la solidaridad no se exprese en términos de vínculos primarios (como "madres", "abuelas", "hijos") sino en términos de vínculos humanos y ciudadanos» (Funes, 2001:61).

Desde su conversión en un medio eficaz de lucha contra las dictaduras, los derechos humanos, en tanto límites contra la arbitrariedad del poder, han devenido parte fundamental de la agenda política de la región.

Capítulo 5

LAS TRANSICIONES A LA DEMOCRACIA Y UN NUEVO ORDEN POLÍTICO-SOCIAL

Las transiciones a la democracia política y la búsqueda de consolidación de la democracia

Una vez agotadas las experiencias dictatoriales, distintos sectores de la sociedad afirmaron la necesidad de resolver los conflictos a partir del reconocimiento de las diferencias desde el pluralismo. En contraste con las experiencias violentas de resolución de los conflictos propias de las dictaduras, que privilegiaban la lógica de la guerra, en los regímenes (democráticos) de transición a la democracia se apostó a la primacía de la lógica de la política, es decir, a la constitución de un espacio en el que fuera posible dirimir los conflictos mediante su administración social y democrática, en oposición a otras formas de administración de los conflictos privadas y oligárquicas. Así, se afirmó también la construcción de un orden político en el cual el consenso fue un componente esencial, a veces expresado bajo la forma de la concertación. A partir de allí sin embargo, surgieron importantes divergencias respecto del alcance de la palabra democracia, y también de otra palabra contigua, democratización.

Una primera acepción de la democracia es limitativa, la reduce a la mera vigencia de la formalidad institucional política: libre accionar de los partidos políticos, elecciones periódicas sin restricciones o prohibiciones, posibilidad de la alternancia en el ejercicio del poder... Aquí, el énfasis está puesto en las reglas de procedimiento y en las instituciones, en particular las representativas. Una segunda acepción añade la dimensión económico-social, que no es sólo la atención por parte del Estado de las crecientes demandas sociales, sino también de la demanda de democratización de la sociedad y del Estado, incrementando las formas y mecanismos de participación en la toma de decisiones y asegurando el desarrollo económico y una distribución lo menos desigual posible (o, como muchos prefieren decir, equitativa) de sus resultados. Es decir, una proposición de la democracia como un sistema de continua expansión en materia de libertades políticas, procedimientos de participación y de decisión que combinan los representativos con los directos y semi-directos, y procedimientos eficaces para la superación de la explotación económica y las desigualdades sociales.

Ambas posiciones no son necesariamente excluyentes, pueden incluso pensarse como etapas diferentes del proceso de democratización. Dicho de otro modo: la democratización es un proceso que va de una situación de dictadura a una de pluralismo, que no se agota en el mero marco de la democracia política ni, mucho menos, en el de la liberalización del sistema político. Democratización, a su vez, remite a otros dos conceptos: transición y consolidación de la democracia.

La transición es perceptible en la realización de elecciones libres, asunción del gobierno por parte del partido y los candidatos vencedores, la aprobación de una nueva Constitución (no siempre) —en general acentuando sustanciales aspectos reforzadores de la democracia— y el traspaso de los atributos del poder a otro presidente, también elegido libremente (con la eventual variante de la discutible ventaja de la reelección como en Argentina y Brasil). Estas nuevas Constituciones afirman los derechos humanos, reconocen los derechos de los pueblos originarios (como en los casos de las reformas brasileña de 1988 y argentina de 1994), los derechos de los niños y los de los consumidores, afirman los derechos de ciudadanía política (en el caso de Brasil ampliados hasta su plena universalización), incluyendo los mecanismos de plebiscito, referéndum e iniciativa popular (nuevamente ilustrado por los casos de Brasil y Argentina respectivamente). Por su parte, la consolidación es entendida como el momento de formulación y realización de condiciones políticas, económicas, sociales y socio-culturales que hacen más factible la estabilidad de la democracia.

En términos generales, se observa que la forma en la que se resolvió la tensión entre dictaduras y resistencias condicionó la posterior transición a la democracia política. Ahora bien, la historia de cada una de esas transiciones es diferente. El procedimiento general de pasaje de una dictadura a una democracia fue sencillo en lo formal, pero se hizo más compleja por el número de actores involucrados y por los particulares condicionamienos históricos estructurales existentes en cada país. En general, se trató de una solución de negociaciones tomada en el vértice por las direcciones de los partidos políticos, y eventualmente de las organizaciones representativas de intereses y las conducciones militares. Aunque las masas cumplieron un papel central en las luchas antidictatoriales, ellas fueron marginadas del proceso de transición. En Brasil, Uruguay y Chile su marginación fue evidente. En el caso de Argentina la desmovilización de las masas no estuvo ausente pero debe tenerse en cuenta un hecho clave: la guerra de las Malvinas. En Argentina, la derrota de las fuerzas armadas en las Malvinas privó a los militares de cualquier posibilidad de imponer condiciones.

La instauración o la reinstauración de la democracia política estuvieron, en mayor o menor medida, condicionadas por los términos en que se desarrollaron las diferentes transiciones desde las situaciones de dictadura. Influyeron las luchas contra la dictadura y la correlación de fuerzas entre las democráticas y las dictatoriales y el grado de acuerdo entre las cúpulas militares y las civiles o partidarias. La norma fue la de las transiciones pactadas, conservadoras, incluso en aquellos casos en los cuales —como en el Brasil movilizado por la campaña por la elección directa del presidente y el vicepresidente en 1984— el empuje de la sociedad civil fue importante, si bien, por otra parte, esa salida fue coherente con la tradición política brasileña de acuerdos entre los grupos detentadores del poder.

El proceso de democratización en Brasil en rigor se inició a finales de los años 1970, cuando se produjo la ruptura de la alianza de importancia estratégica entre capitales estatales, privados multinacionales y privados brasileños, y dentro de ella, entre la burguesía local y la tecno-burocracia (Pereira, 1978). La transición brasileña tuvo un componente adicional, no previsto. En efecto, pese a la resistencia de algunos sectores del *Partido do Movimento Democrático Brasileiro* (PMDB) la gran fuerza opositora a la dictadura, la fórmula presidencial de la *Alianza Democrática* integrada por el PMDB y el *Partido da Frente Liberal* (PFL), escisión tardía del partido de la dictadura, fue integrada por Tancredo Neves (PMDB) y José Sarney (PFL). La muerte del primero, antes de asumir el cargo, elevó al segundo a la primera magistratura. No dejó de ser una ironía que el PMDB, el partido que cargó con buena parte del peso de la lucha contra la dictadura y el autoritarismo y que concitó el apoyo mayoritario del electorado, no pudo acceder al control del Poder Ejecutivo. Primero, el partido había desplazado a Ulysses Guimaraes, el gran conductor de la campaña por las elecciones directas, en favor de Tancredo Neves, el más moderado de los dirigentes opositores, en aras de la conciliación. Pero tanto uno como otro fueron opositores de la dictadura desde el comienzo. En contraste, Sarney era un advenedizo que fue parte de la dictadura a lo largo de veinte años y sólo se tornó opositor durante el año veintiuno. Su consagración como el primer presidente de la transición constituye un buen símbolo de la persistencia de clientelismo, alianzas, compromisos y conciliaciones características de la historia y la cultura políticas de Brasil.

El caso emblemático de transiciones fuertemente condicionadas por el poder militar fue el de Chile, que muy recientemente se ha desprendido de la tutela de las fuerzas armadas. La larga transición chilena muestra aristas complejas, objeto de diferentes explicaciones. Aquí sólo se señalan dos de ellas: la de Manuel Antonio Garretón (1995) y la de Tomás Moulian (1997). Para Garretón (1995: 120), la redemocratización chilena se define por tres características principales: «ausencia de crisis o colapso económico; presencia de enclaves autoritarios producto de la institucionalización del régimen militar, lo que le hace ser una transición incompleta; existencia de un gobierno democrático mayoritario en lo social, lo político y lo electoral, articulado a través de dos grandes ejes partidarios, el centro y la izquierda [la Concertación de Partidos por la Democracia], que cubren casi todo el campo opositor al régimen militar». A su juicio, si bien por «las condiciones heredadas del *proceso de transición*», ésta es «una *transición incompleta*, dada la permanencia de enclaves autoritarios (...); técnicamente, la transición terminó» cuando se instaló el gobierno de la Concertación, en marzo de 1990 (Garretón, 1995: 118 y 122). Para Moulian, la transición, que caracteriza como *transformista*, muestra la continuidad del modelo económico, pauta «predeterminada por el proceso mismo de la transición». En su interpretación, el transformismo es el «largo proceso de preparación, durante la dictadura, de una salida de la dictadura, destinada a permitir la continuidad de sus estructuras básicas bajo otros ropajes políticos, las vestimentas democráticas». Ese proceso «comienza en 1977, se fortalece

Hugo Chávez.

en 1980 con la aprobación plebiscitaria de la Constitución, y culmina entre 1987 y 1988 con la absorción de la oposición en el juego de alternativas definidas por el propio régimen y legalizadas en la Constitución del 80». La Concertación de Partidos por la Democracia —cuyos principales componentes son los Partidos Demócrata Cristiano (PDC), Por la Democracia (PPD), Radical Social Demócrata (PRSD) y Socialista (PS)— debió enfrentar una negociación inevitable, aunque en rigor «la negociación efectiva fue desarrollada entre el gobierno militar y Renovación Nacional», partido éste que, «tras una discursividad democrática, lo que hizo fue llevar hasta sus últimas consecuencias la operación transformista», mas sin ser el equivalente chileno de la derecha española encabezada por Adolfo Suárez, con su política de desarme del dispositivo franquista (Moulian, 1997: 91, 145, 146, 255). En buena medida, los ideólogos de la dictadura militar tuvieron un logro considerable con la instauración de lo que gustaban llamar una «democracia protegida», esto es, tutelada por las fuerzas armadas. Chile es, por añadidura, un país en el cual la dictadura tuvo continuidad de su proyecto en formaciones políticas partidarias actuantes durante la transición: la Unión Demócrata Independiente (UDI), con su «proyecto de un partido homogéneo de militantes», y Renovación Nacional (RN), con el «de un partido heterogéneo de masas», según la distinción que de ellas hace Moulian.

En Uruguay la transición comenzó con el fracaso del plebiscito para la reforma constitucional de 1980. El proceso lo encabezó el oficial retirado Álvarez, designado por los militares para ocupar la presidencia. El proceso culminó en la realización de elecciones libres el 25 noviembre de 1984 y la asunción del nuevo presidente, Sanguinetti, el 1 de marzo de 1985. A juicio de Luis Eduardo González (1984: 28), «[e]l resultado del plebiscito de 1980 fue fundamentalmente un voto político. No una reacción (favo-

rable o no) frente a los resultados de la política económica del gobierno, y en términos relativos las opciones fueron claras: el «sí» fue un voto a favor del orden autoritario, y el «no» fue un voto por la redemocratización». La dictadura procuró limitar el alcance de la transición mediante el Acuerdo del Club Naval (agosto de 1984), un claro ejemplo de salida negociada, según el cual los representantes de la dictadura y de las fuerzas opositoras del Partido Colorado, el Frente Amplio y la Unión Cívica —el Partido Nacional no lo hizo, tras la detención de su líder, Wilson Ferreira Aldunate— decidieron el restablecimiento de la institucional definida por la Constitución de 1967 y del sistema de partidos existente al momento del golpe de Estado de 1973, al tiempo que, por la imposición militar, se estableció: 1) la continuidad del Consejo de Seguridad Nacional (COSENA), al cual se le asignaban funciones de organismo consultivo; 2) la figura del «Estado de insurrección», posible de ser adoptado por el Congreso, dispositivo que incluía la suspensión de las garantías individuales; 3) las promociones de los jefes militares serían decididas por el presidente de la República, pero de una terna propuesta por el Ejército y de una dupla en el caso de Aeronáutica y Marina; 4) la continuidad de los juicios militares sólo regiría en los casos de arrestos bajo el «Estado de insurrección»; 5) la nueva figura legal del «recurso de amparo», a efectos de permitir a personas individuales y a organizaciones apelar judicialmente decisiones del gobierno; 6) el Congreso elegido en las elecciones de noviembre de 1984 actuaría como Asamblea Constituyente, y 7) en caso de introducir reformas en la Carta Fundamental, éstas debían ser objeto de un referéndum un año después. Las elecciones se realizaron con limitaciones importantes: fueron proscriptos Wilson Ferreira Aldunate y Líber Seregni, entre los dirigentes políticos, y el Partido Comunista, entre las organizaciones, al tiempo que permanecieron en prisión numerosos presos políticos hasta la asunción del nuevo presidente. De hecho, la transición fue, en definitiva, dominada por la tradicional «partidocracia», ahora con el novedoso agregado de la fortaleza del Frente Amplio, cuyo crecimiento electoral en poco tiempo ha cambiado el antiguo sistema básicamente bipartito por otro tripartito e igualitario (tres partidos con un tercio de votos cada uno).

En Paraguay —otro país largamente dominado, pese a las dictaduras y a las proscripciones, por un sistema bipartito (colorados y liberales), según muestra Lorena Soler (2002)—, el derrocamiento de la larga dictadura sultanísitico-prebendaria del general Alfredo Stroessner (1954-1989) y la propia transición a la democracia fueron posibles por una fractura en el bloque de poder, generada cuando se planteó la cuestión de la sucesión del viejo dictador. Soler señala que se trató de un proceso iniciado «desde arriba y por una crisis interna del propio régimen», y argumenta que la transición a la democracia fue por y para la Alianza Nacional Republicana, esto es, el Partido Colorado. A su juicio, la intención directa del proceso fue «la unidad del partido, pero en el gobierno». El general Andrés Rodríguez, desplazado de la jefatura del Primer Cuerpo del Ejército, y pasado a retiro, por Stroessner, encabezó el golpe militar del 2 y 3 de febrero de 1989 y, al triunfar, se hizo cargo de la presidencia del país en condición interina. Rodríguez, estratégicamente, vio que una ANR unida era «la base de la gobernabilidad para un Paraguay acostumbrado a su hegemonía». Se entiende, así, que la primera medida del nuevo mandatario haya sido la constitución de una Junta de Restauración del Partido Colorado (Soler, 2002: 21). Continuando la concepción política del dictador, el proceso de transición a la democracia estuvo dominado por una lógica y una práctica que ponían en el centro de la acción al Partido Colorado y a las fuerzas armadas, uno y otras co-partícipes necesarios y fundamentales de la larga dictadura precedente. No extraña, pues, que el resultado de las elecciones presidenciales de 1991 —no del todo limpias, pero inusualmente libres— haya sido el triunfo colorado y su candidato, el general Rodríguez.

Argentina y Bolivia transitaron caminos diferentes a los de sus vecinos. Las dictaduras de ambos países, como bien lo señalara Guillermo O'Donnell (O'Donnell y otros, 1994: 22), no sólo no se aproximaron a los éxitos económicos de la brasileña, ni a los éxitos del modelo neoliberal de la chilena, sino que son ejemplos paradigmáticos de corrupción gubernamental y militar y de «una "gangsterización" de las fuerzas armadas [principalmente en Bolivia, pero también importante en Argentina] que las acercó al sultanismo predatorio». La combinación de esos elementos, aduce O'Donnell, produjo una *democratización por colapso*. En esas condiciones, los militares de ambos países fueron incapaces de actuar colectivamente y de asegurar el triunfo electoral de algún partido más o menos afín o de su preferencia.

En Argentina, adicionalmente —y de modo no menos decisivo—, las fuerzas armadas fueron derrotadas militarmente en la aventura de la guerra contra el Reino Unido por las islas Malvinas. Esta contingencia no fue ajena al triunfo del radical Raúl Alfonsín, uno de los pocos políticos que se opuso explícitamente a la guerra. A todo lo cual debe sumarse el rotundo fracaso del modelo económico neoliberal implementado por el ministro de Economía José Martínez de Hoz. En la dictadura argentina las fuerzas armadas se distribuyeron en partes iguales todos los espacios de poder y administración que ocuparon, pero la presidencia siempre fue ejercida por un oficial del Ejército. De los cuatro jefes que se sucedieron en el poder, sólo uno (Jorge Rafael Videla) completó su mandato y dos (Roberto Eduardo Viola y Leopoldo Fortunato Galtieri) fueron relevados. El último militar que ocupó el Ejecutivo, el general Reynaldo Bignone, fue designado tan sólo para administrar la transición a la democracia después de la derrota de las Malvinas en 1982.

La elección de Alfonsín en 1983 —o mejor, la derrota del Partido Justicialista (PJ), un hecho inesperado— fue un hecho clave para el decisivo enjuiciamiento de los altos oficiales, comenzando precisamente por los que fueron parte de las Juntas Militares y/o presidentes, y sus subordinados involucrados en las prácticas del terrorismo de Estado. No obstante, la retirada militar de 1989 no fue completa ni definitiva, según afirma Alfredo Pucciarelli, de lo cual buena cuenta dieron los alzamientos de los «carapintadas». Cualquier ejercicio contrafáctico diría que la historia habría seguido otro derrotero si el vencedor en las elecciones del 30 de octubre de 1983 hubiese sido el binomio justicialista, proclive a tender un manto de olvido en la materia. De hecho, Ítalo Luder, el candidato del PJ, avaló, pese a su condición de constitucionalista, la supuesta juridicidad de la llamada «Ley de Autoamnistía», oficialmente denominada «Ley de Pacificación Nacional», firmada el 27 de septiembre de 1983 por el último dictador. Asimismo, es bueno tener presente que la derrota en las Malvinas torció el rumbo de una eventual transición cívico-militar negociada, pactada, como también ha planteado, correctamente, el mismo Pucciarelli, quien añade: «En vez de generar un claro campo de oposición [la mayor parte de la dirigencia partidaria] elige alentar a las fuerzas armadas para que prolonguen su dominio a través de varios de los años venideros» (2004: 161-162).

Iniciados los procesos de transición en la década de 1980, la cuestión de la democracia se instaló firmemente en las agendas políticas latinoamericanas. En esos años 80, la posibilidad de transformaciones radicales, en definitiva de una revolución, se diluyó en toda la región. Y esto fue así aun cuando el triunfo del sandinismo en Nicaragua y la experiencia de El Salvador parecieran ratificarla. Si la revolución fue central en los años 1960, en esos años 1980 la cuestión clave era la democracia. Los años de la guerra fría también se habían caracterizado por una fuerte apelación a la democracia, pero hay que notar que en ese contexto dicha apelación fue cínica e instrumental; en breve, un recurso propagandístico frente a la potencial «amenaza comunista», a las experiencias populistas o las meramente reformistas. En contraste, en los años 1980, como nunca antes en la historia de la región, la democracia volvió a ser eje de políticas interiores y exteriores, pero se trata de una democracia política puesto que la democracia social fue casi tan relegada como la revolución.

Este regreso al primer plano de la democracia se reflejó claramente en varias dimensiones: el papel del Mercosur, el valor atribuido a la democracia, la injerencia de las FF. AA, el peso de la división de poderes y la extensión y alcance de la ciudadanía política.

A partir de 1985 y, sobre todo, 1991, con la firma del Tratado de Asunción, Argentina, Brasil, Paraguay y Uruguay iniciaron un proceso que perseguía, en primera instancia, una integración económica, paso previo para una posterior integración política supraestatal y supranacional. Según la concepción original del Tratado de Asunción, a partir del 1 de enero de 2005, el Mercado Común del Sur (Mercosur) debería haber sido un espacio de libre circulación de bienes y servicios en el espacio delimitado por los territorios de Argentina, Brasil, Paraguay y Uruguay. En él, la cooperación en los planos de la economía y de la cultura estaría orientada a asegurar los valores democracia, libertad, equidad social y modernización. Los países del Mercosur ampliado —los cuatro originarios más Chile y Bolivia, asociados desde 1886— firmaron y adoptaron (Lima, Perú, 11 de septiembre de 2001), junto a los otros 28 miembros de la Organización de los Estados Americanos (OEA), la llamada *Carta Democrática Interamericana*, documento que establecía la cláusula de la «alteración del orden constitucional», según la cual un hecho anterior a una interrupción o ruptura podía ser motivo de la acción o reacción de los países americanos. Se esperaba, así, advertir a quienes pretendieran romper el orden constitucional —como han sido los golpes de Estado clásicos— que en tal caso habrían de enfrentarse a una comunidad de países americanos unida para proteger las instituciones democráticas. La mencionada cláusula operó como un desestímulo golpista en Paraguay durante los sucesos de abril de 1999.

Actualmente, el valor que se le atribuye a la democracia en las sociedades latinoamericanas actúa como garante de una institucionalidad jurídica que en otras condiciones históricas fue violentada: por ejemplo, la derrota de los militares *carapintadas* en Argentina o la inacción (sin perjuicio de la presión sobre su gobierno) de los uniformados chilenos frente al enjuiciamiento del dictador Pinochet por tribunales europeos, primero, y chilenos, luego, tras la decisión negativa de la justicia británica. Según mediciones recientes, la democracia encuentra su mayor nivel de credibilidad —como es previsible— en el país con más larga práctica en ella, Uruguay, una circunstancia similar a la de los países europeos. Le sigue Argentina, con notables fluctuaciones y una tendencia a la baja, acentuada en 2001, antes de la crisis de diciembre de ese año. El Chile post Pinochet se sitúa en tercer lugar, también con fluctuaciones pero con tendencia alcista, que no debe ser ajena al trabajo político que realizó el presidente Ricardo Lagos. En Brasil, los niveles de apoyo a la democracia son bajos, aunque en alza durante lo que va de la gestión petista, incluso a pesar de las denuncias de corrupción que han afectado a importantes figuras del partido. Bolivia y Paraguay, también con indicadores bajos, muestran una brutal caída. El peso de una larga historia de autoritarismo y dictaduras, en Paraguay, y de otra de golpes de Estado e inestabilidad política recurrente, en Bolivia, se hacen evidentes en tal circunstancia. De todos modos, el autoritarismo como parte de la cultura política está bien presente. Sin embargo, la demanda de más orden en detrimento de más libertad latente en buena parte de los países latinoamericanos no es necesariamente expresión de demanda de gobiernos militares.

En cuanto a la injerencia de las fuerzas armadas en los procesos de transición, ellas no influyeron en las decisiones políticas e, incluso allí donde conservaron alguna forma de influencia, tendieron a subordinarse al poder civil. Es el caso de Paraguay e incluso el de Chile, donde se asistió a una democracia tutelada. En Argentina, esa situación de subordinación no reconoce nada igual desde 1930. Un caso singular es la militarización del Poder Ejecutivo venezolano con Chávez, que no debe confundirse con la forma tradicional de intervención militar en los asuntos de gobierno.

En lo que respecta a la división de poderes, ella está estatuida constitucionalmente en todos los países latinoamericanos, pero no necesariamente es respetada. Los avances del Ejecutivo sobre el Legislativo y el Judicial han sido una constante. En Argentina el presidencialismo se vio reforzado por la introducción de la cláusula constitucional que permite la reelección inmediata, por la consagración del procedimiento de los «decretos de necesidad y urgencia» como práctica cotidiana del presidente y por la delegación de poderes legislativos en el Ejecutivo. Cabe notar que esta característica es compartida por otros países, que no pasaron por la experiencia histórica de dictaduras institucionales de las Fuerzas Armadas, tales como Perú y, desde 1999, Venezuela —país, este último, donde por decisión de la Asamblea Nacional, el presidente Hugo Chávez dispone de un instrumento legal para legislar de urgencia.

Finalmente, en lo que concierne a la extensión y alcance de la ciudadanía política, ella está prácticamente universalizada, pero en la práctica se asiste a una licuación del ciudadano en mero votante, cuando no en abstencionista. En efecto, la abstención —una de las manifestaciones de la creciente apatía política— es considerable en muchos países y hasta crece en países en los cuales el voto es obligatorio. La retirada del ciudadano frente al avance de otras formas de participación política no es una característica limitada a los procesos de transición sino que se extiende de modo general a todos los casos de consolidación democrática en América Latina. Contrastando con la situación vivida entre 1950 y 1980, la sucesión presidencial constitucional ha sido una práctica normal. Y en aquellos casos en los cuales no se completaron los mandatos presidenciales se procuró «una "transición" ajustada a los preceptos constitucionales para mantener la continuidad del régimen democrático». Así aconteció en los casos de los argentinos Raúl Alfonsín, en 1989, y Fernando de la Rúa, en 2001, y el boliviano Gonzalo Sánchez de Losada, en 2003, e incluso hasta en un magnicidio, como es el asesinato del vicepresidente paraguayo Luis María Argaña, en 1999 (PNUD, 2004: 36).

El caso de Chile merece un párrafo aparte. Allí, el triunfo del socialista Ricardo Lagos fue elocuente de cara al pasado del país, por su pertenencia al mismo partido que el derrocado Salvador Allende y por el carácter tutelado de la democracia. En Chile, la transición se prolongó como consecuencia de las salvaguardias impuestas por el dictador Pinochet antes de su salida del poder, mediante una constitución consagrada por las Fuerzas Armadas. A diferencia de lo ocurrido en otros países, como Argentina, Bolivia, Brasil, Uruguay —y en Europa, España—, en Chile hubo un bloque socio-político partidario de la dictadura muy fuerte, con una relación de fuerzas electorales muy próxima a la del bloque democrático —este último, constituido por casi todas las organizaciones políticas antipinochetistas (de los partidos históricos, el gran ausente es el

Comunista, que había sido parte del gobierno de la Unidad Popular durante 1970 y 1973)—. Si bien es cierto que desde 1988 (plebiscito) y 1989 (asunción del primer gobierno de la Concertación) el bloque democrático fue mayoritario, en las elecciones que encumbraron a Lagos la derecha se acercó notablemente y, aunque la posición antidemocrática de sectores civiles y militares pinochetistas, poco partidarios de jugar lealmente el juego democrático y aceptar sus reglas, fue fuerte en todos los planos —económico, social, político, militar—, no menos contundente fue la estrategia diferente que llevó adelante el sector más inteligente de la derecha chilena, encabezada por Sebastián Piñera, más que por Joaquín Lavin, que tendió a desprenderse del lastre del ex dictador. La derrota de Piñera frente a la socialista Michelle Bachelet, en las elecciones presidenciales de 2006, no parece restarle capacidad de convocatoria.

Es muy reciente el surgimiento de condiciones institucionales favorables para concluir con los condicionantes constitucionales impuestos por el pinochetismo. El primer paso adelante significativo se dio en agosto de 2000, cuando la Corte Suprema acordó el primer desafuero —y con él, el enjuiciamiento— del general Pinochet, sin que la decisión fuese resistida por las fuerzas armadas. El acatamiento implicaba un comienzo de la subordinación del poder militar al poder político civil. Un segundo paso se dio en junio de 2003, al derogar el Senado el artículo de la Constitución pinochetista (de 1980) que depositaba en las fuerzas armadas la función de garantes del orden institucional. El tercero, el 30 de septiembre de 2004: ese día, el general Juan Emilio Cheyre, comandante en jefe del Ejército, presidió el acto por el cual la fuerza rindió honores militares a su ex comandante en jefe, Carlos Prats, asesinado, junto a su esposa Sofía Cuthbert, justo treinta años antes, en Buenos Aires, en un operativo del Plan Cóndor. El cuarto, y decisivo, se dio unos días después: el 5 de octubre —dieciséis años después de la derrota pinochetista en el referéndum que rechazó, por 56 contra 44 por ciento, la propuesta de prolongar el mandato del dictador hasta 1996— el Senado puso fin a la institución de los senadores designados y vitalicios, restituyó al presidente de la República su facultad de remover a los comandantes en jefe de las fuerzas armadas y de orden, y también acordó quitar de la Constitución el sistema binominal de elecciones, trasfiriéndolo a la Ley Orgánica Constitucional (con lo cual sigue operativo, pero podrá modificarse —un objetivo reiteradamente expuesto por el ex presidente Ricardo Lagos— sin tener necesidad de reforma de la Carta Fundamental). El sistema binominal fue la clave de bóveda de la institucionalidad autoritaria de la dictadura militar chilena. Su objetivo fue proteger a la Constitución de 1980 de los esfuerzos de la Concertación por reformarla. Mediante él, si el mayor de los partidos minoritarios recibía al menos el 33,4 por ciento de los votos en cada circunscripción, tenía asegurada la mitad de los escaños. De este modo, mayorías y minorías grandes podían llegar a ser equivalentes, mientras que minorías pequeñas no lograban tener representación.

En suma, la caída de las dictaduras permitió la recuperación de regímenes democráticos «clásicos», como Chile y, sobre todo, Uruguay; abrir uno inédito en Paraguay y, con otras características, también en Argentina; ampliar el brasileño y generar en Bolivia un inusual período de institucionalidad política, aun con algunos sobresaltos.

Los déficits de democracia se advierten mejor en algunos países que en otros. Un claro exponente es Argentina, donde el gobierno de la Alianza —de hecho, en lo sustantivo e incluso en algunas formas, no demasiado diferente del menemismo dominante en la década de 1990— no vaciló en el ejercicio de toma de decisiones presidencialistas, mediante el ya clásico abuso en

la firma de decretos de necesidad y urgencia, el Poder Judicial tendió a fallar conforme las apetencias del Ejecutivo y los partidos y sus representantes incrementaron su desprestigio y falta, precisamente, de representatividad. Al mismo tiempo, durante ese gobierno fuerzas económicas poderosas se enfrentaron en pos de lo que algunos analistas llamaron «golpe de mercado»: unos, en favor de la dolarización total de la economía; otros, de la devaluación. Más allá de la inclinación por la segunda opción, que fue detonante de la crisis de representación de 2001, hay que destacar que ambas corrientes ponían en jaque la política de la convertibilidad y la volvían una trampa siniestra: con ella se doblegaba la inflación (incluso hubo deflación), pero al mismo tiempo, por la sobrevaluación del peso, se encorsetaba el crecimiento y la competitividad de una economía crecientemente desnacionalizada. La consigna electoral de la Alianza —«Crecer con equidad», tomada de la Convergencia chilena (1989)— implicaba la adopción del modelo neoliberal-conservador, al cual se le atribuía una supuesta mayor capacidad para desarrollar la economía, y la pretensión ingenua de morigerar el brutal costo social que ese crecimiento macroeconómico conllevaba en materia de desigualdad social. Empresa muy difícil, si no vana, pues la lógica del modelo de crecimiento fundado en el Consenso de Washington y su patrón de acumulación de capital es por definición excluyente.

En Bolivia, las torpezas del gobierno del presidente Hugo Bánzer, elegido mediante sufragio popular y promotor de las políticas neoliberales en su país, generaron violentas protestas indígeno-campesinas y urbanas, involucrando éstas a policías y sus mujeres, estudiantes, maestros, con muertos y heridos. Fueron especialmente significativas las que se produjeron en abril y septiembre de 2000 y luego en abril de 2001. Una de las cuestiones de más difícil resolución en Bolivia ha sido la erradicación de los cultivos de coca.

No es casual que los campesinos coca-leros —en particular los del Chapare— hayan estado en el centro de la escena contestataria.

En Brasil, la histórica debilidad de los partidos y del sistema de partidos se mantuvo, *vis-à-vis* el presidencialismo, la perpetua negociación entre el Ejecutivo y el Congreso, la política de alianzas cupulares, el desarrollo de una política neoliberal atemperada —al menos comparada con los otros países latinoamericanos—, un incremento de las también históricas desigualdades socio-económicas —esas que hacen que el país haya sido denominado *Belindia*, por su combinación de ingresos como los de Bélgica, en el vértice de la pirámide, y de India, en la base— y el volcán de las acciones del *Movimiento dos Sem Terra* (MST). Al igual que Uruguay —con el Frente Amplio— y Chile, Brasil es uno de los pocos países latinoamericanos en los cuales un partido o una coalición de partidos de izquierda (o de pasado de ese signo) llegó a ser gobierno nacional. En efecto, el *Partido dos Trabalhadores* (PT) experimentó un sostenido crecimiento electoral, amén de haber sido parte de las segundas vueltas electorales en las elecciones presidenciales de 1989, 1994 y 1999. Las sucesivas derrotas en esas instancias no empañaron la estrategia del único partido brasileño realmente orgánico. Por otra parte, la formidable experiencia del presupuesto participativo —*orçamento participativo*—, iniciada en la prefectura de Porto Alegre, no sólo constituyó un mecanismo transparente y eficaz de utilización de los recursos públicos sino que fue también una manifestación empírica incontrastable de radicalización de la democracia. Ella constituyó una manifestación del tipo de democracia que Macpherson especulaba como cuarta y superior forma de desarrollo de dicha forma de gobierno, la *democracia participativa*.

Dicho rápidamente, el presupuesto participativo es un procedimiento de toma de decisiones, a nivel local o municipal, mediante el cual los ciudadanos, mediante asambleas de barrio, intervienen directamente en la confección del presupuesto de la prefectura y en las decisiones respecto de dónde invertir —salud, educación, infraestructura urbana, transporte, cultura (que incluye una destacable tarea de recuperación del patrimonio urbanístico), recolección y tratamiento de la basura, seguridad, etc.— y en el control de contratación de las empresas encargadas de realizar las obras acordadas, incluyendo la verificación de los pagos. El procedimiento no sólo radicaliza la democracia, en los planos de los instrumentos y conceptual, sino que aparece como un mecanismo eficaz para eliminar la posibilidad de prácticas de corrupción.

Ahora bien, el consenso regional e internacional sobre el valor de la democracia que predominó en los procesos de transición a la democracia en aquellos países que pasaron por situaciones de dictadura es extensible a otros casos que, por diversas condiciones, no atravesaron situaciones de dictaduras institucionales de las fuerzas armadas, aunque sí experimentaron regímenes autoritarios y dictatoriales —incluso de «dictadura perfecta» como México—. No hay que olvidar la «mirada al costado» de Estados Unidos, constatable en ocasión de la disolución del Parlamento por el presidente Alberto Fujimori en Perú. Es conveniente recordar que la comunidad política americana tuvo un papel poco feliz frente a los golpes y las prácticas fujimoristas. El gobierno de los Estados Unidos tuvo una política contradictoria: primero, calificó a las elecciones de mayo de 2000 como «inválidas»; luego, en el momento decisivo, como «seriamente imperfectas». Es que, como dice el subsecretario de Estado, Thomas Pickering, «no hay democracias perfectas». Hay que señalar también la mera formalidad de la consolidación democrática, donde las elecciones periódicas, limpias y transparentes convivieron con mecanismos clientelares y fraude. El caso más sonado es nuevamente el de Perú con las elecciones presidenciales del 2000, pero también el de Haití con el triunfo de Jean-Bertrand Aristide, el mismo año.

La mera formalidad también se observó en México, donde no hubo alternancia de partidos en el ejercicio del gobierno con hegemonía absoluta del PRI —un verdadero Partido-Estado— durante siete décadas, configurando lo que algunos han llamado una «dictadura perfecta». Al igual que en otros países de América Latina —pero aquí tal vez con singular patetismo— la transición política en México no se dio después de una transformación social de gran envergadura. El impacto social que tuvo la masacre de Tlatelolco no consiguió minar la estructura corporativa y tradicional de control político del PRI. El movimiento obrero, las organizaciones de campesinos y el movimiento urbano-popular siguieron atravesados por el corporativismo, la corrupción y el clientelismo, por lo menos hasta el cambio producido en el año 2000 y cuyo signo indicador fueron las elecciones de 1988, en las que el PDR se impuso y el PRI le «robó» el triunfo. Finalmente, en las elecciones de julio del 2000, el PRI perdió por primera vez en setenta años las elecciones presidenciales y Vicente Fox Quesada, el candidato del Partido de Acción Nacional (PAN), fue electo presidente. Su éxito debe entenderse en el uso a su favor que Fox hizo durante su campaña electoral de la perorata conservadora por las reformas económicas neoliberales y de las insistentes promesas de resolver el conflicto con el EZLN.

A diferencia de otros países, en México no hubo un cambio económico abrupto, ni un golpe militar, ni guerrillas de viejo cuño. Allí, fueron la crisis del «milagro mexicano» hacia los años 1970, la relación de dependencia con Estados Unidos y el sistema de competencia electoral (durante siete décadas bajo hegemonía absoluta del PRI) los factores de largo alcance que afectaron —y aún hoy afectan— gravemente la consolidación de la democracia. En los últimos años, la apelación a la violencia, física y jurídica, que se inicia con la derrota del Partido Revolucionario Democrático (PRD) en las elecciones de 1988, seguida de la política de integración de la economía mexicana al acuerdo del Tratado de Libre Comercio (TLA o NAFTA, por sus siglas en inglés) y la subsecuente desnacionalización de empresas, y de los intentos de desmovilización del Ejército Zapatista de Liberación Nacional (EZLN) mediante la negativa a cumplir los acuerdos de San Andrés han desatado nuevos nudos conflictivos.

El Perú gobernado por Alberto Fujimori durante una década experimentó el autogolpe de abril de 1992 (clausura del Parlamento, opositor a las políticas del *Chino*), la reforma constitucional para permitir la reelección del presidente y las posteriores triquiñuelas para favorecer una segunda reelección, más el fraude electoral de abril-mayo de 2000 (calificado como «golpe electoral») y, finalmente, la renuncia del propio Fujimori. Su gobierno se destacó por la aplicación de las políticas del Consenso de Washington y las consecuentes desarticulación social y política y subordinación de la economía nacional a la globalización neoliberal-conservadora, algunas de cuyas manifestaciones fueron la generación de una corriente migratoria significativa (en buena medida dirigida a Argentina) y una violenta recesión económica, iniciada en 1997 y prolongada hasta 2003-2004. Pero sus efectos fueron también devastadores en el plano político-institucional. La corrupción, la extorsión, el soborno, la difamación, la protección y los privilegios irritantes concedidos a los acólitos, definieron las marcas del fujimorismo, una experiencia a la cual algunos analistas y periodistas llamaron *cleptocracia* (gobierno de bandidos y/o ladrones) y *mafia de Estado*. El viejo sistema de partidos, a su vez, se disolvió y en su lugar aparecieron múltiples organizaciones, tal vez mejor calificables como movimientos electorales (por tanto, coyunturales), algunas de las cuales tuvieron un momento de incidencia nada desdeñable, como fue el caso de Perú Posible, dirigido por Alejandro Toledo, el candidato derrotado en el turbio proceso de abril de 2001, el más votado en la primera ronda de las elecciones de abril de 2001 y el vencedor, frente a Alan García, del histórico APRA, en la segunda vuelta, en junio del mismo año. Toledo asumió la presidencia prometiendo luchar contra la pobreza, el desempleo y la corrupción en el seno del Estado.

Como en otros casos, tal promesa resultó mera retórica y las medidas adoptadas en materia económica no hicieron más que incrementar esos indicadores, generando protestas y movilizaciones sociales y crisis política. En octubre de 2005, un referéndum realizado en 16 de los 24 departamentos del país significó una importante derrota política para Toledo, al rechazar la ciudadanía, mayoritariamente, el proyecto gubernamental de descentralización del Estado mediante la creación de cinco grandes regiones con amplias competencias administrativas. Incluso, en diciembre del mismo año, la organización armada Sendero Luminoso, a la cual se consideraba desarticulada e inoperante, reapareció con diversas acciones terroristas. El gobierno respondió declarando el estado de emergencia en seis provincias de la región del valle del Huallaga, incrementando la pérdida de apoyo popular, a veces traducida en franca oposición. Empero, a diferencia de Ecuador y, sobre todo, Bolivia, la situación no ha llevado a la aparición de una fuerza contestataria ubicada a la izquierda del espectro político, de modo tal que las próximas elecciones presidenciales (abril de 2006) encuentran como principales contendientes a Ollanta Humala, ex militar acusado de excesos en materia de violación de derechos humanos, candidato del novel Partido Nacionalista Peruano, por él creado; a Lourdes Flores, abogada, presidenta y máxima líder de la Alianza Unidad Nacional y del Partido Popular Cristiano,

y a Alan García, también abogado, ex presidente del país (1985-1990), propuesto por el APRA.

Ecuador experimentó una fragmentación política aún mayor que la peruana. Los partidos, en los últimos años más de treinta, no son tales, sino grupos de alcance medio, más bien, liderazgos locales que practicaron formas directas de políticas clientelares e hicieron su oferta a un país que ha vivido históricamente en la discontinuidad y la crisis institucional. A todo esto se suma la insurgencia indígena, en un país donde los indígenas se distribuyen en diez nacionalidades autóctonas, y donde suman alrededor de cuatro millones sobre una población de doce y constituyen la población más pobre del país, con ingresos inferiores a los cuarenta dólares mensuales. Entre agosto de 1996 y febrero de 2000, el país andino tuvo cuatro presidentes, en una secuencia de acciones que pusieron en cuestión la gobernabilidad del país. En esa secuencia de cuatro presidentes en tres años y medio, el primero de ellos, el «populista» Abdalá Bucaram, inició una política de ajuste estructural, aunque no llegó a siete meses de ejercicio, pues en febrero de 1997 fue destituido por el Congreso, acusado de «incapacidad mental». Tras una confusa serie de hechos, entre ellos la previa designación de la vicepresidenta Rosalía Arteaga, fue nombrado el diputado Fabián Alarcón. Arteaga se opuso a un supuesto acuerdo secreto entre políticos y militares en favor de Alarcón y, sin apoyo, renunció alegando ser víctima de una «conspiración machista». La interinidad de Alarcón se prolongó hasta agosto de 1998, sorteando un golpe en marzo de ese año y concluyendo su gestión en pugna con la asamblea constituyente y premiado con una decisión de un comité parlamentario que le favoreció sin pudor alguno, absolviéndolo de supuestos actos de corrupción. Su sucesor, designado mediante elecciones, fue el democristiano Jamil Mahuad, quien asumió sin mayoría parlamentaria y en un contexto dominado por las secuelas de la guerra con Perú, los ingentes daños producidos por la corriente de El Niño y la caída del precio del petróleo. Sus medidas para contrarrestar la crisis económica incluyeron la suspensión del pago de la deuda externa en bonos Brady y la dolarización, medida ésta que provocó un fuerte aumento de precios e inflación. En enero de 2000, Mahuad fue destituido por el Congreso, reemplazándolo el vicepresidente Gustavo Noboa, un bananero multimillonario del Partido Roldosista Ecuatoriano. El desenlace fue la culminación de otra secuencia de intrigas y episodios confusos. El 21 de ese mes, miles de indígenas movilizados por la Confederación de Nacionalidades Indígenas del Ecuador (CONAIE) ocuparon Quito y la mayoría de las capitales provinciales, en pro de un conjunto de reivindicaciones y demandas. Las tropas movilizadas para reprimirlos dejaron hacer, pues la movilización contó con la aquiescencia de parte del ejército, en particular el grupo liderado por coroneles aliados con la dirección de la CONAIE. Son ellos los responsables de la ocupación del Congreso y la posterior instalación del denominado «Parlamento del pueblo». Empero, los coroneles traspasaron la dirección del levantamiento al comandante de las fuerzas armadas, el general Carlos Mendoza, quien constituyó con Antonio Vargas, presidente de la confederación indígena, y Carlos Solórzano, ex presidente de la Corte Suprema, un triunvirato autoencargado de ejercer un «gobierno de salvación nacional». Mientras se hacía efectiva la orden de desmovilización de los indígenas, Mendoza negoció, a espaldas de los otros dos co-triunviros, una salida militar. Pero los gobiernos de la región, en particular el de los Estados Unidos, le hicieron saber que no reconocerían un gobierno de las fuerzas armadas y sólo admitirían una «salida constitucional». Así, el general renunció a su cargo y encabezó otro golpe; en rigor, un complot en el que venían entremezclados políticos opositores y jefes militares, para favorecer al vicepresidente Noboa. Éste juró rápidamente, los gobiernos del conti-

nente aplaudieron la salida o solución constitucional, los indígenas volvieron a mascar la bronca de la traición y proclamaron que la cuestión no había concluido. Avanzando un paso más en la desintegración nacional, entre marzo y septiembre de 2002, el gobierno renunció a un atributo de soberanía estatal, la moneda nacional, al reemplazar el sucre por el dólar norteamericano, con su secuela de incremento de la pobreza.

En febrero de 2001, los indígenas pusieron nuevamente la cuestión en el tapete, obligando al gobierno de Noboa a unas negociaciones, tras dos semanas de protestas —durante las cuales hubo cuatro muertos y decenas de heridos— contra las medidas económicas adoptadas en diciembre de 2001. Al cabo de aquéllas, el gobierno accedió parcialmente a las demandas indígenas, rebajando el precio del gas de uso doméstico y la gasolina durante un año. Asimismo, se alcanzaron acuerdos preliminares en otras materias, sin lograrse la superación de una tensa situación de fondo. Semejante escenario añadía la brecha entre ricos y pobres y el éxito electoral del movimiento indígena organizado políticamente en el partido *Pachakutik* (Nuevo Amanecer), que había obtenido el gobierno de treinta y tres ayuntamientos en las elecciones del 21 de mayo de 2000.

En las elecciones de octubre de 2002, el ex coronel Lucio Gutiérrez —cuya candidatura fue sustentada por la alianza de dos nuevas fuerzas políticas, la Sociedad Patriótica 21 de Enero (SP21) y el Movimiento de Unidad Plurinacional Pachakutik-Nuevo País (MUPP-NP), y apoyada por diversas organizaciones indigenistas y de izquierda— recibió el 20,3 por ciento de los sufragios emitidos. Le siguió el empresario Álvaro Noboa, candidato del Partido Renovador Institucional Acción Nacional (PRIAN), con 17,4 por ciento, resultado que obligó a una segunda vuelta, con exclusión de otros nueve candidatos, entre ellos el ex presidente Rodrigo Borja y los hermanos de sendos dos ex presidentes, León Roldós (que lo fue de Jaime, quien gobernó el país entre 1979 y 1981, muerto en un extraño accidente de aviación) y Jacobo Bucaram (hermano del ya citado Abdalá Bucaram). Vencedor, con el 54,3 por ciento de los votos, Gutiérrez tomó posesión del cargo en enero de 2003. Su primera gestión fue la búsqueda de reconocimiento internacional, defendiendo la legitimidad de su nuevo cargo, cuestionada desde la Organización de Estados Americanos (OEA), la que finalmente se la reconoció. La pretensión de Palacio, un hombre sin apoyo partidario ni bases propias, sonó demasiado pretensiosa para una interinidad: «refundar el Ecuador del siglo XXI».

Colombia es un caso históricamente paradigmático de democracia formal, a despecho de la persistencia de la violencia —de la guerrilla, de las fuerzas armadas, de los paramilitares y de los narcotraficantes—. En 1999, con el pretexto de perseguir a los narcotraficantes, el lanzamiento del norteamericano «Plan Colombia» se atribuyó el poder de intervención, lo cual no sirvió para esconder un objetivo de máxima de los Estados Unidos: la derrota militar de las Fuerzas Armadas Revolucionarias de Colombia (FARC) y del Ejército de Liberación Nacional (ELN), independientemente de la estrategia del presidente conservador Andrés Pastrana de negociar con los insurgentes una amplia agenda[8]. Por entonces, la perspectiva de convertir a Colombia en un «Vietnam latinoamericano» fue denunciada por numerosos analistas y políticos.

El país había pasado por más de medio siglo ininterrumpido de apelaciones múltiples a la violencia, la cual se hizo continua desde los años 1944-1946 y, sobre todo, 1947-1948, tras el asesinato del líder liberal Jorge Eliécer Gaitán (9 de abril de 1948). Esta fase fue denominada *La Violencia*, prolongada hasta 1957 e incluso 1965, con más de 200.000 muertos. En 1957, liberales y conservadores acordaron una solución política para el ejercicio del poder por unos y otros, generando una ficción de democracia largamente magnificada por los gobiernos norteamericanos. Ese año, con la caída de la dictadura del general Gustavo Rojas Pinilla, los Partidos Liberal y Conservador conformaron el Frente Nacional, un pacto —que tuvo rango constitucional— por el cual ambos partidos acordaron alternarse en el ejercicio de la presidencia a lo largo de dieciséis años, al tiempo que se repartieron por partes iguales los cargos de gobierno y las bancas legislativas. Apareció luego la guerrilla de izquierda —comunista, en el caso de las FARC (1966), cuyo jefe máximo, el campesino Pedro Antonio Marín, más conocido como Manuel Marulanda y *Tirofijo*, provenía de la insurgencia liberal; castro-guevarista, en el menor ELN—, todavía hoy en acciones.

El panorama militar se complicó desde 1986 con la aparición de las Autodefensas Unidas de Colombia (AUC), una fuerza paramilitar de extrema derecha que financiaba sus actividades mediante el narcotráfico, secuestros y aportes económicos de terratenientes y ganaderos que se sentían o eran amenazados por los guerrilleros. Sus efectivos se calcu-

---

[8] El Plan Colombia fue presentado como un plan de ayuda militar norteamericano al gobierno colombiano, con el propósito declarado de contribuir al desarrollo de Colombia mediante la lucha contra el narcotráfico. Empero, el real objetivo —la lucha contra la guerrilla— fue rápidamente captado por organismos de derechos humanos colombianos e internacionales, quienes lo rechazaron de plano, argumentando que la «lucha antisubversiva» no haría más que agudizar la situación de guerra interna del país, elevando el número de las violaciones a los derechos humanos, puesto que el equipamiento militar provisto por los Estados Unidos ha sido empleado en masacres de civiles, y el de las personas sujetas a desplazamiento forzado.

laron en 8.150 (la mitad de los que tenían las FARC), experimentando un crecimiento fenomenal (93, en 1986; 2.150, en 1994). Las AUC operaban en áreas de influencia de las guerrillas y se caracterizaban por el uso brutal, despiadado y salvaje de la violencia, asesinando, en matanzas múltiples, a campesinos y otra población civil a quienes sospechaban, con o sin fundamento, de colaboradores de aquéllas. Ellas constituyeron el núcleo duro de resolución política del conflicto militar entre el gobierno y los guerrilleros en 2001, cuando se reanudaron las negociaciones, tras un nuevo encuentro Pastrana-Tirofijo. En esa ocasión la situación mostró un empantanamiento en los planos político y quizá, sobre todo, militar, cuya correcta apreciación llevó al presidente Pastrana a un audaz plan de difíciles negociaciones, aceptado con condicionamientos y algunas reticencias (en particular en materia del compromiso gubernamental de luchar contra los paramilitares) por las FARC. Las FARC obtuvieron una prórroga del control de 42.000 kilómetros cuadrados del territorio nacional (que es de 1.142.000) que habían conseguido en 1988. La existencia de esa zona bajo gestión guerrillera no implicó la existencia de la llamada, por Charles Tilly, *situación de soberanía múltiple*, si bien contenía varios elementos de ella. Las guerrillas no pudieron vencer a las fuerzas armadas oficiales, ni éstas a aquéllas. En contextos tales, alguna forma de negociación y/o salida política debía imponerse, tal como ocurrió, por ejemplo, en El Salvador, aunque el proceso colombiano en esa dirección fue, por lo menos, dejado de lado por el gobierno del presidente Álvaro Uribe, quien ganó el cargo en 2002, en la primera vuelta de unas elecciones con elevada abstención (53,2 por ciento). Posteriormente, Uribe logró el objetivo de modificar la Constitución para posibilitar la reelección del presidente, aspirando a revalidar su cargo en las elecciones de 2006.

Venezuela es el país que experimenta el proceso transformador más importantes de los últimos tiempos. Después de la caída del dictador Marcos Pérez Jiménez (1953-1958) y la breve interinidad de la Junta que le sucedió, el país inició, con la presidencia de Rómulo Betancourt, un proceso de continuidad política democrática que se extendió durante cuarenta años (1959-1999). La etapa se caracterizó por el bipartidismo de Acción Democrática (social-demócrata) y COPEI (social-cristiano), que se alternaron en el ejercicio de la presidencia, y por el creciente desarrollo de la corrupción. Expresión de ésta fue el enjuiciamiento del presidente Carlos Andrés Pérez, de Acción Democrática, acusado de malversación y peculado de partidas presupuestarias secretas. De resultas de este proceso, Pérez, que había asumido en 1989, fue suspendido en el ejercicio de sus funciones en 1993. Tras la interinidad de Ramón Velázquez, asumió la presidencia, por segunda vez, Rafael Caldera (1993-1999), un hombre escindido de COPEI, partido por el cual había sido elegido para el período (1969-1974). Al finalizar su mandato, Venezuela se encontraba en una situación de crisis económica (con incremento de la pobreza y de las desigualdades sociales) y política, con un sistema de partidos totalmente desacreditado y una ciudadanía harta del mismo.

La situación fue capitalizada por Hugo Chávez, militar golpista en 1992, quien al frente del Polo Patriótico —constituido por el novel Movimiento Quinta República (MVR) y el Movimiento al Socialismo (MAS), organización ésta que derivaba de las guerrillas de los años 1960— ganó las elecciones legislativas y presidenciales de 1998, desarticulando, si no borrando, el antiguo sistema bipartito. Chávez asumió la presidencia en febrero de 1999, disolvió el Congreso y convocó una Asamblea Constituyente con el objetivo de establecer una nueva Carta Magna. En las elecciones de julio, el Polo Patriótico se impuso con holgura, obteniendo 120 de los 131 escaños en disputa.

La nueva Constitución —que luego fue refrendada popularmente en diciembre de 1999, con el 72 por ciento de los votos (si bien con una abstención, alta, del 54 por ciento)— cambió el nombre del país, que desde entonces se llama República Bolivariana de Venezuela. Más importante aún, modificó el régimen político, estableciendo un Poder Legislativo unicameral (Asamblea Nacional, con miembros elegidos por sufragio universal), ampliando el poder presidencial y el control estatal de la economía, pero también —punto que los críticos suelen omitir— fortaleciendo y extendiendo los derechos, la participación y el protagonismo populares (artículos 62, 63, 67 y 70). En el Preámbulo se ha establecido como «fin supremo (…) refundar la República para establecer una sociedad democrática, participativa y protagonista, multiétnica y pluricultural en un Estado de justicia, federal y descentralizado, que consolide los valores de la libertad, la independencia, la paz, la solidaridad, el bien común, la integridad territorial, la convivencia y el imperio de la ley para esta y las futuras generaciones; asegure el derecho a la vida, al trabajo, a la cultura, a la educación, a la justicia social y a la igualdad sin discriminación ni subordinación alguna; promueva la cooperación pacífica entre las naciones e impulse y consolide la integración latinoamericana de acuerdo con el principio de no intervención y autodeterminación de los pueblos, la garantía universal e indivisible de los derechos humanos, la democratización de la sociedad internacional, el desarme nuclear, el equilibrio ecológico y los bienes jurídicos ambientales como patrimonio común e irrenunciable de la humanidad.

En aplicación de los nuevos preceptos constitucionales, en julio de 2000 se realizaron elecciones presidenciales y legislativas, obteniendo el Polo Patriótico mayoría absoluta en la Asamblea y la ratificación de Chávez, con el 55 por ciento de los votos, como presidente.

Después de asumir este mandato, Chávez anunció su decisión de transformar profundamente las estructuras socioeconómicas venezolanas, para lo cual requirió poderes legislativos especiales, los cuales le fueron concedidos por la Asamblea (Ley de Habilitación). Merced a ellos decretó una cincuentena de medidas, ente ellas la Ley Orgánica de Hidrocarburos y la de Tierra y Desarrollo Agrario. Por la primera de éstas se aumentó al 30 por ciento la tributación exigible a los inversores extranjeros en actividades de extracción petrolífera, y se estableció en 51 por ciento la participación mínima del Estado en sociedades mixtas del mismo sector. La segunda, a su vez, tornó posible la expropiación de latifundios, la cual tuvo concreción parcial con un decreto de enero de 2005 que otorgó tierras no cultivadas a los campesinos más pobres.

La reacción de empresarios y de otros sectores contrarios a las medidas, incluyendo parte del Ejército, fue inmediata, desatando una ofensiva opositora que culminó en abril de 2002 con un golpe de Estado encabezado por el general Lucas Rincón, jefe de las fuerzas armadas, de resultas del cual fue detenido Chávez y proclamado presidente de la República Pedro Carmona, presidente de Fedecámaras, quien fue rápidamente reconocido por el gobierno de George Bush. Carmona disolvió los poderes públicos y anunció la convocatoria a elecciones legislativas y presidenciales al cabo de un año. Empero, los sectores sociales y políticos partidarios de Chávez (los Círculos Bolivarianos) y los militares leales reaccionaron, logrando que, sucesivamente, Diosdado Cabello (leal vicepresidente de Chávez) se hiciera cargo de la presidencia, renunciara Carmona y Chávez reasumiera su cargo.

La derrota no amilanó a la oposición. Agrupada en la Coordinadora Democrática, entre otras actividades, reclamó elecciones, convocó a huelgas generales, incitó a la desobediencia y promovió un referéndum para decidir la destitución de Chávez. Realizado en agosto de 2004, la consulta popular ratificó, con casi 60 por ciento de los votos emitidos, el mandato del presidente, resultado impugnado por la oposición alegando fraude gubernamental.

Nuevas elecciones legislativas, en diciembre de 2005, dieron otra vez el triunfo al Movimiento V República, que obtuvo una amplia mayoría absoluta en la Asamblea Nacional. Amén del importante índice de abstención, la victoria chavista debió sortear el intento de sectores de la oposición de deslegitimarla mediante el ardid de retirar las candidaturas de sus principales partidos, alegando el incumplimiento de las garantías democráticas.

A la dura oposición interna se ha sumado la de los Estados Unidos, cuyo gobierno, y en particular el presidente George W. Bush, ha imputado a Chávez ser parte de un eje del mal junto a Cuba, exportador de revolución, populista, etc. En verdad, el principal problema deriva de la riqueza petrolífera de Venezuela —país proveedor de Estados Unidos, por otra parte—, un campo estratégico a nivel mundial, potenciado en estos últimos años, como bien ilustra la invasión y ocupación militar de Irak. Si no es para hacerse del petróleo, el gobierno norteamericano persigue, por lo menos, impedir que Venezuela lo utilice de manera soberana y solidaria (provisión a Cuba, proyecto del oleoducto sudamericano, por ejemplo). En su afán por cercar y destituir a Chávez, Estados Unidos ha ejercido y ejerce, además, presiones sobre otros gobiernos para que no negocien y/o apoyen al venezolano, siendo especialmente sensibles las realizadas sobre los de Brasil y España (en este caso sin éxito) en materia de provisión de armamento.

Chávez tiene una legitimidad de origen incuestionable, en primer lugar, en términos y procedimientos de la propia democracia representativa capitalista. Y su gobierno se sostiene, con fuerte apoyo popular —en particular de los más pobres—, en un marco de elevado respeto de las libertades políticas, incluso para con una oposición nada leal. En palabras de Gianni Vattimo (2005), tras un viaje a Venezuela, a mediados de 2005: «a pesar de la presión de la oposición, Chávez, hasta ahora, no ha defendido jamás su poder con métodos violentos ni policíacos, y que su revolución respeta en grado sumo los derechos civiles que tantos dictadores sudamericanos amigos del Occidente han violado siempre impunemente. Quien va a las librerías o a los quioscos de prensa encuentra sobre todo libros y revistas que desacreditan a Chávez, las cuales circulan libremente y son seguramente las preferidas de la aguerrida oposición».

Más allá de la polémica, lo cierto es que el gobierno de Chávez ha abierto un nuevo capítulo en la historia de la democracia en Venezuela y tal vez, si avanza la propuesta de la democracia revolucionaria, de América Latina.

Gobernabilidad y reforma del Estado

Como puede observarse a partir de las situaciones esbozadas arriba, transición y consolidación de la democracia son dos fenómenos directamente relacionados con el problema de la gobernabilidad. En los términos indicados por el politólogo chileno Ángel Flisfisch (1991: 23-24), gobernabilidad hace referencia a la calidad del desempeño de las instancias de gobierno a través del tiempo, considerando principalmente: «a) la capacidad de adoptar *oportunamente* decisiones, simples o complejas, frente a acontecimientos o estados de cosas que se interpretan socialmente (…); b) la *efectividad* de las decisiones adoptadas (…), [habiendo] efectividad si existen, de modo suficiente, sentimientos de obligación y comportamientos de acatamiento en relación a las decisiones; c) la *aceptación* social de las decisiones, que puede variar desde la simple aquiescencia o aceptación pasiva a un apoyo activo a ellas, y que suponemos es equivalente con la *congruencia* o armonía de esas decisiones con intereses, aspiraciones, pasiones, necesidades, de diferentes y expresivos segmentos sociales; d) la *eficacia* de las decisiones, en términos de producción de efectos que realmente alteran o modifican significativamente situaciones prevalecientes; e) la *eficacia* de las decisiones según ideas de eficiencia propias de una o más de las matrices culturales predominantes; f) finalmente, la *coherencia* de las decisiones a través del tiempo, en el sentido de ausencia de efectos, buscados o no, que son contradictorios y acaban por anularse».

Gobernabilidad expresa una cuestión política no reducible a términos de mera competencia técnica. Gobernabilidad remite a la relación construida entre bases sociales y representación política, y a la capacidad de suscribir, asumir y cumplir compromisos políticos. En este sentido, gobernabilidad *democrática* es la capacidad de que dispone un gobierno para ser obedecido sin violentar las reglas de juego de la democracia y sin que la amenaza de ruptura de estas reglas por otro sujeto social o político resulte convincente para el conjunto de la sociedad, para decirlo en términos muy similares a los del peruano Henry Pease García (1988).

Existen dos estrategias posibles de gobernabilidad: *gobernabilidad sistémica* y *gobernabilidad progresiva*. La primera resalta la continuidad del régimen político, dando preferencia al trato gubernamental con aquellos sujetos políticos y sociales con capacidad inmediata de desestabilización política y/o económica, es decir, afirmación de la tendencia a una democracia «de equilibrio». La segunda, en cambio, apunta a «recoger, elaborar y agregar (en la acción gubernamental) la demanda de la sociedad civil haciéndola valer como criterio de utilidad colectiva»; se trata de una estrategia que procura revertir las tendencias más excluyentes en los terrenos económico, social

y político-cultural. En la gobernabilidad progresiva se busca que el gobierno amplíe su trato con sujetos sociales y políticos, potenciando el conjunto social y tratando de evitar preferencias muy marcadas por alguno de ellos en particular, con lo cual podrían balancearse integración social e integración sistémica. De ahí que pueda hablarse, finalmente, de una *gobernabilidad democrática progresiva*.

Como se aprecia, ambas estrategias de gobernabilidad se vinculan claramente con las de los alcances y la profundización de la democracia. Ambas también formulan objetivos que se enuncian similarmente, si bien sus significados no lo son necesariamente (y más bien son discrepantes). Uno de esos objetivos se refiere a las relaciones Estado/sociedad y a las reformas que deben introducirse en ellas.

Al respecto, la primera y más promocionada de las reformas es la llamada reforma del Estado. La propuesta generalizada en América Latina consistió en la reducción del Estado en favor de grupos capitalistas privados, lo cual se complementó con la reducción del personal empleado, del déficit fiscal y de la propia intervención estatal en la regulación de la economía. Fue una manera de concebir la disminución del poder del Estado frente a la sociedad civil. Una consecuencia fue el reforzamiento de las corporaciones (y no de la sociedad civil), lo cual se tradujo en primacía de mediaciones no democráticas.

La característica central de las políticas de ajuste fue la brutal desigualdad de los costos sociales que provocaron, su intrínseca injusticia en materia de redistribución de ingresos, amén del modo en que se los utilizó. Así, por ejemplo, los sectores empresariales incrementaron sus niveles de consumo, en detrimento de la proporción de la ganancia destinada a la inversión. Utilizando datos del Banco Mundial, Adam Przeworski (1985) señala que el ingreso neto consumido por empresarios privados muestra diferencias enormes entre, por ejemplo, los de Argentina (69%) y Brasil (62%) y los de Estados Unidos (40%) y Austria o Noruega (20%).

El *Informe sobre el Desarrollo Mundial 1990,* del Banco Mundial, señala: «En ninguna región del mundo en desarrollo los contrastes entre la pobreza y la riqueza son tan notables [como en América Latina]. A pesar de ingresos *per cápita* que son en promedio cinco o seis veces mayores que los de Asia Meridional y África al sur del Sahara, casi una quinta parte de la población latinoamericana sigue viviendo en estado de pobreza y esto se debe a un grado excepcionalmente elevado de desigualdad en la distribución del ingreso.» Si se considera que la población de la región era entonces de unos 450 millones de habitantes, un quinto significaban 90 millones de personas. Siendo dramática, esta cifra es conservadora y parece optimista frente a las del PREALC (1987), para quien el número de latinoamericanos que en la misma época vivían en situación de pobreza crítica pasó de 120 a 170 millones de personas entre 1982 y 1987 (¡más del 40 por ciento en apenas un quinquenio!).

El dramatismo de las cifras se acentúa cuando se tiene en cuenta que el incremento de la pobreza superó largamente las previsiones. En efecto, a finales de la década de 1970, la CEPAL calculaba que al cerrarse el siglo, el año 2000, habría en América Latina un total de 170 millones de personas en condición de pobreza crítica. Como acaba de señalarse, se alcanzó y sobrepasó esa cota quince años antes.

Otra cuestión inescindible del cuadro de las reformas del Estado impulsadas por las democracias latinoamericanas actuales es la de la corrupción estructural. Su terrible expansión aparece potenciada por, o al menos asociada a, la generalización de la globalización neoliberal-conservadora y de las políticas de ajuste. En rigor, la corrupción estructural no fue una novedad producida en la década de 1990: ella existe desde mucho antes, incluso socialmente aceptada y practicada, alcanzando niveles excepcionalmente altos en la Colombia dominada por el narcotráfico y en el México hegemonizado por el Partido Revolucionario Institucional (PRI). Lo que la década de 1990 tuvo de novedoso, al respecto, fue la expansión y la mayor visibilidad de la corrupción estructural, en particular por los procesos de privatización de empresas estatales. La corrupción dentro de (o tolerada por) los niveles más altos del Estado alentó su práctica en todos los escalones de la burocracia y en la propia sociedad. La ausencia de líneas directrices para la lucha frontal contra la corrupción, por parte de la cúpula del poder, no hizo más que alimentar su práctica en los escalones subalternos.

La extensión de la corrupción estructural estuvo ligada a la pérdida de credibilidad en los políticos y en los partidos políticos, cuando no en las instituciones estatales en general, comenzando por la justicia. En el caso de los partidos, esa carencia de credibilidad fue inseparable de su creciente crisis de representatividad. No se trata de una cuestión que afectó a organizaciones y a políticos tradicionales. De hecho, reales o supuestos *outsiders* de la política —como Fernando Collor de Melo, en Brasil; Alberto Fujimori, en Perú; Abdalá Bucaram y Jamil Mahuad, en Ecuador— contribuyeron poderosamente a incrementar ese descrédito, sumando sus experiencias a las de representantes de partidos tradicionales, como en los casos de Carlos Andrés Pérez, en Venezuela; Carlos Menem, en Argentina, y Carlos Salinas de Gortari, en México.

Para el caso de México, Curzio (2006) ha acuñado un rótulo, «Video política en grandes dosis o la dictadura del anuncio comercial», con referencia a la práctica de utilizar los medios de comunicación masivos para difundir mensajes gubernamentales. Según este autor, dicha práctica no es novedosa, sino que ya durante la presidencia de Salinas de Gortari (1988-1994) hubo un uso extensivo y exitoso de las campañas publicitarias por parte del gobierno. Dichas campañas apelaban al formato comercial y se hacían con el uso ilegítimo de recursos públicos. Esta práctica promovida por el PRI fue adoptada luego por el gobierno de Vicente Fox y por el PDR. En opinión de Curzio, «México es uno de los pocos países en los que los gobiernos (federal y estatales) publicitan en tiempos comerciales sus logros», con inmensos presupuestos destinados a esos fines, especialmente en televisión, y en el cual «los gobernadores compiten con los anunciantes tradicionales (cerveza, aperitivos, ropa deportiva o automóviles) por dar a conocer sus éxitos». En definitiva, el clientelismo institucionalizado por el PRI durante el siglo XX hoy subsiste bajo la forma de «un condominio de tres» —la expresión es de Curzio—, con la consecuente expansión del gasto público para ganar aceptación momentánea e involución política en materia de división de poderes, gobiernos representativos, rendición de cuentas e incluso derechos humanos. A través de todo un siglo México ha podido construir una democracia y un sistema electoral estables, pero sostenidos por el financiamiento con recursos públicos que hoy se destinan en gran medida a la «videopolítica». Conforme las cifras que cita Curzio, «(e)n el año 2003, el Partido Revolucionario Institucional (PRI) recibió alrededor de 185 millones de dólares para realizar sus actividades. El partido de Vicente Fox (PAN) recibió una suma cercana a 165 millones de dólares; el izquierdista PRD, cerca de 70 millones de dólares; el Partido Verde Ecologista, cerca de 45 millones, y el Partido del Trabajo, 35 millones de dólares. Cabe mencionar que estos dos últimos partidos no han acreditado su verdadera presencia entre el electorado, en la medida en que en las últimas elecciones han participado en coalición (el Verde con el PAN y luego con el PRI, y el Partido del Trabajo [PT] con el PRD). Con estos millonarios presupuestos, a los que se debe agregar el endeudamiento contraído por los propios partidos y los recursos públicos que se desvían de los gobiernos que cada una de las fuerzas políticas controla, los partidos políticos concentran sus esfuerzos y recursos en comprar tiempos comerciales (especialmente en televisión) para anunciarse; y a otorgar prebendas y canonjías a sus clientelas».

La corrupción mina la confianza en las instituciones políticas y en la propia democracia, agravándose la situación cuando, como en el caso argentino, no hubo virtualmente sanciones, no ya ejemplares sino de mera y elemental justicia. Al respecto, no deja de ser relevante el hecho de la existencia de ochenta y tres proyectos legislativos presentados en el Congreso Nacional entre 1989 y mediados de 1996..., ninguno de los cuales fue convertido en ley. Posteriormente, el caso de presuntos sobornos a senadores nacionales —calificados por la justicia como «complementos» del sueldo— aparece como otro claro indicador de la ausencia de voluntad política para erradicar o, al menos, combatir la corrupción.

No es un dato menor la constatación arrojada por varias y sucesivas encuestas de opinión pública, según las cuales los jueces (o la justicia), los políticos y los dirigentes sindicales gozan del menor grado de credibilidad (no superior, en el mejor de los casos, al 15 por ciento, si no menor). En contrapartida, el mayor grado de credibilidad lo ostentan los periodistas y los medios de comunicación de masas. Esta circunstancia es una anomalía en un sistema democrático y no debe tomarse ligeramente: las empresas propietarias de los medios obedecen a sus propios intereses (económicos, políticos) y no están exentas de acuerdos con partidos, dirigentes y/o funcionarios —lo cual implica condicionamientos de mayor o menor intensidad—, amén de carecer de mecanismos de selección y control por parte de la ciudadanía, no alcanzando con dejar de comprar un diario, de ver un canal de televisión o de escuchar una radioemisora. En buena medida, por la creciente concentración de la propiedad de los medios de comunicación de masas en pocas empresas, lo cual reduce tanto las posibilidades de un efectivo pluralismo cuanto las opciones de los ciudadanos consumidores de esos medios (disminuye la calidad de ciudadanos y se incrementa la de consumidores).

Esa situación merece mayor atención de la que suele prestársele, especialmente respecto de la ficción de democracia que se construye a partir de la credibilidad asignada a los medios y a los periodistas, y de la construcción de la realidad por parte de los mismos, en particular la televisión (con la primacía de la imagen sobre el contenido y, sobre todo, la reflexión). Es significativo el tratamiento que los medios dan a la información originada en movimientos sociales o políticos contestatarios, o a las posiciones de intelectuales o políticos críticos. En este sentido, el problema parece radicar no tanto en lo que se dice, sino en lo que se calla u oculta.

Más tarde o más temprano, tal situación ha de poner al Estado, otra vez, en un primer plano. Hasta ahora, en general, los procesos latinoamericanos de transición de la dictadura a la democracia política y de posterior afirmación de ésta se han caracterizado, *inter allia*, por una fuerte tensión entre la afirmación de la democracia política y las demandas de democracia o justicia social. El modo de encarar y resolver esa tensión es decisivo para el futuro inmediato y mediato de las sociedades de la región, constituyendo un aspecto central de las eventuales estrategias de reformas políticas y económicas. El drama de una situación democrática que no puede dar satisfacción a las demandas sociales —en buena medida, hay que insistir, constitutivas de ella— es que pone en un plano de excesivo relieve a las urgencias coyunturales e impide y obstaculiza la definición de una estrategia o, si se prefiere, de un modelo societal para el futuro más o menos próximo. Es una clara situación de predo-

minio de la coyuntura sobre la estructura, en la cual la precariedad del equilibrio reduce la gobernabilidad a una mera continuidad o preservación del régimen político, es decir, gobernabilidad sistémica en detrimento de gobernabilidad progresiva.

Las premisas de un nuevo orden social excluyente: el matrimonio de interés entre el ajuste estructural y la democracia política

En América Latina, los *procesos de transición* de la dictadura a la democracia las demandas políticas se subordinan, de manera jerárquica, a todas las demás. Siendo así, debe reconocerse, como bien lo plantea el chileno Eugenio Tironi, que la transición es «un momento político que requiere de una (momentánea) desarticulación entre lo político y lo social. Tal ruptura, sin embargo, sólo aparece posible a condición de que también se rompa el *imaginario político latinoamericano*, que confunde *democracia* (noción que alude al campo político institucional) con *democratización* (noción que alude, en cambio, al campo socio-económico). (...) La cuestión de la rearticulación entre democracia y democratización, entre el campo político y el social, entre partidos y movimientos sociales quedaría entonces como un problema propio de la etapa de consolidación democrática» (Tironi, 1987: 17).

Ahora bien, ¿qué sucede con tal rearticulación bajo los *procesos de consolidación* de regímenes democráticos? La cuestión es compleja y sobre todo crucial, particularmente cuando los gobiernos democráticos optaron por políticas de ajuste. En esta fase, a diferencia de la anterior —de transición de una dictadura a una democracia—, la prelación jerárquica es la de las demandas económicas y sociales (empleo, educación, salud), sin desmedro de las de carácter ético (la lucha contra la corrupción).

Al menos después de una primera fase de intervención activa, los países latinoamericanos parecieron relegar a planos secundarios el papel de los partidos políticos como mediadores y articuladores entre la sociedad civil y la sociedad política y el Estado. Simultánea y simétricamente se intensificaron y robustecieron los mecanismos de funcionamiento cupular: fortalecimiento del Poder Ejecutivo en desmedro del Legislativo, preferencia por los procedimientos corporativos (que son excluyentes en materia de representación de intereses) de instrumentos de formación de políticas, de organización de las demandas y de elaboración de las decisiones. Es decir, se produjo una concentración del poder en un espacio económico, político y social muy reducido, y se negó, en la práctica, la efectiva y real democratización del poder político.

Una de las respuestas a esta situación fue la aparición y eventual proliferación de la autonomización de las acciones sociales, que tendieron a expresarse al margen de las instituciones estatales y de los partidos políticos; sus manifestaciones más visibles han sido el sector informal urbano, la marginalidad, el incremento de la violencia urbana y hasta la opción por formas participativas extrasistema (como en los casos de Sendero Luminoso en Perú y del narcotráfico en Bolivia y Colombia). O bien, cuando se expresó a través del sistema político vía elecciones, se optó por candidatos aparentemente ajenos a él, como en los casos de Fernando Collor de Mello y Alberto Fujimori, en Brasil y Perú. A pesar de su éxito inicial, estas experiencias no fueron muy duraderas, excepto la de Fujimori, que se extendió a lo largo de una década. Cabe notar que la autonomización de las acciones sociales no tuvo el mismo tenor en países con sistema político más sólido, como en Chile y Uruguay.

En el mismo terreno, la experiencia del Ejército Zapatista de Liberación Nacional (EZLN), en México, ofrece un singular contraste con las formas de acción política que sectores sociales postergados —en este caso, campesinos indígenas— desarrollaron en contextos de ajuste macroestructural. El EZLN difiere también, cualitativamente, de las experiencias guerrilleras de los años 1960 y 1970. Una de las diferencias notables es la clara e inequívoca primacía que los zapatistas le han concedido a la lógica de la política por sobre la lógica de la guerra. Otra, la demanda de democratización política, en los marcos del sistema capitalista antes que en su destrucción. Una tercera es el peso decisivo de la plurisecular cuestión étnica —nacida con la conquista y colonización de los pueblos mayas por los españoles—, íntimamente asociada a la cuestión social campesina. Chiapas es, asimismo, un notable caso de massmediatización de una insurgencia popular, desenvuelta dentro de un nuevo espacio público, incluyendo el papel relevante de la televisión, la video-reproducción e Internet.

El proceso pone en evidencia la vigencia del conflicto por la tierra. Los campesinos chiapanecos y el EZLN son evidencia irrecusable de ello. Ya durante la presidencia de Lázaro Cárdenas, la Reforma Agraria había tenido un gran impacto en Chiapas, región en la que se llevó a cabo un importante reparto agrario acompañado de un plan de enseñanza práctica para alcanzar la tierra. Allí, actuó un conspicuo agente local de la reforma, Erasto Urbina, que enseñó a los campesinos de Chiapas a hacerse violentamente con las tierras y posteriormente iniciar el trámite de legalización. Esta estrategia se extendió bajo la conducción de maestros rurales y del Centro Coordinador Tzeltal Tzotzil con sede en San Cristóbal. La década de 1970 lejos de «congelar» el conflicto lo encendió. La Reforma Agraria de Cárdenas finalmente derivó en un proceso limitado caracterizado por una estructura agraria polarizada entre minifundio y latifundio. En 1971 el gobierno dictó un decreto de expropiaciones que afectaba directamente a los campesinos. En 1974 se celebró el Primer Congreso Indígena en Chiapas y fue el comienzo de la proliferación de organizaciones campesinas que reclamaban el acceso a la tierra, especialmente en las regiones Norte y Selva que hasta entonces habían sido las menos beneficiadas.

El conflicto se recrudeció en la década de 1990, en el marco del que ya había empezado a afianzarse en la década anterior. En 1992, el presidente Carlos Salinas de Gortari auspició la sanción de una nueva Ley de Reforma Agraria con la reforma del artículo 27 de la Constitución, que anulaba por decreto los terrenos ejidales y comunales que habían sido la esencia de las reivindicaciones levantadas por Emiliano Zapata, reconocidas en el artículo 27 de la Constitución de 1917. Este artículo reconocía los derechos colectivos sobre las tierras de los pueblos indígenas, pero no les reconocía personalidad jurídica como etnias. El objetivo que perseguía la reforma del artículo 27 era la privatización del ejido. En ese contexto, el EZLN inició la lucha por la sanción de la Ley Indígena. En 1994, la agudización del conflicto por la tierra tuvo su punto culminante: el 1 de enero el Ejército Zapatista de Liberación Nacional (EZLN) se alzó en armas y anunció la Ley Agraria Revolucionaria en su Primera Declaración de la Selva Lacandona. El presidente Ernesto Zedillo (1994-2000) dio continuidad a la política agraria de fraccionamiento de la propiedad privada y minifundización del ejido legitimada por la reforma del artículo 27. Paradójicamente, entre 1994 y 2000, mientras que la entrega de tierra a título individual traía aparejado más marginación y más pobreza, el EZLN y el gobierno avanzaban hacia la reconciliación y en 1995 finalmente se firmó el acuerdo por el cual San Andrés era sede permanente de diálogo y negociación, y un año después se acordó el reconocimiento de la identidad jurídica de los Pueblos Indígenas en la letra de la Constitución. Sin embargo, el proceso de paz se quebró por el incumplimiento de estos acuerdos. Cuando el 1 de diciembre de 2000 Fox asumió el mando presentó al Senado el proyecto de ley diseñado por la Comisión de Concordia y Pacificación (COCOPA). En 2001 —y cuando el EZLN ya había iniciado la Marcha de la Dignidad hacia el Distrito Federal— se aprobó la Ley sobre Derechos y Cultura Indígena por ambas Cámaras. Pero el proyecto tenía serias modificaciones respecto de la iniciativa original y en consecuencia el EZLN desconoció formalmente la reforma y declaró concluido el diálogo y las negociaciones por la paz en tanto y en cuanto no se respetasen los Acuerdos de San Andrés y las consignas del proyecto de ley de la COCOPA. La Ley Fox violaba esos acuerdos en puntos fundamentales como la autonomía y la libre determinación de los pueblos indígenas en tanto sujetos de derecho público. Hubo más de trescientas iniciativas presentadas ante la Justicia por parte de los municipios indígenas, pero ellas fueron declaradas improcedentes por la Corte Suprema en 2002.

En su conjunto, la situación es francamente perversa, pues tanto la consolidación de la democracia política como (muy en particular) el avance hacia la democratización requieren que se reafirme un sistema político incluyente, de una activa, general y extensible movilización y participación de la sociedad. Pero, por otra parte, la aplicación de políticas de ajuste ha sido socialmente excluyente, aun en contextos de gran movilización, como el caso mexicano acaba de ilustrar.

Fernando Calderón y Mario dos Santos (1990) plantearon muy bien esta situación al resumir, en veinte tesis, los resultados de una investigación regional sobre un nuevo orden estatal. En la cuarta, indicaban que los procesos de democratización valoraban los actores políticos y sociales, incluso independientemente de las calidades obtenidas en materia de régimen político democrático. A su vez, la reestructuración de la economía destacaba aspectos decisivos de la crisis (industrialización truncada, vulnerabilidad del sector externo), especialmente relevantes al aplicarse políticas de ajuste y de modernización del Estado. En la investigación mencionada sus autores decían: «Esa modernización del Estado, en sus lineamientos predominantes (énfasis en el ajuste fiscal, desregulación, privatización, descentralización muchas veces con concentraciones de decisiones políticas, encarecimiento de servicios públicos, reducción del empleo estatal, desmonte de políticas sociales, racionalización de la gestión estatal), no revierte, sino profundiza, los resultados socialmente excluyentes propios de la crisis. De ahí que, en principio, haya una fase en la cual el ampliar la participación política que conlleva el proceso de democratización confronte una tendencia excluyente derivada de la modernización del Estado.» Es imposible concebir y edificar un proceso de democratización exitoso —y en él tiene mucho que ver la aplicación de una gobernabilidad democrática progresiva— sin una modernización del Estado que pueda poner fin a una de las causas de ingobernabilidad económica. «Por tanto [añaden los autores], o se logra proporcionar eficacia a la acción estatal en un intercambio con las organizaciones sociales —restándole así a la modernización del Estado algunos elementos de exclusión social—, o existirá un bloqueo en la democratización. Por otra parte, si persisten los lineamientos de la modernización estatal expuestos, ésta inevitablemente chocará con las expectativas y con la realidad de la democratización» (Calderón y Dos Santos, 1990: 85).

Las opciones históricas no eran favorables: la democratización sin modernizar el Estado desembocaría en la ingobernabilidad; la modernización del Estado en función del ajuste desestabilizaría al régimen democrático. A su vez, y derivada de esta segunda opción, el agravamiento de las tendencias excluyentes en lo social incrementaría el empleo de la coerción, en este caso para sostener el régimen democrático. La recuperación de las libertades públicas estimuló y posibilitó la formulación de mayores demandas sociales, a las que, adicionalmente, se incorporaron las resultantes de las situaciones de extrema pobreza y de marginación sociocultural. Y, en efecto, la consecución de la segunda de las opciones referidas arriba estuvo acompañada de una inmediata acción gubernamental orientada a la transgresión de formalidades jurídicas elementales, como la suspensión más o menos prolongada de garantías individuales, o deterioros en la juridicidad, etc.

Otro factor de desestabilización decisivo fue la situación de «desencanto», especialmente perceptible en sociedades con cultura política democrática débil. Al respecto, Calderón y Dos Santos decían en su investigación: «Los consensos de revalorización de la democracia no han erradicado completamente las ambigüedades en la cultura política respecto de cuándo considerar democrático un régimen: por el acatamiento de las reglas democráticas o por los resultados sociales de la vigencia del mismo. Esta ambigüedad corre el riesgo de ampliarse en procesos de democratización con resultados socialmente regresivos, lo cual facilita la acción de actores difícilmente encauzables en la vida democrática» (Calderón y Dos Santos, 1990: 88).

La situación de desencanto es particularmente visible en le caso de México. La elección de Vicente Fox en el 2000, con la alternancia en la presidencia, trajo un importante cambio que generó muchas expectativas en la sociedad. Sin embargo, en el último lustro varios factores indican que este cambio no derivó en la consolidación del régimen democrático. Esto se explica por varias razones. En primer lugar, no hubo una genuina reforma del Estado que diera por tierra con el presidencialismo autoritario heredado del siglo XX. En segundo lugar, el PRI mantuvo la mayoría en las dos Cámaras y junto con el PRD obstaculizaron las iniciativas del nuevo gobierno federal. Por último cabe señalar que la sociedad mexicana sigue siendo una sociedad permeable a la cooptación y tolerante de la corrupción política.

El descontento con la democracia tal como era practicada por los gobiernos de turno es sintetizable en la consigna que fue grito durante la crisis que detonó el naufragio del gobierno de De la Rúa en diciembre de 2001: «Que se vayan todos.» Este sentimiento fue compartido por la sociedad mexicana, donde la sociedad ha manifestado de modos diversos su desilusión con los partidos políticos y sus líderes, pero paradójicamente —como en Argentina— hasta ahora no ha logrado organizar coherentemente una alternativa. Hay que decir que los obstáculos han sido muchos, principalmente la pobreza y la exclusión crecientes. A pesar de todo esto, ha habido transformaciones importantes. En México, las sucesivas reformas electorales han permitido liberalizar y democratizar el sistema político, consolidando la división de poderes y el sistema de representación. Según apunta Curzio (2006), hubo tres generaciones de reformas: «las primeras reformas se hicieron desde el poder para dar legitimidad al sistema de partido hegemónico y reforzaron la conciencia de que el cambio político gradual e incremental podía darse mediante la negociación cupular»; luego —según el mismo autor— se produjeron las que pertenecen a la segunda generación, «las reformas de los primeros noventa», que «abr(ieron) incentivos para que los partidos opositores mejoren su presencia en la escena nacional y consigan progresivamente espacios en gobiernos locales», y por último la tercera generación de reformas «que dieron paso a la distribución real de poder y a la genuina competencia política que permitió en México, por primera vez en la historia contemporánea, que un presidente no contara con mayoría en la Cámara de Diputados (1997) y, posteriormente, la materialización de una alternancia pacífica y ordenada en 2000».

Hay dos aspectos que conviene agregar y destacar. Por un lado, «los actores que impulsan el ajuste pretenden conjugar ajuste estructural y estabilidad democrática; ésta política es inconsistente, pues el ajuste tiende a crear inestabilidad política, a menos que en su aplicación estén presentes logros de expansión productiva y distributiva, es decir, que el ajuste se subordine a una política de defensa de la democracia». Por otro lado, «en la reestructuración de la economía mundial y los procesos de ajuste de las economías periféricas se transfiere al mercado un papel protagonista en la organización de las relaciones sociales, en deterioro del Estado y de los regímenes políticos. Este hecho tiene el agravante de que en nuestros países el mercado, por su insuficiente dinamismo, no puede ser un eficaz integrador social» (Calderón y Dos Santos, 1990: 91 y 94).

Más aún: la exclusión de sectores mayoritarios de la sociedad conspira contra el propio desarrollo e incluso el crecimiento capitalistas, convirtiéndose en una verdadera bomba de tiempo. Los neoconservadores —convencidos del «fin de la historia»— fueron incapaces de advertir lo que ésta podría enseñarles. En efecto, no bastaba con que el capitalismo revolucionase permanentemente las fuerzas productivas, como está claro desde Lord Keynes (y en alguna medida preanunciado por Karl Marx); este sistema requiere, para desarrollarse a medio plazo, que la mayoría de la población sea partícipe del crecimiento, tal como Ludolfo Paramio ha advertido en una entrevista realizada por Antonella Attili y Luis Salazar (1993: 71).

Una sociedad polarizada —a veces extremadamente polarizada—, donde las mayorías son excluidas del acceso a bienes, servicios y al propio mercado, marca un límite material al crecimiento económico, que se torna más rígido aún si esa exclusión se reproduce —tal como sucede actualmente— a nivel mundial, dentro del cual la brecha entre países desarrollados, y en constante crecimiento y desarrollo, y los que no lo son ni avanzan en esa dirección (o, en el mejor de los casos, lo hacen muy lentamente) se ensancha cada vez más.

Las sociedades de hoy son brutalmente desiguales, a escala nacional y mundial, quizá más desiguales socialmente que nunca antes en la historia de la humanidad, precisamente cuanto mayor es el grado de desarrollo alcanzado por ésta. Al respecto, Salvador Giner (1993: 133) decía que si bien no es nueva la percepción de «una verdadera mundialización de la desigualdad, y ello a un doble nivel: entre países (ricos/pobres; poderosos/subordinados) así como dentro de ellos (creación de pautas interiores de dominación dependientes de las transnacionales)», sí lo es «su consolidación a escala mundial (...), un rasgo sin precedente».

Es cierto que hay igualdad-desigualdad naturales e igualdad-desigualdad sociales, como argumenta Norberto Bobbio (1995). «Las desigualdades naturales existen y, si algunas se pueden corregir, la mayor parte de ellas no se puede eliminar. Las desigualdades sociales también existen y, si algunas se pueden corregir e incluso eliminar, muchas, especialmente aquellas de las cuales los mismos individuos son responsables, sólo se pueden no fomentar. (...) Los hombres son entre sí tan iguales como desiguales. Son iguales en ciertos aspectos y desiguales en otros (...): son iguales si se consideran como género y se los compara con un género distinto como el de los otros animales y de los otros seres vivientes de los que lo distingue algún carácter específico y especialmente relevante [por ejemplo, el uso de razón, la condición de *animal rationale*] (...). Son desiguales entre ellos si se los considera *uti singuli*, o sea, tomándolos uno por uno. (...) Sin embargo, la aparente contradicción de las dos proposiciones, "Los hombres son iguales" y "Los hombres son desiguales", depende únicamente del hecho de que, al observarlos, al juzgarlos y al sacar conclusiones prácticas se ponga el acento sobre lo que tienen en común o más bien sobre lo que los distingue. (...) Lo igualitario parte de la convicción de que la mayor parte de las desigualdades que lo indignan, y querría hacer desaparecer, son sociales y, como tales, eliminables; lo no igualitario, en cambio, parte de la convicción opuesta, que son naturales y, como tales, ineliminables.» Bobbio sostiene que el principio igualitario —o, como él prefiere denominarlo, igualitarista— se expresa como «lo mismo para todos». Está claro que *igualdad* no puede ni debe ser confundida, como de hecho ha ocurrido, con *uniformidad*. La cuestión remite, a su vez, a otra, la de la alteridad, cuyo reconocimiento se sintetiza en la proposición que considera al *otro como un igual pero diferente*.

Giner (1993: 127-128) precisa, brevemente: «igualdad, en su sentido moral, es un hecho fundamental de la condición humana: todos poseemos, en principio, la misma dignidad por el hecho de existir. Dentro del ámbito ético las modificaciones deberían proceder solamente del mérito y de la justicia distributiva. Hay varias formas de igualdad: la material, la de oportunidades, la de género, la legal. La desigualdad, en cambio, es la distribución asimétrica de poder, bienes y recursos entre los seres humanos. La desigualdad social es aquella que se ha desuncido de la natural, según criterios valorativos de autoridad, propiedad, privilegio, honores, prejuicios y creencias». Un aspecto singular de la desigualdad social contemporánea estriba en su derivación de una previa creación de igualdad, paradoja que Giner llama «forja igualitaria de la desigualdad», resultado del desarrollo del proceso histórico de la humanidad a lo largo de los dos últimos siglos.

La demanda de igualdad social define una de las notas distintivas de posiciones de izquierda, como marca Bobbio. Frente a ella, el neoliberalismo o neoconservadorismo —a diferencia de las corrientes racionalista, socialista, liberal democrática, social cristiana— rechaza la concepción de la igualdad entre los hombres. A juicio de sus ideólogos, los hombres son naturalmente desiguales, excepto en el plano de la ley («una exigencia política», como dice Karl Popper) y en el del mercado (los hombres son igualmente libres para la adquisición o disfrute de sus propiedades). El fundamento del carácter irrestricto del derecho de propiedad exige la igualdad ante el mercado y afirma la desigualdad económica y social. En el plano político, ello se traduce en una concepción puramente instrumental del Estado: la defensa de la propiedad privada y del mercado (de las relaciones mercantiles). De ahí que se le asigne a él la exclusiva satisfacción de las necesidades de la seguridad y de la justicia.

En oposición al liberalismo democrático, al socialismo y al social-cristianismo, los neoliberales (retomando las posiciones iniciales del liberalismo, que apareció históricamente con una fuerte carga antidemocrática) afirman la necesidad de asegurar la persistencia de las desigualdades: la lucha por reducirlas implica la expansión de la libertad de las mayorías y de las potencialidades y capacidades humanas, como puede apreciarse en el Estado Benefactor y en la democracia social, igualando así (al menos tendencialmente) a quienes son naturalmente desiguales (de donde las «teorías» de la dictadura del número o de la distinción entre masas y elites). Tales políticas llevan al estatismo, al socialismo, al exceso de democracia, a la ingobernabilidad. De allí no tarda en saltarse a la idea de «democracia protegida», eufemismo para designar situaciones en las cuales desaparece la competencia política abierta, libre, democrática, es decir, situaciones de dictadura. En este sentido, como explícitamente lo ha señalado uno de los más destacados teóricos neoliberales, Gerhard Ritter, la convicción acerca de la genética escisión entre liberalismo y democracia apunta al derrocamiento

de la política, el gran objetivo neoconservador. Este ataque toma, casi invariablemente, la forma del discurso antidemagógico, antiestatista y antisocialista.

La democratización es un proceso de ampliación del espacio político, dentro del cual aparecen, incrementados, los servicios públicos que atienden la satisfacción de las necesidades sociales en materia de educación, salud, vivienda, previsión social. Políticas tales sólo pueden llevarse adelante, en la interpretación de Gerhard Ritter (1972: 138-141 y 143), «mediante una expropiación fiscal sumamente radical de las clases superiores, es decir, mediante la nivelación social (...). La democracia de masas le allana el camino (a la tiranía) en la medida en que quita al individuo su propia responsabilidad y permite que su voluntad se sumerja en la "voluntad general" de las masas. (...). Quien quiera impedir la tiranía tiene que educar a los hombres en la responsabilidad personal. Tiene que intentar desmasificar a las masas estructurándolas en grupos con responsabilidad propia. (...). La cuestión central, desde el punto de vista de la idea liberal de libertad, es la siguiente: ¿volveremos alguna vez (y cuándo) a vivir en una sociedad que tenga como fundamento el principio de la competencia entre fuerzas que se acicatean recíprocamente en lugar de estar fundada sobre la nivelación, la imposición, el dirigismo, la regulación y los reglamentos, una sociedad en la que, al menos, importe más el despertar la iniciativa personal que el facilitar la lucha por la vida a los más débiles mediante la previsión estatal?».

La conclusión y la propuesta es muy clara: la restauración del mercado, la afirmación del mercado como «la autoridad social» por excelencia, desplazando así el ámbito o la instancia de la decisión final de lo político a lo social y consagrando la escisión entre Estado y sociedad. Como muy bien dice Norbert Lechner: «El mercado controla socialmente a las masas restableciendo la responsabilidad individual (o sea, diferenciando y atomizando la masa uniforme). Y desarticulando "la lucha por la vida de los más débiles mediante la previsión estatal", la *desmasificación* permite la *desestatización*. Es decir, controla económicamente al gobierno» (Lechner, 1982: 49).

La lógica del mercado es la de la fragmentación atomística, la de la destrucción del tejido social, la del «sálvese quien pueda» (y como pueda). La regulación es concebida como natural, resultado de la «mano invisible», una «mano invisible» que, curiosamente, siempre regula concentrando lo más en los menos y desconcentrando lo menos en los más. Es que quienes son naturalmente desiguales no pueden tener ni aspirar a tener intereses materiales comunes. En tanto, la intervención política se ha caracterizado, al menos desde las últimas cinco o seis décadas del siglo XX, por la creciente participación (y capacidad de decisión en algunos casos) de las masas; ella es visualizada por los neoconservadores como responsable del «desborde» democrático (la soberanía popular ilimitada como gran enemiga de la libertad, de donde surge la necesidad de poner límites o controles al gobierno representativo). Como tal, debe ser desterrada de las prácticas sociales y reemplazada por «soluciones técnicas», para las cuales basta con un Estado mínimo cumpliendo la función de restablecer el orden. «Restablecer el orden ya no significa organizar la sociedad sino, al contrario, desorganizarla. Vale decir: desarticular los intereses organizados que distorsionan la autorregulación espontánea del mercado (nacional y mundial)» (Lechner, 1982: 49).

Hace ya un tiempo, Karl Polanyi (1992: 81-82) lo señaló claramente: «Si se permitiera que el mecanismo del mercado fuese el único director de la cantidad y el uso del poder de compra, se demolería la sociedad.» Justamente, la fragmentación de la sociedad aparece en un plano dominante y se aprecia en la creciente importancia de las estrategias individuales de adaptación a las condiciones de aquélla. Se percibe con claridad en el caso del mercado de trabajo, particularmente en el sector informal urbano, pero es también un fenómeno que, con las obvias diferencias, atraviesa verticalmente al conjunto de la sociedad y se extiende por los campos de la cultura y de la política. La fragmentación social dificulta la (re)constitución de identidades colectivas y potencia, en el mejor de los casos, las representaciones segmentadas, puramente sectoriales; en el peor, en cambio, abre camino a la anomia. En un contexto tal —que en algunos países se yuxtapone con sistemas de partidos políticos débiles y culturas políticas democráticas endebles— las direcciones políticas partidarias vacilan, no encuentran respuestas nuevas, dejan de representar cabalmente los intereses de la sociedad civil y se *oligarquizan*, rompen o debilitan notoriamente sus vasos comunicantes con la sociedad y hasta con sus propias bases.

Fragmentación-disgregación en la base de la sociedad, concentración en el vértice. Desestructuración de los actores socio-políticos y con ella reforzamiento de las dificultades en los mecanismos de mediación y representación. Tales las notas distintivas, en este plano, de las políticas de ajuste. La consecuencia obvia es la debilidad o incluso la inexistencia de garantías sobre el componente de reconversión económica que conllevan las políticas de ajuste estructural. «En ese sentido, la creciente dificultad por parte de los partidos para agregar las demandas y contribuir a procesar el conflicto social (transgresión programática, extremo pragmatismo de alianzas, accionar racionalizador de políticas inconsensuables, etc.) se suma a la pérdida de centralidad de los movimientos sindicales en el sistema político, que les sustrae capacidad para incidir en la regulación de los ingresos y en los distintos aspectos de la reestructuración (innovación tecnológica y cambios en los procesos de trabajo). En el caso de los movimientos sociales, su fraccionamiento y diferenciación, profundizados a veces por las propias políticas estatales orientadas a ellos, la acción colectiva tiende a oscilar entre el comunitarismo basista, el clientelismo y la confrontación», Calderón y Dos Santos (1990: 96). Dicho en otros términos: «la ausencia de mediaciones políticas adecuadas para introducir los cambios necesarios en el sistema» (Escobar 1991: 19).

La ruptura del tejido social y de las redes de solidaridad potencian las salidas individuales, sean dentro o fuera del marco de la ley o en espacios de indefinición que suelen existir al respecto, cuando no en la yuxtaposición (como en los casos de la comercialización de artículos contrabandeados o robados). Entre las ilegales están los robos y hurtos en pequeña escala —de bienes comercializables, alimentos o dinero—, las ocupaciones de terrenos o viviendas, que se constituyen en una de las primeras «salidas» para los marginales. Uno de sus efectos es la generación de acciones de autodefensa personal (como las aparecidas en Buenos Aires y en el Gran Buenos Aires, hacia 1990, bajo la forma de falsos «justicieros» ensalzados por la prensa sensacionalista y comunicadores sociales conservadores) o de grupos parapoliciales que atacan barriadas marginales sospechosas de ser refugio de ladrones, o de «limpieza social» (como en Bogotá, São Paulo y Río de Janeiro).

La «limpieza social» constituye uno de los más brutales géneros de violencia aparecidos y extendidos por varios países de América Latina desde mediados de la «década perdida» de 1980. La «limpieza social» es la matanza sistemática de personas desamparadas económicamente que viven en el límite más marginal de la sociedad: mujeres y jóvenes prostituidos, niños de la calle, consumidores de droga, mendigos, recolectores de papel y desechos, delincuentes comunes y travestis».

Según la definición de la CEPAL (1990), económicamente la década de 1980 fue una «década perdida» para América Latina. A finales de 1989, el producto real por habitante de la región era igual al de 1976 (en algunos países incluso menor). En conjunto, el crecimiento del PBI regional arrojaba, entre 1981 y 1989, un resultado negativo: –8,3 por ciento, siendo particularmente significativo el hecho de que los seis países exportadores de petróleo acusaban índices negativos, como también las cuatro grandes economías (Argentina, Brasil, México, Venezuela), de las cuales dos eran exportadoras de petróleo. El ajuste era regresivo y provocó deterioro social, produciéndose el mayor costo (de modo desproporcionado) entre los trabajadores y los sectores de ingresos medios, por una parte, y la masa de desocupados y subempleados, por otra, condenados a pagar el grueso de los sacrificios provocados por la combinación de estancamiento con inflación.

Santiago Escobar observa con justeza: «Ninguna modernidad ni desarrollo serán posibles con cerca de la mitad de la población regional en niveles de subconsumo alimentario y en condiciones de extrema pobreza, la proliferación del desempleo y la obsolescencia de los aparatos educativos» (Escobar, 1991: 27).

Las reformas del Estado en la década de 1930 (Estado incluyente) y en las de 1980 y 1990 (Estado excluyente)

En las últimas décadas del siglo XX, la reforma del Estado se afianzó como una necesidad para asegurar una gobernabilidad democrática progresiva. El primer componente de la reforma fue, justamente, tornar más democrático el propio Estado y el ejercicio del poder político. Democratizar significaba, aquí, transferir funciones estatales a la sociedad civil, a instituciones y organizaciones creadas por ésta, capaces de ejercer mediaciones democráticas, de controlar efectivamente al Estado (primacía de la «razón de la sociedad» frente a la clásica de la «razón de Estado») y al propio gobierno (en la vieja línea de Madison: para que haya democracia, la primera medida es que haya un gobierno capaz de gobernar; la segunda es que haya una sociedad capaz de controlar el gobierno). Significaba también estatuir, consolidar y preservar «un estilo de gestión estatal democrático»: reorganizar, racionalizar, desburocratizar, democratizar el comportamiento y gestión de la burocracia, mejorar el nivel y el alcance de los servicios sociales prestados por el Estado. Lo central de la reforma del Estado no estribaba solamente en su eficiencia; mucho menos, que sólo protegiera a sectores minoritarios de la sociedad: residía preferentemente en crear límites a su arbitrariedad mediante el pleno, irrestricto ejercicio de los derechos humanos (individuales y sociales). Reformar el Estado, en esta perspectiva, significa eludir la trampa neoconservadora que, con su consigna, evita (o procura evitar) toda discusión sobre el aspecto fundamental, la reforma de la sociedad.

Hay reformas que atañen al funcionamiento del gobierno, especialmente las relativas a la disminución de la centralización o concentración del poder presidencial, a potenciar la capacidad de decisión real del Parlamento. Pero hay que ir más allá y observar la participación y la decisión políticas, realizables mediante adecuadas medidas de descentralización efectivamente democratizadoras (no reproductoras de mecanismos clientelares, caudillistas), combinadas con formas representativas y formas directas y semidirectas (plebiscito, referéndum, etc.). En este sentido, la descentralización debía incluir varios campos: económico-financiero (de recursos fiscales) y de empleo de recursos naturales, administrativo o burocrático, de decisiones políticas y de políticas regionales. De igual modo, la decisión de desprenderse

de activos estatales, de empresas y de servicios no debía significar solamente la posibilidad de privatización capitalista, ni de formas mixtas estatal-privada; podían explorarse instituciones de propiedad pública administradas por cooperativas, por usuarios, por instancias locales (barriales, comunales), por autogestión, u otras formas o mecanismos.

El Estado debía resignificar y potenciar su capacidad y su función reguladora, descartando las funciones agotadas e incorporando nuevas estrategias. La función estatal de regulación social significaba primacía sobre la dinámica o la lógica excluyente del mercado. En este sentido era esencial contar con un sistema político capaz de combinar adecuadamente organizaciones y mediaciones políticas, corporativas y otras que resultasen del fortalecimiento democrático de la sociedad civil, de modo tal que se privilegiara «la dimensión política del *pluralismo conflictivo* en lugar del rol dirigista atribuido al gobierno por el *pluralismo corporativo* que (...) cumple inevitablemente con una función autoritaria de selección de las demandas». El doble fracaso del capitalismo (entendido como triunfo de la libertad sin igualdad) y del «socialismo real» (entendido como primacía de la igualdad con abolición de la libertad) para generar sociedades mejores dejó abierto un espacio creador.

Ahora bien, es casi innecesario decir que la historia se construye en situaciones no elegidas ni definidas por la mera voluntad individual, a partir de condicionantes reales. Nuestras sociedades son hoy brutalmente desiguales. La dimensión de la desigualdad social torna muy difícil, a medio plazo, la consolidación de la democracia, ya no en su dimensión socioeconómica —proceso de *democratización*, como se ha dicho antes— sino incluso en la meramente política. Así, el desafío para los latinoamericanos, en este plano, y utilizando la feliz expresión del peruano Henry Pease García, es construir democracia desde la precariedad (1988). Siendo una tarea difícil, no es imposible. Estabilidad democrática que permita avanzar hacia una democracia «gobernante» y no «gobernada», y gestión económica progresiva traducida en desarrollo no sólo estrictamente material sino también la creación de nuevas opciones, parece ser la «fórmula» de salida de la crisis. Ella requiere, sobre todo, la recreación de los valores libertad e igualdad, inescindidos, como base de una sociedad genuinamente democrática y justa.

La cuestión es compleja. Aunque a menudo no es planteada explícitamente, cuando no es soslayada por completo, esa cuestión compleja no es nueva, sólo que ha aparecido resignificada tras la crisis del socialismo como alternativa al capitalismo. En efecto, ella estriba en saber hasta dónde, en el contexto histórico-estructural latinoamericano, es posible aunar democracia y capitalismo. La aplicación rabiosa de las políticas propuestas por el Consenso de Washington, la debilidad para enfrentar los aspectos regresivos de la globalización neoliberal-conservadora, el incremento brutal de la desigualdad social, la expulsión de millones de hombres y mujeres del mercado de trabajo, el incremento brutal de la pobreza, el costo terrible de la deuda externa, la desprotección estatal son, entre otros, elementos que se suman a los agentes erosionadores de la construcción de un sistema político democrático.

Aunque hay otros, la crisis de la deuda externa de los años 1980 es un condicionante externo clave de los procesos de transición y consolidación de la democracia en América Latina. Dicha crisis aglutinó, en realidad, transformaciones de larga duración que vinieron dadas a partir de la crisis de 1930, aunque cabe notar un rasgo singular: ambas crisis culminaron con cambios políticos opuestos. En líneas generales, en 1930 la crisis se resolvió con la instauración de autoritarismos, mientras que en 1980 la crisis dio lugar a los procesos de transición a la democracia desde situaciones de dictaduras institucionales de las fuerzas armadas.

Pero hay más diferencias. Según Puchet, «(l)a crisis mundial de los treinta comenzó claramente por una recesión en los países centrales que se agudizó hasta convertirse en depresión profunda. (…) Por el contrario, la crisis de los ochenta se inició como una crisis de cesación de pagos, principalmente por los deudores latinoamericanos». En breve: «recesión central con deflación, caída en los precios de las materias primas importadas y consecuente disminución del ingreso de divisas, seguidas de interrupción de pagos y recesión periférica en los treinta; cesación de pagos y caída en los precios de las materias primas, aumento en las obligaciones financieras y recesión periférica con inflación, junto con estancamiento e inflación moderada del centro durante los ochenta» (2003: 325).

La crítica de Puchet está dirigida contra el argumento, muy difundido, que sostiene que en ambas crisis una desorganización en el centro del sistema económico se propaga a la periferia y altera su funcionamiento regular. Como se ha visto, el argumento es válido para la primera de las crisis pero no para la segunda, en la que el desencadenante fue la cesación de pagos por parte de y en los países periféricos.

En cuanto a los cambios políticos desencadenados a partir de ambas crisis la diferencia más notoria ya ha sido señalada, en la cual es crucial el papel de las fuerzas armadas (fuerte en el proceso de 1930, débil en el proceso de 1980). Pero también en este plano hay más diferencias. Las sociedades de los años 30 venían de tres décadas de transformaciones y eran incluyentes; mientras que en las sociedades de los años 80 esas transformaciones estaban agotadas y se trataba de sociedades altamente excluyentes. Más aún, los modelos de organización social consolidados a partir de los años 1930 no generaron respuestas iguales ni similares a la crisis de 1980. Según Puchet, «los países que en los 80 se reorganizaron alrededor de la necesidad de la configuración nacional —Bolivia y Perú—, la refundación estatal —Argentina y Chile— o la reforma del Estado —Brasil y Uruguay—, exhiben después de los 30 rasgos dicotómicos respecto de sus transformaciones de largo plazo (Bolivia, Argentina y Brasil refundaron el Estado; Perú, Chile y Uruguay reajustaron modelos existentes). Así es que los países donde la crisis pasada (la de 1930) desembocó en cambios opuestos y diferentes en las relaciones entre Estado, sistema político y sociedad, muestran hoy (en los años 80), por el contrario, diagnósticos de sus crisis actuales y propuestas consecuentes para superarlas que son comunes» (2003: 330).

Como se ha dicho antes, la crisis de los años 1980 tiene como eje la crisis de la deuda iniciada en 1982, que a su vez no fue ajena a las dos crisis petroleras previas, la de 1973 y la de 1979. Durante los años que mediaron entre una y otra, se generó una gran liquidez bancaria —incrementada por el reciclado de las sustanciales ganancias de los países exportadores en gran escala—, que no orientó el flujo financiero hacia los países capitalistas centrales, que adoptaron políticas recesivas, sino hacia los dependientes, cuyos gobiernos optaron, mayoritariamente, por el crédito externo como medio para financiar planes de desarrollo económico o afrontar los altos costos de las importaciones de petróleo y sus derivados. En cambio, entre 1979 y mediados de 1982, los países industrializados y económicamente dominantes impulsaron políticas internas expansivas en lo fiscal y restrictivas en lo monetario, combinación que, en el caso de los Estados Unidos, convirtió a este país en un gran demandante de recursos externos, proceso acompañado de un aumento de las tasas de interés internacional. Los países dependientes, a su vez, continuaron su endeudamiento, a veces como

mecanismo para el pago del servicio de la deuda contraída en la etapa anterior, al tiempo que su situación se agravó aún más por la caída del precio de las materias primas.

Así, el alza de las tasas de interés y la sobrevaluación del dólar, por parte del gobierno norteamericano, incidieron fuertemente en el sobreendeudamiento de los países latinoamericanos. El Plan Baker, de 1985, a modo de respuesta a las peticiones expuestas por éstos en la Conferencia de Cartagena (junio de 1984) soslayó por completo la dimensión política de la deuda externa de la región y, por cierto, la propia responsabilidad de Estados Unidos. Entre los puntos acordados por los gobiernos de la región en la Declaración de Cartagena se destacan: 1) subordinar la gestión de la deuda al crecimiento económico; 2) la responsabilidad de la deuda debía compartirse entre acreedores y deudores; 3) los países latinoamericanos asumían el compromiso de pagar el servicio de la deuda; 4) iniciar un diálogo político entre los países afectados por el endeudamiento; 5) el tratamiento colectivo de la cuestión de la deuda debía ser preferencial sobre el individual, a efectos de evitar la obtención de condiciones favorables exclusivas.

El supuesto inicial del Plan Baker era que los países deudores podrían cumplimentar el pago de la deuda si crecían económicamente. Según argumenta Nora Lustig, el Plan se fijó «como objetivo reunir una cantidad considerable de crédito externo, tanto oficial como privado», pero el mismo no fue alcanzado. «Ante dicho fracaso, el Plan Baker entró en una nueva etapa, conocida como el "menú de opciones", que incorporó a la estrategia una serie de mecanismos orientados a reducir el *stock* o el servicio de la deuda, como los llamados bonos de salida, las operaciones de capitalización de deuda y las operaciones de recompra». Pero tampoco se obtuvieron los resultados esperados, de manera que, en marzo de 1989, se anunció una nueva estrategia, definida por el Plan Brady. «La reducción de la deuda o de su servicio se convirtieron en objetivo explícito y fundamental y dejaron de ser anatema de los círculos financieros internacionales. Por primera vez, los países acreedores aceptaron hacer uso de fondos oficiales, principalmente a través de los organismos multilaterales de crédito como el Fondo Monetario Internacional y el Banco Mundial, para apoyar operaciones de este tipo» (Lustig, 1995: 65). En la práctica, los resultados fueron modestos.

Considerando a América Latina en su conjunto, se observa que la deuda externa casi se triplicó (2,78) entre 1980 y 2002: pasó de 260.800 millones a 725.100 millones de dólares. Diez países lo hicieron por encima de la media, incluso más de cuatro veces, como en los casos de Uruguay (4,21), El Salvador (4,41), Argentina (4,89) y Colombia (5,45). Brasil incrementó la suya 3,22 veces y México, la otra gran economía regional, 2,46 veces. Venezuela (1,12), Costa Rica (1,52 veces) y Bolivia (1,56) fueron los países con menor incremento de la deuda externa. Pero todos la aumentaron.

Los países latinoamericanos apelaron a experimentos ortodoxos y heterodoxos para salir de la crisis, tal como ocurrió entre 1982 y 1987. La devaluación (con una media regional del 23 por ciento) fue uno de los instrumentos de aplicación generalizada. La reducción de los salarios del sector público, otro, especialmente en Chile y en México. Entre los países del Mercosur, Argentina y Brasil —y Perú fuera de ese espacio— apelaron a medidas heterodoxas, como los planes Austral y Cruzado, respectivamente. El Plan Austral (1985) estableció un congelamiento general de precios y salarios, implantó un tipo de cambio fijo, devaluó el peso un 40 por ciento y lo reemplazó por una nueva moneda, el austral. La inflación descendió del 350 por ciento en el primer semestre, al 20 por ciento durante el segundo. Brasil siguió un camino más o menos parecido: el Plan Cruzado (1986) congeló los precios, liberalizó los salarios, sustituyó el cruzeiro por el cruzado y logró reducir la inflación. Al cabo de pocos meses ambos planes concluyeron en sendos fracasos, apreciándose rebrotes inflacionarios.

Los años 1980 fueron negativos para la economía latinoamericana. Tanto que la Comisión Económica para América Latina y el Caribe (CEPAL) la denominó con una muy conocida expresión: «la década perdida». A escala regional, el PBI cayó, entre 1981 y 1989, 8,3 por ciento, llevando el nivel del mismo a los valores de 1977. Otro flagelo fue la inflación, llegada incluso al nivel de la hiperinflación en Argentina, Bolivia y Brasil.

La década de 1990 —marcada por la adhesión de los gobiernos a los lineamientos del Consenso de Washington— se caracterizó, en cambio, por una recuperación de indicadores macroeconómicos. Las políticas de ajuste estructural estuvieron a la orden del día. En la nueva etapa jugaron un papel destacado las reformas fiscales, la drástica reducción del gasto público, la desregulación de todos los sectores de la economía, especialmente aquellos vinculados a los derechos sociales, los servicios, los transportes y los salarios. La ofensiva de los capitalistas y los gobiernos arrasó con buena parte de las conquistas obreras del período dominado por el patrón de acumulación, típico del modelo de industrialización por sustitución de importaciones. También se depreciaron las monedas nacionales y se abrieron las economías a la competencia internacional, abandonándose las políticas proteccionistas previas.

Una nota distintiva de las políticas neoliberales aplicadas en América Latina fue la formidable transferencia de recursos estatales a capitales privados mayoritariamente extranjeros, mediante una generalizada apelación a la privatización de empresas publicas, llevada a cabo en dos momentos: 1991-1992 y 1996-1997. En Argentina, el gobierno de

Carlos Menem privatizó el sistema de jubilaciones y empresas de servicios claves, como Aerolíneas Argentinas, Gas del Estado, Obras Sanitarias de la Nación, Empresa Nacional de Telecomunicaciones, Ferrocarriles Argentinos, el Correo, el espacio radioeléctrico, la producción y distribución de energía eléctrica, e incluso un recurso estratégico como el petróleo: la privatización de Yacimientos Petrolíferos Fiscales (YPF), paradigma de las empresas estatales del país, no significó solamente la pérdida de control sobre un área crucial, sino también el disparador de la ruptura del lazo social en espacios provinciales donde YPF había desempeñado, históricamente, una considerable función contenedora. No por azar, los piquetes y los piqueteros surgieron en ellos. El primero tuvo lugar en Cutral-Có, provincia de Neuquén, entre el 20 y el 26 de junio de 1996. Meses después, el 12 de abril de 1997, en la misma localidad y en ocasión de otro piquete, las fuerzas represivas dieron muerte a una de las manifestantes. Brasil entró más tarde en la onda privatizadora; lo hizo en 1997-1998, durante la primera presidencia de Fernando Henrique Cardoso, cuando fueron desnacionalizadas la *Companhia Vale do Rio Doce* (minera) y Telebras. En Chile, la desnacionalización había comenzado durante la dictadura militar, aunque sin afectar al estratégico recurso del cobre, nacionalizado durante el gobierno de la Unidad Popular. Uruguay, en cambio, fue renuente a, e incluso rechazó por voto popular, perder el control de las empresas del Estado. Adicionalmente, el pueblo uruguayo decidió, en una consulta simultánea con las elecciones presidenciales del 31 de octubre de 2004, no privatizar los recursos acuíferos, un campo estratégico clave en el futuro más o menos inmediato. El caso de Paraguay es significativo, puesto que este país no privatizó sus empresas.

En general, los partidarios de la privatización de empresas estatales y de las líneas directrices de la reforma del Estado (excluyente) de los años 1980 solían argumentar en favor de ellas haciendo referencia a las prácticas de corrupción favorecidas por un Estado grande. Sin embargo, ni la efectiva privatización de tales empresas ni la reducción del «tamaño» del Estado han operado como un freno a tales prácticas. Por el contrario, parecen haberlas incrementado.

Una de las claves para entender las reformas del Estado de 1930 y 1980 es el tenor de la tensión inclusión/exclusión. En efecto, en la coyuntura de 1930 la revolución en Bolivia, el peronismo en Argentina e incluso la dictadura del *Estado Novo* en Brasil se fundaron sobre premisas de incorporación de los nuevos sectores sociales. Del mismo modo lo hicieron los gobiernos reformistas que ampliaron las bases sociales del Estado en Perú, en Chile y en Uruguay. Por el contrario, la crisis de 1980 y las soluciones neoconservadoras que los distintos gobiernos han elaborado a partir de ella tienen como factor común la fragmentación, la exclusión y las desigualdades sociales.

Un escenario sobrecogedor: fragmentación, exclusión y desigualdades sociales

Las políticas neoliberales-conservadoras han producido una brutal fragmentación social, traducida en ruptura de los lazos de solidaridad y exacerbación de las desigualdades sociales. Tanto como para poder decir que han generado un régimen de *apartheid* social, toda vez que sus consecuencias y manifestaciones más visibles son la segregación socioeconómica y cultural de grandes mayorías demográficas. Este *apartheid* social opera en dos registros entrelazados: el de cada una de nuestras sociedades, consideradas en su dialéctica interna, y el del mundo globalizado. En uno y otro, las distancias que existen entre hombres y mujeres ubicados en diferentes planos de la pirámide social se han tornado crecientemente mayores. El impacto es de tal magnitud que la tendencia estructural y la lógica misma del régimen se orientan —de no mediar una acción correctora del resto de Estado que queda— hacia una aún mayor desigualdad social. El nuevo orden económico, político y cultural latinoamericano es, como todos los inspirados en los mismos principios, generador de nuevas y mayores desigualdades, las cuales son reforzadas por el *cierre social*, es decir, el proceso mediante el cual determinados grupos sociales se apropian de, y reservan para sí mismos —o bien para otros, generalmente allegados a ellos—, ciertas posiciones sociales. El cierre social se aprecia tanto en niveles microsociológicos —atribuir una posición a una persona dada, y no a otras, por razones de discriminación, por ejemplo— cuanto en el nivel macrosociológico, en el cual se produce una distribución discriminatoria de propiedad, poder, privilegios y empleo a ciertos y específicos individuos con total o parcial exclusión de otros.

La cuestión de la relación entre democracia y exclusión no es nueva. Es la forma de referir la antes señalada, clásica ella, entre democracia y capitalismo. Tal cuestión puede plantearse en términos de la relación entre las consecuencias de las políticas neoconservadoras de ajuste estructural y los derechos humanos. En esa dirección, Elizabeth Jelin (1996) se sitúa «en la perspectiva que analiza la relación entre democracia política, equidad económica y democracia social», para la cual «[l]a exclusión y la indigencia son la negación de derechos fundamentales. No puede haber democracia con niveles extremos de pobreza y exclusión, a menos que se defina como no humanos a un sector de la población».

La situación de pobreza crítica genera complejos «circuitos de supervivencia», que combinan estrategias diversas, a menudo entremezcladas, como en el caso de las familias rurales andinas, que trabajan en la economía campesina —sea legal o ilegal— y en la formal o informal urbanas, en algunos casos incluso adoptando formas asociativas o cooperativas, aunque más frecuentemente tienen carácter individual o bien familiar. Otras veces, la «salida» es la práctica de actividades delictivas, desde el robo de alimentos hasta la vinculación con grupos criminales organizados.

Un dato muy significativo es que la informalidad laboral, la desocupación y el subempleo (la marginalidad en su conjunto) es un espacio crecientemente ocupado por emigrantes recientes, jóvenes y mujeres, personas con bajo nivel educativo, ex trabajadores industriales e incluso, como se advierte paradigmáticamente en Argentina, sectores pauperizados de clase media urbana. Todos ellos parecen coincidir en un aspecto pesimista y dramático: la inexistencia de futuro. Algunas estrategias propuestas en relación al papel del sector informal destacan un supuesto factor dinamizador de éste, algo así como una versión moderna (y degradada) de la figura del empresario innovador, sea que adopte una forma individual o la de las promocionadas «microempresas». Al respecto, parece difícil sostener seriamente políticas fundadas en tales concepciones. Independientemente de cualquiera otra consideración, un límite seguramente infranqueable es la contracción de la demanda de los bienes y servicios que puede ofrecer el sector informal —obvio, en razón de la continuidad y profundización de la crisis— y el incremento de la competencia en la oferta de los mismos —por el flujo de nuevas incorporaciones al sector.

En el mejor de los casos, la perspectiva para crecientes sectores de la sociedad es apenas la supervivencia. Franqueado este límite, el único territorio posible de explorar es la anomia, la violencia bajo sus diversas formas, la desintegración social. Dentro de los marcos del propio sistema, durante toda la década de 1990 no se advirtieron estrategias gubernamentales que apunten al mantenimiento de la integración social y, al mismo tiempo, fortalezcan políticas de gobernabilidad democrática, no reducible a meras disposiciones administrativas más o menos efectivas. En este plano en la actualidad todo indica que la necesidad de una interacción entre políticas gubernamentales o estatales y respuestas de los destinatarios de ellas sigue siendo un punto clave para la gobernabilidad.

Las políticas de ajuste tienden a mostrar una faceta que bordea lo siniestro: no sólo se reducen dramáticamente las partidas presupuestarias destinadas a atender demandas sociales antes generalmente satisfechas por el Estado de Compromiso, sino que ahora el Estado tiende a desentenderse de la *suerte* de los beneficiarios de ellas. Por contrapartida, la desatención estatal en materia de las necesidades (tutelares, sociales, públicas) en salud, educación, vivienda, previsión social, se traduce en un reforzamiento de la atención de necesidades públicas más tradicionales, particularmente la seguridad interior. La opción por la seguridad interior significa adoptar medidas conducentes al control social.

En las décadas de 1970 y 1980, millones de latinoamericanos se tornaron pobres o más pobres y por añadidura fueron objeto de mayor desatención por el Estado y librados a la ventura o, empleando una expresión convencional, librados a su suerte, aunque en este caso ella parecería una manifestación de cinismo. Las partidas para salud y educación, dentro del presupuesto total de los gobiernos centrales, han descendido en la mayoría de los países de la región entre 1970 y 1985, caída acentuada en los decenios siguientes. Otro indicador es el carácter regresivo y brutalmente desigual de la distribución de los ingresos, que permite observar cuán más rica se ha hecho la minoría rica y cuánto más pobre la mayoría pobre. En Bolivia, Brasil y en la Nicaragua pos sandinista llama la atención, según la CEPAL, que «los ingresos *per cápita* del quintil más rico (20 por ciento de los hogares) superen más de

treinta veces el ingreso del quintil más pobre. Particularmente sorprendente es el caso de Bolivia, donde el último quintil recibe ingresos casi cincuenta veces superiores a los del primero, mientras que el promedio de los demás países [de América Latina] se sitúa en alrededor de veintitrés veces» (CEPAL, 2002: 68).

Un caso especial es el de Argentina, donde la brecha entre los que perciben menos y quienes perciben más ingresos prácticamente se duplicó en la década de 1990. La situación se agravó en 2002, tras la caída del gobierno del presidente De la Rúa, la desprolija salida de la convertibilidad y la consecuente devaluación y el mayor agravamiento de la crisis. Así, una gran y cruel paradoja se hizo bien visible: en un país que otrora fuera conocido como el del ganado y las mieses, con una capacidad actual de producción de alimentos para más de 300 millones de personas, más de la mitad de la población pasa hambre. Una consecuencia terrible de esta situación, mirada en prospectiva, es que la mayor incidencia de la pobreza se observa en la banda etaria de 6 a 12 años, mientras el desempleo se ha acentuado en los jóvenes de 15 a 18 años. En lo que va del gobierno del presidente Néstor Kirchner, la situación no sólo no se ha corregido sino que se ha empeorado, pese a la notable recuperación económica iniciada en 2003.

La retirada estatal del campo de la solidaridad social llega, incluso, a los casos de protección a refugiados políticos. La internacionalización de la guerra en Centroamérica generó desplazamientos de población entre países, los cuales fueron atendidos por la comunidad internacional, que brindó protección a los afectados. Pero no ocurrió lo mismo en el caso de los desplazados internos, especialmente en Colombia y Perú. En estos países, las respectivas situaciones de enfrentamientos entre las fuerzas armadas (en ambos casos, como las de Guatemala, en los niveles más altos de violaciones a los derechos humanos) y grupos insurgentes y/o narcotraficantes generaron un fuerte desplazamiento de población campesina o rural, la que —a diferencia de Centroamérica— no salió de las fronteras internas o nacionales. Sólo para citar algunas de las cifras más elocuentes, en 1994 los desplazados internos fueron 600.000 en Perú y 300.000 en Colombia. Todos ellos fueron excluidos de las formas de protección usualmente utilizadas con los refugiados internacionales. Un efecto adicional nada despreciable de estos desplazamientos internos, amén de la inestabilidad económica, ha sido la pérdida de la identidad social y cultural. La discriminación étnica (dentro de la cual debe incluirse la imposibilidad de mantener su propio idioma, como sucede con los desplazados quechuaparlantes en Perú y, en otro contexto, los mayahablantes en Guatemala) va invariablemente asociada a dicho proceso.

El indicador con mejores resultados fue el de la inflación, reducida drásticamente, entre 1987 y 1997, en casi todos los casos —una excepción fue Honduras, donde subió de 1,8 a 15 por ciento anual—. Uno de los casos más notorios fue el argentino, con la aplicación de la convertibilidad —a corto plazo, un cepo que no tardó en estallar—, tras las hiperinflaciones de 1989 y 1991. También se destacó el Plan Real, en Brasil, pergeñado en 1993 por Fernando Henrique Cardoso, por entonces ministro de Economía del presidente Itamar Franco. Sin embargo, la situación de la región fue afectada, durante el segundo quinquenio de la década de los 90, por las turbulencias financieras internacionales, en particular a partir de la crisis mexicana del «tequila» de diciembre de 1994. Si bien el gobierno de México pudo contener la caída del peso —merced a la fenomenal ayuda financiera del gobierno norteamericano y del Fondo Monetario Internacional, que destinaron, respectivamente, 20.000 millones y 17.800 millones de dólares a tal efecto, las economías latinoamericanas se enfrentaron con la llamada, eufemísticamente, volatilidad de los capitales.

En definitiva, los efectos de la aplicación de modelos neoliberales son mucho más negativos que los del deterioro del modelo desarrollista; son, incluso, siniestros. En el terreno económico, político, social y cultural se aprecia: mayor concentración de la propiedad y del ingreso (ricos cada vez más ricos, pobres cada vez más pobres y más numerosos), dominio del componente especulativo de las economías (incluso del comportamiento económico individual), reforzamiento del poder del capital extranjero productivo y financiero, destrucción de porciones significativas del sector industrial, incremento de las desigualdades sociales, disminución de los niveles y calidades de vida y de consumo, aumento del desempleo, del subempleo y de la informalización de la economía, socavamiento de las redes de solidaridad social, despolitización, primacía de la privacidad, generalización del miedo como elemento de la cotidianeidad, prácticas terroristas de Estado, ataque a los principios de representación política vía partidos-Parlamento y a los de emancipación social, cercenamiento de toda expresión pública de productos derivados de la libertad de expresión...

Por otra parte, los organismos internacionales —Banco Interamericano de Desarrollo (BID), Fondo Monetario Internacional (FMI) y Banco Mundial— no parecen asumir responsabilidad en el incremento de la pobreza y de la desigualdad social. Así, por ejemplo, se ha dicho, entre otras apreciaciones de similar tenor: «Al [sic por En el] nivel más inmediato las brechas de ingresos se explican primordialmente por diferencias de educación. Pero esas diferencias son el resultado de un proceso de decisiones que tiene lugar en las familias, en el cual intervienen las condiciones económicas, sociales y culturales de los padres. (...) De esa manera, la educación y la familia son los canales a través de los cuales se reproduce la concentración del ingreso. En un tercer nivel de análisis, se encuentra el contexto...» (BID, 199: 35).

En el campo en el cual se organiza la dominación, «[l]a democracia se ha impuesto como régimen político dominante en toda la región latinoamericana». Tal es la primera de las ideas centrales de *La democracia en América Latina*, el reciente informe del PNUD. Pero sus redactores formulan, también, claras advertencias (PNUD, 2004: 26). Así, dicen: «Las dimensiones de la ciudadanía política, civil y social no están integradas. La más avanzada ha sido la primera. Todavía todas las garantías propias de la ciudadanía civil no alcanzan de manera igualitaria a todas las ciudadanas y todos los ciudadanos.» Debe añadirse que la ciudadanía social ha sido muy afectada por las políticas aplicadas desde la adhesión al Consenso de Washington. Por tanto, hoy, apunta el Informe del PNUD, «[l]a dificultad del Estado para satisfacer las demandas sociales se debe en parte a la limitación de recursos y a los recortes de impuestos. Adicionalmente, el poder del Estado se encuentra limitado por los grupos de interés internos y externos». Está claro que la economía de mercado es, hoy, dominante en nuestros países. Sin embargo, destaca el Informe, «[d]entro de la economía de mercado existen distintos modelos. El fortaleci-miento de la democracia requiere el debate de esas opciones. El ímpetu democrático que caracterizó las últimas décadas parece debilitarse. América Latina vive un momento de inflexión. Las reformas estructurales asociadas con el Consenso de Washington no han generado un crecimiento económico que atienda las demandas de la población. Poco a poco se abre paso la idea de que el Estado retome las funciones de orientador o regulador de la sociedad. La necesidad de una política que aborde los problemas sustanciales de la coyuntura actual y de una nueva estatalidad son ejes centrales de un nuevo debate en el cual está en juego el futuro de la región».

Si bien es cierto que en América Latina las condiciones de construcción de democracia son precarias, no menos cierto es que hay intentos más serios y consistentes que en el pasado por construir regímenes políticos genuinamente democráticos —aunque escasamente con contenido social—. Hay *condiciones de posibilidad*, no necesariamente *condiciones de realización*. La tensión entre demanda de mayor ciudadanía a los ciudadanos —por parte de sujetos más genuinamente democráticos— y demanda de mayor poder represivo a los gobernantes —por parte de sujetos democráticos sólo por oportunismo e interés— es un buen ejemplo de las dificultades a vencer.

EPÍLOGO BREVE

América Latina transita la primera década del siglo XXI con más continuidades y menos rupturas con la precedente, la última del siglo XX. La década de 1990 se caracterizó por una formidable expansión de las políticas del Consenso de Washington impuestas por gobiernos democráticos (notoriamente, Argentina, Brasil, México) en contraste con un pasado que, en los años 1970, asociaba el modelo neoliberal con las dictaduras institucionales de las fuerzas armadas, cuya paradigma era el Chile de Pinochet. Promediando la década actual, el rasgo distintivo parece mostrar un panorama contestatario que, en términos políticos, es presentado (por los medios de comunicación, sobre todo) como un viraje de la ciudadanía hacia la izquierda o, a menos, el centroizquierda (de lo cual serían ejemplo Bolivia, Brasil, Chile, Uruguay, Venezuela y, en menor medida, Argentina).

Sin embargo, la cuestión es bastante más compleja de lo que sugieren apresuradas, cuando no mal intencionadas, lecturas de los movimientos históricos en curso en las sociedades de la región.

En el plano económico, la primera mitad de la década inicial del siglo XXI muestra indicadores positivos. En efecto, los países de América Latina y el Caribe han completado tres años consecutivos de crecimiento y el producto bruto interno ha aumentado un 4,3 por ciento en 2005, basado en la expansión de la demanda interna y en un escenario internacional favorable, que se estima proseguirá en 2006, según el último informe anual de la Comisión Económica para América Latina y el Caribe (CEPAL). Éste muestra que la mayoría de los indicadores han tenido un desempeño positivo

en 2005: cayeron el desempleo, la pobreza y el riesgo país; subieron la inversión y las exportaciones; bajaron el endeudamiento público y mejoraron las cuentas fiscales.

Si bien las economías latinoamericanas retomaron el crecimiento, después de sortear los efectos de la crisis asiática de finales de los 90 y comienzos de este siglo, el paso es aún lento. «La región está creciendo más que en los últimos veinticinco años, más que en los años 90, pero menos comparada con el resto del mundo», según el secretario ejecutivo de la CEPAL, José Luis Machinea.

De confirmarse las proyecciones para 2006, el PBI de la región por habitante habrá aumentado casi el 11 por ciento desde 2003. El desempeño de las economías entre 2003 y 2006, algo superior al 4 por ciento anual, es mayor que el 2,6 por ciento de promedio anual registrado entre 1990 y 2002, pero a la vez está por debajo del 5,7 por ciento de la expansión del PBI en el conjunto de los países en vías de desarrollo entre 2003 y 2006.

En 2005, las economías de los países del Cono Sur y de la Comunidad Andina, y en menor medida del Caribe, superaron los resultados de la mexicana y las centroamericanas. Siete países crecieron por encima del promedio regional: Venezuela (9 por ciento), Argentina (8,6 por ciento), República Dominicana (7 por ciento) y Chile, Panamá, Perú y Uruguay (6 por ciento)[9]. En cambio, las economías de Brasil y México, las dos mayores de América Latina, tuvieron un menor crecimiento:

Según la CEPAL, el actual ciclo expansivo de la economía latinoamericana se explica por dos razones: 1) el aumento de la demanda interna en los

---

[9] Ya concluido este libro, se conoció la información oficial del Instituto Nacional de Estadística y Censos (INDEC), de Argentina, según la cual la economía del país creció, en 2005, el 9,2 por ciento.

países, en buena medida por la baja del desempleo promedio regional (de 10,3 por ciento en 2004 a 9,3 por ciento en 2005), lo que no ocurría desde hace veinte años, y por la recuperación de la tasa de inversión, incrementada un 10 por ciento en promedio, si bien con fuertes diferencias entre los países; 2) la expansión del volumen de exportaciones, durante 2005, del orden del 8 por ciento en promedio, pero que en Argentina y Uruguay fue el doble (16 por ciento) y en Haití el triple (24 por ciento). Las exportaciones se han convertido en la locomotora de las economías de varios países, en particular por la pujante demanda externa, impulsada por el aumento del comercio mundial (7 por ciento) y el crecimiento del PBI de China (9,5 por ciento) y Estados Unidos (3,5 por ciento).

Sin embargo, el desempleo es aún muy alto y una proporción creciente del empleo, incluso el formal, se hace en condiciones precarias (por ejemplo, contratos temporales), mientras los salarios reales no son equivalentes al repunte de las economías.

Está claro que la economía regional en su conjunto, y en la mayoría de los países en particular, está creciendo. También, que se asiste a una disminución del desempleo, de manera desigual, e incluso, en muchos casos, de la pobreza (notablemente en el caso chileno). Pero tan claro como esas constataciones es otra, aún más importante y decisiva para entender qué está pasando y, eventualmente, qué escenarios posibles pueden constituirse en el futuro inmediato: lejos de decrecer, la desigualdad social se está incrementando de modo brutal. Se trata, es cierto, de una tendencia iniciada en la década de 1950, que experimentó un salto considerable durante las dos últimas décadas del siglo XX, especialmente en la de 1990, que la primera del XXI no ha hecho más que ratificar y continuar ampliando la brecha entre los más ricos y los más pobres. Así,

América Latina se ha convertido en *la región más desigual* (no la más pobre) *del mundo*.

En febrero de 2006, en un foro organizado por el Programa de Naciones Unidas para el Desarrollo (PNUD), la subsecretaria general de la ONU, Louise Frechette, advirtió que, pese al palpable avance de la democracia en América Latina, hay «tendencias preocupantes» derivadas de crecientes desigualdades sociales expresadas en brotes de crimen y violencia, los cuales, para muchos observadores, guardan relación con el aumento de la desigualdad y la debilidad del Estado. Según la alta funcionaria de Naciones Unidas, el terreno ganado en democracia contrasta con el desencanto del proceso mismo y con el impulso de modelos económicos nuevos que no se han traducido en beneficio para la población, no siendo ajena a tal desencanto la «frustración con la inhabilidad de los gobiernos para responder a las profundas necesidades de sus ciudadanos».

En buena medida, la combinación entre desencanto con el proceso democratizador y demanda de mayor igualdad está en la base de la nueva protesta social, rápidamente politizada. El dato novedoso es que, desde el alzamiento del Ejército Zapatista de Liberación Nacional (EZLN), en Chiapas, en el sur mexicano (1994) —un movimiento de propaganda armada, más que una guerrilla al estilo clásico, con un eficaz empleo de los medios de comunicación de masas—, la mayoría de las movilizaciones sociales han tenido como base social fundamental a campesinos indígenas, a hombres y mujeres de los pueblos originarios, plurisecularmente explotados económicamente y dominados política, social y culturalmente. En Ecuador, en Perú (todavía en menor medida) y, sobre todo, en Bolivia —y habrá que ver qué ocurre en Guatemala— ése es el rasgo distintivo de la política en América Latina, hoy.

No son pocos quienes sostienen, al comenzar 2006, que Michelle Bachelet, la médica pediatra devenida primera mujer presidente de Chile, y Evo Morales, el líder campesino convertido en el primer indígena presidente de Bolivia, son dos manifestaciones emblemáticas de lo nuevo de las democracias latinoamericanas. Tal vez sea un sayo demasiado grande, o pesado, pero en todo caso lo cierto es que se trata de sendas expresiones simbólicas de proyección a planos relevantes de dos sujetos largamente excluidos: las mujeres y los indígenas campesinos. Quizá, la hora de los pueblos vuelva a sonar en el continente de la eterna esperanza y la permanente frustración, y los condenados de quinientos años alumbren un nuevo amanecer.

CRONOLOGÍA

1879-1883   Guerra del Pacífico. Chile vencedor frente a Bolivia y Perú.

El Coronel Francisco Bolognesi Cervantes y su Estado Mayor en Arica,
durante la Guerra del Pacífico.

1880   Federalización de Buenos Aires y primera presidencia de Julio A. Roca
            en Argentina.
1888   Abolición de la esclavitud en Brasil.
1889   Brasil: fin del Imperio. Proclamación de la República (más tarde cono-
            cida como *a República Velha*), después de un golpe militar contra la
            monarquía.
            Una reunión de países americanos, en Washington, inicia el llamado
            panamericanismo, impulsado por Estados Unidos.
1890   Nacimiento de la Unión Cívica, en Argentina, y un año más tarde funda-
            ción, por escisión, de la Unión Cívica Radical, liderada por Leandro
            N. Alem.
1891   Guerra civil en Chile. Derrota y suicidio del presidente José Manuel
            Balmaceda.
            Brasil: primera constitución republicana; régimen federal y presiden-
            cialista.
1892   Fundación del Partido Revolucionario Cubano por José Martí.
1896   Fundación del Partido Socialista Argentino.

1895-1898	Segunda guerra por la independencia de Cuba. Fallecimiento de José Martí, en combate, en 1895.
1896	Guerra de Canudos en Brasil (hasta 1897).
1898	Guerra hispano-norteamericana: triunfo de los Estados Unidos, que anexionan Guam, Puerto Rico y Filipinas y ocupan Cuba hasta 1902.
1899	Se crea en Costa Rica la *United Fruit Co.*
	Guerra o Revolución Federal encabezada por el Partido Liberal en Bolivia.
	«Guerra de los mil días», en Colombia.
1901	Constitución nacional de Cuba, con la enmienda Platt.
1902	Independencia política de Cuba. Tomás Estrada Palma, primer presidente.
	El Reino Unido, Alemania e Italia envían barcos de guerra a Venezuela para bloquear puertos, después de la decisión del gobierno venezolano de suspender el pago de deuda externa. El jurista argentino Luis María Drago le escribe al secretario de Estado norteamericano señalando que la deuda pública de un estado soberano no debe ser reclamada militarmente por los estados europeos cuyos connacionales han sido afectados. Generó, así, la llamada Doctrina Drago, parte del Derecho Internacional, aceptada, con modificaciones, por la Segunda Conferencia de La Haya (1907).
1903	La provincia de Panamá se separa de Colombia, constituye una república y firma un tratado con Estados Unidos, que controlan la zona del Canal.
	Elección de José Batlle y Ordóñez en Uruguay. Inicio de un proceso de reformas sociales, con participación del Estado en la economía.
1904	Alfredo L. Palacios es elegido, en Argentina, primer diputado socialista de América.
1906	Levantamiento liberal en Cuba e intervención militar de Estados Unidos, cuyas tropas permanecen en el país hasta 1909.
1907	Ley de divorcio en Uruguay.
	Represión y masacre de trabajadores (unos 2.000 muertos) por el ejército chileno en Iquique.
1908	Dictadura de José Vicente Gómez en Venezuela (hasta 1935).
1910	Inicio de la revolución en México, liderada por Francisco Madero, y fin del porfiriato (1876-1911).
	Fundación del Partido Socialista de Uruguay.
1912	Ley Sáenz Peña de sufragio universal masculino, secreto y obligatorio en Argentina.
	Fundación del Partido Obrero Socialista (POS) en Chile.
	Estados Unidos ocupa Nicaragua (hasta 1933) y nuevamente Cuba.
1913	Madero, asesinado por Victoriano Huerta en México.
1914	Desembarco de los marines en Veracruz, contra Huerta, en México. Inauguración del canal de Panamá.
1915	Reconocimiento del gobierno de Carranza en México por parte de Estados Unidos.
1916	Primera elección presidencial, conforme la ley de 1912, en Argentina: Hipólito Irigoyen es electo y gobierna hasta 1922.
	Estados Unidos ocupa Haití (hasta 1930) y República Dominicana (hasta 1924).
1917	Constitución nacional, revolucionaria, de México.

El 15 de agosto de 1914 transita el primer barco por el Canal de Panamá; se trata del SS Ancon, *que se dirige a Europa para participar en la Primera Guerra Mundial.*

1918	Argentina: Reforma Universitaria en Córdoba. Constitución del Partido Socialista Internacional (Comunista desde 1920).
1919	Semana Trágica en Argentina: feroz represión de trabajadores.
	Asesinato de Emiliano Zapata en México.
	Presidencia de Leguía en Perú (hasta 1930), el oncenio.
1920	Arturo Alessandri Palma, presidente de Chile (hasta 1925). El POS deviene Partido Comunista de Chile.
1921	Creación del Partido Comunista de Uruguay.
	México: José Vasconcelos, ministro de Educación. Reunión del Primer Congreso Internacional de Estudiantes.
	Creación de la primera Universidad Popular en Lima, Perú.
	Brutal represión de trabajadores rurales anarquistas de la Patagonia en Argentina (y 1922).
1922	*Semana do Arte Moderno* en São Paulo, Brasil.
	Venezuela comienza la explotación de petróleo en gran escala.
1924	Golpe militar en Chile que depone a Alessandri.
	Fundación de la Alianza Popular Revolucionaria Americana (APRA) por Víctor Raúl Haya de la Torre.
	Levantamiento en los estados de São Paulo y Rio Grande do Sul, y la larga marcha de la columna Prestes (hasta 1927).
1925	Nuevo golpe militar en Chile, retorno de Alessandri (hasta 1927) y nueva Constitución.
	Dictadura del general Machado en Cuba (hasta 1933).
	Revolución «juliana» en Ecuador.

1926	Lanzamiento del «Manifiesto Regionalista del Nordeste» en Brasil. Movimiento de los Cristeros en México (hasta 1929). Intervención militar de Estados Unidos en Nicaragua e insurgencia sandinista. Creación del Partido Comunista de Ecuador.
1927	Presidencia del general Ibáñez (hasta 1931) en Chile.
1928	Ruptura de Haya de la Torre y Mariátegui, en Perú.
1929	Fundación del Partido Nacional Revolucionario (PNR) en México. Sufragio femenino en Ecuador.
1930	Golpe de Estado del general José F. Uriburu en Argentina. Levantamiento de Getulio Vargas y *Revolución*, en Brasil. Leguía, derrocado por el golpe de Estado de Sánchez Cerro en Perú. Dictadura de Trujillo en República Dominicana, con apoyo de Estados Unidos.
1931	Dictadura de Maximiliano Hernández Martínez en El Salvador (hasta 1944). Dictadura de Jorge Ubico en Guatemala (hasta 1944). Sánchez Cerro, asesinado por un aprista en Perú. Fusilamiento de obreros anarquistas en Argentina. Creación de la Confederación Campesina de México (CCM), más tarde convertida en Confederación Nacional Campesina (CNC).
1932	Sublevación de São Paulo en Brasil. En Chile, efímera República Socialista, encabezada por Marmaduke Grove, y nuevo gobierno de Alessandri (hasta 1938). Sublevación campesina y represión sangrienta en El Salvador (20.000 a 30.000 muertos). Guerra del Chaco (hasta 1935) entre Paraguay y Bolivia (derrotada). Levantamiento aprista y represión de Trujillo en Perú. Guerra de Leticia entre Perú y Colombia. Sufragio femenino en Uruguay.

Cuerpos de indígenas asesinados en Sansonate (El Salvador) durante la sangrienta represión de la sublevación campesina en 1932.

1933	Pacto Roca-Runciman entre Argentina y el Reino Unido.
	Primera presidencia de José María Velasco Ibarra en Ecuador (hasta 1935).
	Dictadura civil del colorado Gabriel Terra en Uruguay.
	Insurrección popular antimachadista en Cuba y caída del dictador.
	Creación del nuevo Partido Socialista en Chile.
	Sufragio femenino (para las alfabetas) en Brasil.
1934	López Pumarejo, presidente de Colombia, con la consigna *Revolución en Marcha*.
	Gobierno populista del nuevo presidente Lázaro Cárdenas, en México, y profundización de la reforma agraria.
	Asesinato de Augusto César Sandino en Nicaragua.
	Reforma de la Constitución en Uruguay y en Brasil.
	Sufragio femenino en Cuba.
1935	Fallida insurrección comunista, con apoyo de la Tercera Internacional, en Brasil.
	Elección del general López Contreras (hasta 1941) en Venezuela.
	Revolución de Enero en Uruguay.
	Destitución de Velasco Ibarra por un golpe de Estado en Ecuador.
1936	El Congreso mexicano sanciona una ley que autoriza al gobierno para nacionalizar, por causa de utilidad pública, cualquier tipo de propiedad, pagando por ella su valor fiscal.
	Dictadura de Anastasio *Tacho* Somoza García (hasta 1956) en Nicaragua, con el apoyo de Estados Unidos.
	La Pausa en Colombia.
	Golpe de Estado militar en Paraguay: el general Rafael Franco, presidente.
	«Socialismo militar» (hasta 1939) en el gobierno de Bolivia.
1937	Autogolpe de Estado de Getulio Vargas e instauración del *Estado Novo* en Brasil.
	Violenta represión de hombres, mujeres y niños haitianos por fuerzas del dictador general Trujillo.
	Desplazamiento de Franco por parte del Ejército en Paraguay.
1938	Victoria del Frente Popular en Chile: Pedro Aguirre Cerda, presidente hasta 1941.
	Elección del general Baldomir (hasta 1942) como presidente de Uruguay.
	El PNR se transforma en Partido Revolucionario Mexicano (PRM). El gobierno de Cárdenas nacionaliza el petróleo.
1939	El mariscal José Félix Estigarribia asume la presidencia (hasta 1940) de Paraguay.
1940	El general Higinio Moríñigo se autoproclama presidente de Paraguay y gobierna dictatorialmente hasta 1948.
1942	Huelga de mineros en Catavi, violentamente reprimida, en Bolivia.
	Conferencia interamericana en Río de Janeiro: recomienda la ruptura de relaciones con los países del Eje.
	Guerra, por cuestión de límites, entre Perú y Ecuador.
	Nuevo triunfo del Frente Popular en Chile: Juan A. Ríos Morales, presidente hasta 1947.
1943	Golpe militar en Argentina. Comienza la meteórica carrera política del coronel Juan Domingo Perón.
1944	Segunda presidencia de Velasco Ibarra en Ecuador (hasta 1947).

	Juan José Arévalo asume la presidencia de Guatemala e inicia una política de reformas sociales.
1945	Acta de Chapultepec: los países americanos acuerdan aplicar una política de mutua defensa y solidaridad frente a eventuales agresiones contra cualquiera de ellos, incluso provenientes de uno de los propios estados americanos.
	Regreso triunfal de Perón, desde su prisión en la isla Martín García, a Buenos Aires, tras la manifestación popular del 17 de octubre. Inicio del populismo.
	Golpe militar contra Vargas en Brasil, con el apoyo de Estados Unidos, e inicio del populismo con la presidencia de Eurico Dutra (hasta 1951).
	En México, el PRM se transforma en Partido Revolucionario Institucional (PRI).
	Juan José Arévalo es elegido presidente de Guatemala. Apoyado por la pequeña burguesía y un grupo de jóvenes oficiales progresistas, inicia una política de reformas: aprobación del Código de Trabajo, organización de la previsión social, incremento de los salarios, expropiación de los latifundios, protección de la producción nacional.
1946	Juan Domingo Perón es elegido presidente de Argentina.
	Tercer triunfo del Frente Popular en las elecciones presidenciales de Chile: Gabriel González Videla, presidente hasta 1952; en 1947 expulsa del gobierno a los comunistas, rompe relaciones con la Unión Soviética y Yugoslavia.

El presidente argentino Gabriel González Videla (izquierda) durante una visita oficial a Chile en septiembre de 1951.

| 1947 | Luis Batlle y Ordóñez, presidente de Uruguay.
| | Ley de sufragio universal femenino en Argentina.
| | Tratado de Río de Janeiro o Tratado Interamericano de Ayuda Mutua (TIAR), de defensa recíproca: resolución pacífica de los conflictos entre los estados firmantes y la defensa común contra cualquier agresión exterior.
| 1948 | En Colombia es asesinado Jorge Eliecer Gaitán. *Bogotazo*.
| | Creación de la Comisión Económica de América Latina (CEPAL), por la Organización de las Naciones Unidas.
| | Creación de la Organización de Estados Americanos (OEA).
| | Guerra civil en Costa Rica. Disolución de las Fuerzas Armadas. José Figueres, del Partido Liberación Nacional, se convierte en nuevo líder. Es presidente en 1953-1958 y 1970-1974.
| 1949 | Inicio de *La Violencia* (hasta 1953) en Colombia.
| | Reforma de la Constitución nacional argentina: consagración de los derechos sociales.
| 1950 | Raúl Prebisch asume la Secretaría General de la CEPAL (hasta 1961).
| 1951 | Vargas es elegido, nuevamente, presidente de Brasil.
| | Jacobo Arbenz asume la presidencia de Guatemala y continúa la política reformista de Arévalo. La ley de reforma agraria es rechazada por los grandes terratenientes y la *United Fruit*.
| 1952 | Perón, reelegido presidente en Argentina. Fallece Evita, «abanderada de los humildes».

Cortejo fúnebre que acompañó a Eva Duarte de Perón durante su último recorrido por las calles de Buenos Aires.

Revolución del MNR en Bolivia, reforma agraria, fin del sistema de hacienda, nacionalización del estaño. Víctor Paz Estensoro, presidente.
Carlos Ibáñez es elegido presidente de Chile (hasta 1958).

	Tercera presidencia de Velasco Ibarra en Ecuador (hasta 1956).

1953 Tercera presidencia de Velasco Ibarra en Ecuador (hasta 1956).
Reforma de la Constitución y retorno al Ejecutivo colegiado en Uruguay.
Golpe de Estado del general Rojas Pinilla en Colombia.
Asalto al cuartel Moncada en Cuba.
Reforma agraria en Guatemala.

1954 Suicidio de Vargas en Brasil.
Golpe de Estado del general Alfredo Stroessner en Paraguay. Inaugura una larga dictadura, acompañado de su partido, el Colorado.
El coronel Carlos Castillo Armas, con apoyo norteamericano, comanda el derrocamiento del presidente Arbenz, en Guatemala. Revierte las reformas de Arévalo y Arbenz y gobierna dictatorialmente hasta su asesinato, en 1957.

1955 Argentina: golpe de Estado militar, Perón exiliado. Dictadura de la «Revolución Libertadora».
Inicio de las *Ligas Camponesas* en Brasil e inicio del gobierno desarrollista de Juscelino Kubitschek (hasta 1960).

1956 En un atentado muere el dictador Anastasio Somoza, siendo sustituido por su hijo mayor, Luis Somoza Debayle, quien gobierna, dictatorialmente, hasta 1963.

1957 Creación de la Facultad Latinoamericana de Ciencias Sociales (FLACSO).
Fin de *La Violencia* en Colombia con el acuerdo entre liberales y conservadores.

1958 Lleras Camargo, liberal, elegido presidente en Colombia (después de depuesto Rojas Pinilla).
Jorge Alessandri, presidente de Chile (hasta 1964).
Victoria del Partido Blanco en Uruguay: Benito Nardote, presidente.
Argentina: inicio del gobierno desarrollista de Arturo Frondizi (hasta 1962, destituido por un golpe de Estado militar).

1959 Inicio de la Revolución Cubana.

1960 Construcción de Brasilia, nueva capital de Brasil.
Sanciones económicas de Estados Unidos contra Cuba.
Cuarta presidencia de Velasco Ibarra en Ecuador.
Reforma agraria en Venezuela.

1961 Conferencia Panamericana en Punta del Este y surgimiento de la Alianza para el Progreso.
Ruptura de relaciones entre Estados Unidos y Cuba y desembarco en Bahía de Cochinos: Cuba se declara República Socialista.
Asesinato de Trujillo en República Dominicana, seguido de la interinidad de Joaquín Balaguer.

1962 Crisis de los misiles en Cuba, su exclusión de la OEA, y Segunda Declaración de La Habana.
Fuerte actividad de la guerrilla en Guatemala.
Golpe de Estado para impedir la elección del APRA en Perú y movimiento campesino del Valle de la Convención (hasta 1963).
Comienzo de la guerrilla pro castrista en Venezuela.
Triunfo, breve gobierno y derrocamiento de Juan Bosch (hasta 1963) en República Dominicana.

1963 Arturo Illía, presidente en Argentina, con el peronismo proscrito.
Elección de Fernando Belaúnde Ferry, de Acción Popular, como presidente de Perú.

6 de noviembre de 1962. Personal soviético transportando seis misiles a bordo
de un carguero en Puerto Casilda durante la crisis de los misiles.

Formación de las Fuerzas Armadas de Liberación Nacional (FALN) en
Venezuela.

En febrero, Juan Bosch, un opositor a la dictadura de Trujillo, asume la
presidencia, tras ganar ampliamente las elecciones en diciembre de
1962. Es objeto de oposición por parte del establisment. En septiembre
es derrocado por un golpe cívico-militar. Un triunvirato asume el gobierno
de la República Dominicana.

1964   Golpe militar en Brasil: primera dictadura institucional de las fuerzas
armadas en América Latina.

Golpe de Estado del general René Barrientos en Bolivia.

Presidencia del demócrata-cristiano Eduardo Frei, reforma agraria y
desarrollo del sindicalismo agrícola en Chile.

Reforma agraria en Ecuador.

Reforma agraria en Perú.

1965   Huelga de mineros en Bolivia.

Creación del Ejército de Liberación Nacional (ELN) en Colombia.

República Dominicana: militares constitucionalistas reclaman el regreso
de Juan Bosch al país y a la presidencia. Breve guerra civil, invasión
militar norteamericana, reemplazada luego por fuerzas de la OEA.

1966   Golpe militar en Argentina e instauración de una dictadura institucional
de las fuerzas armadas: Juan Carlos Onganía, presidente.

Aparición de la guerrilla de izquierda Fuerzas Armadas Revolucionarias de Colombia (FARC) y muerte de Camilo Torres en Colombia.

Victoria de los colorados en Uruguay: Oscar Gestido, presidente; Creación de la CNT.

El conservador Joaquín Balaguer, ex ministro del dictador Rafael Leónidas Trujillo, es elegido presidente de la República Dominicana. (Balaguer es presidente del país durante los periodos 1960-1962; 1966-1978; 1986-1996.)

1967   Captura y asesinato de Ernesto Che Guevara en Bolivia.
Creación de los dos partidos de la dictadura (ARENA y MDB) en Brasil.
Crisis universitaria y creación del MIR en Chile.
Nueva Constitución en Uruguay.
Anastasio *Tachito* Somoza Debaye inicia una cruel dictadura en Nicaragua (hasta 1979).
Creación del Consejo Latinoamericano de Ciencias Sociales (CLACSO).

1968   Reunión del episcopado latinoamericano en Medellín, Colombia.
Huelgas de Osasco y Contagem en Brasil. La dictadura firma el Acto Institucional N.º 5.
Quinta presidencia de Velasco Ibarra en Ecuador.
Movimiento estudiantil y matanza de Tlatelolco en México.
Golpe de Estado encabezado por el general Juan Velasco Alvarado: *Revolución Peruana*.
Jorge Pacheco Areco, presidente de Uruguay.

1969   Primera conferencia económica latinoamericana organizada por la CEPAL.
Cordobazo en Argentina.
Guerra del fútbol entre Honduras y El Salvador.
Reforma agraria en Perú.

1970   Asesinato del general Aramburu e inicio de la acción de Montoneros en Argentina. Onganía es sustituido por el general Marcelo Levingston (hasta 1971) y éste por el general Agustín Lanusse (hasta 1973).
Golpe de Estado del general Torres en Bolivia.
Victoria electoral de la Unidad Popular de Allende en Chile.
Velasco Ibarra, con poderes dictatoriales en Ecuador.
Acciones violentas del Movimiento de Liberación Nacional Tupamaros en Uruguay.
Luis Echeverría Álvarez, del PRI, es elegido presidente de México.

1971   Golpe de Estado dirigido por el general Hugo Bánzer en Bolivia.
Creación del Frente Amplio en Uruguay, Juan María Bordaberry es elegido presidente.

1972   Golpe de Estado del general Rodríguez Lara en Ecuador.

1973   Victoria peronista en las elecciones de Argentina. Héctor Cámpora es elegido presidente y, tras su renuncia, es elegido, por tercera vez, Juan Domingo Perón.
Golpe militar contra el gobierno de la UP y Allende en Chile, y con Pinochet como presidente se inicia una larga dictadura.
Reforma agraria en Ecuador.
Golpe de Estado en Uruguay por el presidente Bordaberry, disolución del Parlamento. Dictadura institucional de las fuerzas armadas.

1974   Muerte de Perón, sustituido por Isabel Martínez de Perón, con influencia de López Rega, en Argentina.
Victoria electoral del MDB en Brasil.

1975   Devaluación, inflación y exilio de López Rega en Argentina.
Destitución de Velasco Alvarado por el golpe de Estado del general Morales Bermúdez, en Perú.

1976	Golpe militar en Argentina, e instauración de una feroz dictadura. Jorge R. Videla, presidente, y José Martínez de Hoz, ministro de Economía. Represión violenta, terrorismo de Estado.
	Los militares desplazan a Bordaberry de la presidencia de Uruguay, sustituido brevemente por Alberto Demichelli, reemplazado por Aparicio Méndez (hasta 1981).
	Nacionalización de las compañías petroleras americanas en Venezuela.
	José López Portillo, del PRI, asume la presidencia de México.
1977	Sustitución de la DINA por la CNI en Chile.
	México reanuda relaciones diplomáticas con España, interrumpidas durante treinta y ocho años.
1978	Caída de Bánzer en Bolivia.
	Argentina y Chile al borde de la guerra por cuestiones de límites. La mediación papal la evita.
	Acuerdos entre Panamá y Estados Unidos sobre la devolución progresiva del canal.
1979	Victoria de los sandinistas en Nicaragua, caída de la dictadura de Somoza.
1980	Golpe de Estado del general García Meza en Bolivia.
	Referendo que aprueba la Constitución en Chile.
	Aparición de Sendero Luminoso en Perú. Fernando Belaúnde Terry, presidente por segunda vez.
	En referendo, el pueblo uruguayo rechaza el proyecto constitucional de la dictadura.
1981	Videla, sustituido por Roberto Viola en marzo, y éste, en diciembre, por Fortunato Galtieri en Argentina.
	Crisis económico-financiera en Chile.
	Toma de diplomáticos como rehenes del M-19 en Colombia.
	Los militares asumen directamente la presidencia de Uruguay: el general Gregorio Álvarez reemplaza a Méndez.
1982	Guerra de las Malvinas entre Argentina y Gran Bretaña; capitulación de Argentina; dimisión de Galtieri; disolución de la Junta Militar y presidencia de Reynaldo Bignone.
	Victoria electoral de la oposición en las elecciones de Brasil.
	Bolivia retorna a la democracia. Hernán Siles Zuazo, presidente.
	Miguel de la Madrid, del PRI, presidente de México.
1983	Raúl Alfonsín, tras ganar las elecciones, asume la presidencia de Argentina.
	Creación de la Alianza Democrática en Chile.
1984	Bolivia suspende el pago de la deuda.
	Acuerdo Nacional en Chile y cambio de la política económica.
	Ocupación de tierras en Paraguay (hasta 1995).
	Victoria electoral del colorado Julio María Sanguinetti en Uruguay. Se hace cargo en 1985.
1985	Tancredo Neves es elegido presidente de Brasil, fallece antes de tomar posesión y es sucedido por el vicepresidente, José Sarney (1985-1990).
	Elección de Paz Estensoro como presidente de Bolivia.
	Toma del palacio de Justicia por un comando del M-19 en Colombia.
	Elección de Alan García en Perú (hasta 1990).

1986	Argentina: juicio penal a los miembros de las ex Juntas militares de la dictadura.
	Atentado contra Pinochet en Chile.
	Triunfo del APRA en la alcaldía de Lima en Perú.
	Aparición de las Autodefensas Unidas de Colombia (AUC).
	Duvalier abandona la residencia y huye de Haití. Una junta se hace cargo del poder.
1987	Presión militar por la amnistía en Argentina.
1988	Nueva Constitución en Brasil, sanción del sufragio universal y victoria del Partido dos Trabalhadores (PT) en las elecciones municipales de São Paulo.
	Leslie Manigat es elegido presidente de Haití en enero y es derrocado en junio. El teniente general Próspero Avril asume la presidencia.
	Carlos Salinas de Gortari, del PRI, es elegido presidente de México, tras un proceso con protestas por sospechas de irregularidades electorales.
1989	Hiperinflación en Argentina. Alfonsín entrega el gobierno, anticipadamente, a Carlos Menem. Política neoliberal.
	Victoria de la oposición en el plebiscito previsto en la Constitución y triunfo de Patricio Alwyn, democristiano de la Concertación de Partidos por la Democracia, en las elecciones presidenciales de Chile.
	Intervención militar de Estados Unidos en Panamá y extradición de Noriega.
	El derrocamiento de Stroessner en Paraguay pone fin a la larga dictadura iniciada en 1954. El general Andrés Rodríguez, del Partido Colorado, gana las elecciones.
	Elección de Carlos Andrés Pérez y violentos motines urbanos en Venezuela.
	Fernando Collor de Mello es elegido, en segunda vuelta, presidente de Brasil. Derrota a Lula da Silva.
	Jaime Paz Zamora asume la presidencia de Bolivia.
	Luis Alberto Lacalle, del Partido Nacional (Blanco), es elegido presidente de Uruguay.
1990	Nicaragua: la Unión Nacional Opositora (UNO), antisandinista, apoyada por Estados Unidos, gana las elecciones presidenciales. Violeta Barros de Chamorro es elegida presidenta, sucediendo a Daniel Ortega.
	Alberto Fujimori, presidente de Perú. Impulsa un programa neoliberal.
	Haití: en marzo, Avril renuncia a la presidencia y huye del país. En diciembre, Jean-Bertrand Aristide gana las elecciones abrumadoramente.
1991	Haití: el Ejército aplasta un motín de antiguos oficiales del régimen de Duvalier; Aristide asume la presidencia en febrero de 1991, siendo derrocado por un golpe militar en septiembre. La OEA impone sanciones al nuevo régimen.
	El Tratado de Asunción, firmado por Argentina, Brasil, Paraguay y Uruguay, crea el Mercado Común del Sur (Mercosur).
	El gobierno de Menem establece la convertibilidad del peso y la dolarización de la economía argentina.
1992	Fin de la guerra civil en El Salvador por el Acuerdo de Chapultepec. Cese formal del fuego, desarme de la guerrilla, creación de una comisión investigadora de las violaciones de los derechos humanos, disolución de los cuerpos de seguridad pública.
	Autogolpe de Fujimori en Perú.
	Renuncia de Collor de Mello a la presidencia de Brasil para evitar su enjuiciamiento por el Congreso.

1993	Juan Carlos Wasmosy, del Partido Colorado, es elegido presidente de Paraguay. Gonzalo Sánchez de Lozada, del MNR, es elegido presidente de Bolivia. La Asamblea Nacional Legislativa de El Salvador aprueba, por unanimidad, una ley de amnistía general para guerrilleros y militares acusados de violar los derechos humanos.
1994	Entra en vigencia el Tratado de Libre Comercio entre Estados Unidos, Canadá y México. En este país, alzamiento del Ejército Zapatista de Liberación Nacional (EZLN) en Chiapas. Fernando Henrique Cardoso es elegido presidente de Brasil, en segunda vuelta, imponiéndose a Lula da Silva. Reforma de la Constitución argentina: introduce la reelección presidencial. Haití: la ONU decide ampliar sanciones contra el régimen militar. En octubre, Aristide recupera la presidencia, tras la ocupación militar del país por parte de Estados Unidos. Colombia: Ernesto Samper Pizarro, liberal, es elegido presidente. Ernesto Zedillo Ponce de León, del PRI, es elegido presidente de México. Eduardo Frei Ruiz-Tagle, democristiano de la Concertación, asume la presidencia de Chile. En elecciones supervisadas por observadores internacionales, Armando Calderón, de ARENA, es elegido presidente de El Salvador (1994-1999).
1995	Menem es reelegido presidente de Argentina. Sanguinetti asume, por segunda vez, la presidencia de Uruguay.
1996	Nueva acción estadounidense de bloqueo a Cuba por la Ley Helms-Burton. Elección de Abdalá Bucaram como presidente de Ecuador. René Préval asume la presidencia de Haití, tras ganar las elecciones. Solicita una extensión de la presencia militar de la ONU. Las tropas norteamericanas abandonan el país. Guatemala: el presidente conservador Álvaro logra que la guerrilla renuncie a la lucha armada y acepte las reglas de la vía democrática. Se pone fin a treinta y seis años de brutal violencia. Bolivia y Chile se incorporan al Mercosur como asociados. Frustrado golpe de Estado en Paraguay.
1997	Destitución de Bucaram en Ecuador, y presidencias de la vicepresidenta Rosalía Arteaga y del diputado Fabián Alarcón. Las tropas de la ONU se retiran de Haití. El ex dictador Hugo Bánzer es elegido presidente de Bolivia.
1998	Pinochet es detenido en Londres por violación de los derechos humanos. El democristiano Jamil Mahuad es elegido presidente de Ecuador. El huracán *Match* devasta amplias zonas de Centroamérica. El conservador Andrés Pastrana es elegido presidente de Colombia. Raúl Cubas, colorado, gana las elecciones presidenciales en Paraguay.
1999	Negociación de paz entre las FARC y el gobierno de Colombia. Hugo Chávez asume la presidencia de Venezuela. Nueva Constitución. Proclamación de la República Bolivariana. Fernando de la Rúa es elegido presidente de Argentina. El Partido dos Trabalhadores (PT) disputa otra vez la segunda vuelta en las elecciones que reeligen a Cardoso en Brasil.

Luis María Argaña, vicepresidente de Paraguay, enfrentado con Cubas, es asesinado. Manifestantes populares, fuertemente reprimidos, piden y obtienen la renuncia de Cubas. Luis González Macchi, presidente del Senado, lo reemplaza.

Tabaré Vázquez, del Encuentro Progresista-Frente Amplio, gana en primera vuelta las elecciones presidenciales en Uruguay, pero en la segunda es derrotado por Jorge Batlle, del Partido Colorado, quien recibe los votos del Partido Nacional.

En elecciones con una abstención superior al 60 por ciento, Francisco Flores, de ARENA, vence en primera vuelta a Facundo Guardado, ex comandante guerrillero del FMLN, y asume la presidencia de El Salvador (1999-2004).

2000	Ricardo Lagos, socialista, de la Concertación, presidente de Chile. Fraude electoral, huida y exilio de Fujimori, quien renuncia por carta desde Japón.

En México, concluye la larga hegemonía política del PRI (1929-2000): Vicente Fox, del Partido Acción Nacional (PAN), asume la presidencia.

Destitución de Mahuad y designación de Gustavo Noboa en Ecuador; movilización de la Confederación de Nacionalidades Indígenas del Ecuador (CONAIE).

Aristide es elegido, nuevamente, presidente de Haití.

2001   Crisis económica y de representación en Argentina, renuncia del presidente De la Rúa. Su sucesor interino, Adolfo Rodríguez Saá, anuncia la suspensión del pago de la deuda externa.

Reunión del IX Congreso Nacional Campesino, convocado por la Confederación Sindical Única de Trabajadores Campesinos de Bolivia.

Perú: Alejandro Toledo vence a Alan García, en segunda vuelta, y toma posesión como presidente.

La Ley de Tierras y Desarrollo Agrícola permite la expropiación de latifundios en Venezuela.

Renuncia de Bánzer a la presidencia de Bolivia. Es reemplazado por el vicepresidente, Jorge Quiroga.

2002   Eduardo Duhalde, presidente de Argentina. Fin de la convertibilidad, pesificación de la economía.

Luiz Inácio *Lula* da Silva, presidente de Brasil, al vencer a José Serra en segunda vuelta.

Álvaro Uribe, liberal disidente, presidente de Colombia.

Frustrado golpe de Estado, apoyado por Estados Unidos, en Venezuela.

El socialcristiano Abel Pacheco es elegido presidente de Costa Rica.

Sánchez de Lozada, nuevamente presidente de Bolivia.

En las elecciones legislativas y municipales en El Salvador, el FMLN se impone a ARENA, logrando treinta y un diputados contra veintinueve y ocho de las alcaldías de capitales departamentales.

2003   Néstor Kirchner asume la presidencia de Argentina.

Cuba: la Asamblea Nacional reelige a Fidel Castro como presidente del Consejo de Estado.

Nicanor Duarte, colorado, es elegido presidente de Paraguay.

Bolivia: la reacción popular contra su gobierno lleva a la renuncia de Sánchez de Lozada. Le sustituye el vicepresidente, Carlos Mesa.

2004   Haití: Aristide es forzado a abandonar la presidencia y el país.

Venezuela se incorpora al Mercosur como asociado.

Cuba suspende la circulación del dólar estadounidense para las transacciones en el comercio interno, siendo sustituido por el peso convertible.

Perú: las Comisiones de Verdad y Reconciliación concluyen que más de 60.000 personas fueron muertas durante los veinte años de acción de Sendero Luminoso.

2005   Venezuela pasa a ser miembro pleno del Mercosur. Un referéndum revocatorio, impulsado por la oposición, ratifica a Chávez como presidente.

Tabaré Vázquez, presidente de Uruguay, tras ganar con holgura las elecciones en 2004.

Bolivia: renuncia de Mesa, sustituido por Eduardo Rodríguez, presidente de la Corte Suprema.

El Congreso vota por unanimidad la destitución del presidente Lucio Gutiérrez en Ecuador.

Chile: arresto domiciliario de Pinochet.

Arresto de Fujimori durante una visita sorpresa a Perú.

Cumbre de las Américas en Argentina.

Brasil: escándalos de corrupción en el gobierno de Lula.

2006   Evo Morales, campesino aymara, asume la presidencia de Bolivia en enero. Simbólicamente, dirigentes de comunidades indígenas americanas le conceden, en Tiahuanaco, el título de *Cápac Apu Mallku* y con él el supremo liderazgo de los pueblos autóctonos andinos.

Michelle Bachelet, socialista, asume la presidencia de Chile en marzo.

René Préval es elegido presidente de Haití.

XXIX Reunión del Consejo de MERCOSUR, en el que Venezuela ingresa como miembro de pleno derecho.

BIBLIOGRAFÍA

Listar una bibliografía sobre América Latina, aun restringida a los estudios publicados en castellano, escapa a los límites físicos de este libro. Confeccionar una implica, pues, correr el riesgo de cierta arbitrariedad en la selección. Riesgo que asumimos.

La que ofrecemos aquí privilegia títulos relativamente recientes, dejando de lado obras de mayor antigüedad, incluso clásicas, por dar cuenta del conocimiento actual y ser más accesibles para el lector no especializado. (Nos apartamos de este criterio en aquellos casos en los cuales no existen textos posteriores a los seleccionados.) Se divide en dos secciones: en la primera incluimos obras generales de la región y de cuestiones o problemas considerados centrales, especialmente del siglo XX. En la segunda, los textos citados a lo largo del libro, algunos de los cuales hemos colocado en la primera.

Hemos prescindido de ampliar la bibliografía específica sobre las revoluciones mexicana y cubana, en tanto ellas son objeto de estudios especiales en otros volúmenes de esta colección, excepto, claro está, la citada y/o utilizada en nuestra síntesis de las mismas.

América Latina en general

AA:VV: *Historia general de América Latina* (1999-2...), preparada por el Comité Científico Internacional ad hoc de la UNESCO y dirigida por Germán Carrera Damas, Ediciones UNESCO y Editorial Trotta, Madrid (6 tomos publicados, de los 9 anunciados).

AA:VV: *Historia general de Centroamérica* (1993), Sociedad Estatal Quinto Centenario y Facultad Latinoamericana de Ciencias Sociales FLACSO, Madrid, 6 tomos.

Alcàzar, Joan del; Tabanera, Nuria; Santacreu, Joseph M., y Marimon, Antoni (2003): *Historia contemporánea de América Latina (1955-1990)*, Universitat de València.

Bethell, Leslie, editor: *Historia de América Latina* (1990-2002), Editorial Crítica, Barcelona, 16 tomos.

Calderón, Fernando y Santos, Mario R., coordinadores (1989-1990): *¿Hacia un nuevo orden estatal en América Latina?*, Consejo Latinoamericano de Ciencias Sociales CLACSO, Buenos Aires, 8 volúmenes.

Cardoso, Fernando Henrique y Faletto, Enzo (1990): *Dependencia y desarrollo en América Latina*, Siglo Veintiuno Editores, México, 1.ª ed. 1969; 14.ª ed. corregida y aumentada, 1978; 30ª ed. 2002.

Chevallier, François (1999): *América Latina. De la Independencia a nuestros días*, Fondo de Cultura Económica, México D.F.

Cockcroft, James D. (2001): *América Latina y Estados Unidos. Historia y política país por país*, Siglo Veintiuno Editores, México D.F.

Dabène, Olivier (2000): *América Latina en el siglo XX*, Editorial Síntesis, Madrid.

Dos Santos, Theotônio (2003): *La teoría de la dependencia. Balance y perspectivas*, Plaza & Janés, Buenos Aires.

González Casanova, Pablo, coordinador (1977-1981): *América Latina: historia de medio siglo. 1. América del Sur. 2. México, Centroamérica y el Caribe*, Siglo Veintiuno Editores, México D.F., 1977-1981.

Halperin Donghi, Tulio (1993): *Historia contemporánea de América Latina*, Alianza Editorial, Madrid, 1.ª ed., 1969; 13ª, revisada y ampliada, 1993; 18ª, 2005.

Izard, Miquel (1990): *América Latina, siglo XIX. Violencia, subdesarrollo y dependencia*, Editorial Síntesis, Madrid.

Izard, Miquel, y Laviña, Javier (1996): *Maíz, banano y trigo. El ayer de América Latina*, EUB, Barcelona.

Lucena Salmoral, Manuel, coordinador (1992): *Historia de Iberoamérica. Tomo III. Historia contemporánea*, Sociedad Estatal para la Ejecución de Programas del Quinto Centenario y Ediciones Cátedra, Madrid.

Navarro García, Luis, coordinador (1991): *Historia de las Américas*, Alhambra, Longman, Madrid, 4 vols.

Pozo, José del (2002): *Historia de América Latina y del Caribe 1825-2001*, LOM Ediciones, Santiago de Chile.

Reyna, José Luis, compilador (1995): *América Latina a finales de siglo*, Fondo de Cultura Económica, México D.F.

Rouquié, Alain (1990): *Extremo occidente. Introducción a América Latina*, Emecé, Buenos Aires, 1990, y Siglo XXI Editores, México, 1990.

Skidmore, Thomas y Smith, Meter (1996): *Historia Contemporánea de América Latina. América Latina en el siglo XX*, Crítica, Barcelona.

Touraine, Alain (1989): *América Latina. Política y sociedad*, Espasa Calpe, Madrid, 1989.

Historia económica

Bulmer-Thomas, Víctor (1998): *La historia económica de América Latina desde la independencia*, Fondo de Cultura Económica, México D.F.

Cardoso, Ciro Flamarión S. y Pérez Brignoli, Héctor (1999): *Historia económica de América Latina*, Crítica, Barcelona, 2 tomos (1.ª ed., 1979).

Díaz Fuentes, Daniel (1994): *Crisis y cambios estructurales en América Latina. Argentina, Brasil y México durante el período de entreguerras*, Fondo de Cultura Económica, México D.F., 1994.

Fajnzylber, Fernando (1983): *La industrialización truncada de América Latina*, Nueva Imagen, México D.F. Hay edición argentina: Centro Editor de América Latina, Buenos Aires, 1984.

Furtado, Celso (1991): *La economía latinoamericana. Formación histórica y problemas contemporáneos* (México D.F., Siglo Veintiuno Editores, 1.ª edición, 1971; 24ª edición, 2001 [La original, en portugués, 1969].

Halperin Donghi, Tulio, Glade, William y Thorp, Rosemary (2002): *Historia Económica de América Latina*, Crítica, Barcelona.

Korol, Juan Carlos y Tandeter, Enrique (1999): *Historia económica de América Latina: problemas y procesos*, Fondo de Cultura Económica, Buenos Aires.

Thorp, Rosemary (1998): *Progreso, pobreza y exclusión. Una historia económica de América Latina en el siglo XX*, Banco Interamericano de Desarrollo/Unión Europea, Washington.

Clases y conflictos sociales

Benítez Zenteno, Raúl, coordinador (1973): *Las clases sociales en América Latina. Problemas de conceptualización*, Siglo Veintiuno Editores, México D.F. (hay ediciones posteriores).

Benítez Zenteno, Raúl, coordinador (1977): *Clases sociales y crisis política en América Latina*, Siglo Veintiuno Editores, México D.F. (hay ediciones posteriores).

Bergquist, Charles (1988): *Los trabajadores en la historia latinoamericana*, Siglo Veintiuno Editores, Bogotá.

Dalla Corte, Gabriela; García Jordán, Pilar; Izard, Miquel; Laviña, Javier; Piqueras, Ricardo; Tous, Meritxell y Zubiri, M.ª Teresa, coordinadores (2002): *Conflicto y violencia en América. VIII Encuentro-Debate América Latina ayer y hoy,* Publicacions Universitat de Barcelona.

Eckstein, Susan, coordinadora (2001): *Poder y protesta social. Movimientos sociales latinoamericanos*, Siglo Veintiuno Editores, México D.F.

Florescano, Enrique, coordinador (1985): *Orígenes y desarrollo de la burguesía en América Latina, 1700-1955*, Editorial Nueva Imagen, México, D.F. 1985.

González Casanova, Pablo, coordinador (1984-1985a): *Historia del movimiento obrero en América Latina*, Siglo Veintiuno Editores, México D.F., 4 volúmenes.

González Casanova, Pablo, coordinador (1984-1985b): *Historia política de los campesinos latinoamericanos*, Siglo Veintiuno Editores, México D.F., 4 volúmenes.

Marsiske, Renate, coordinadora (1999): *Movimientos estudiantiles en la historia de América Latina*, UNAM–Plaza y Valdés, México D.F.

Zapata, Francisco (1993): *Autonomía y subordinación en el sindicalismo latinoamericano*, Fondo de Cultura Económica, México D.F.

Populismo

Álvarez Juncos, José y González Leandri, Ricardo, compiladores (1994): *El populismo en España y América,* Editorial Catriel, Madrid.

Arditi, Benjamín (2004): «El populismo como periferia interna de la política democrática», en *e-l@tina. Revista electrónica de estudios latinoamericanos*, Vol. 2, N.º 6, Buenos Aires, pp. 63-80; en *http://iigg.fsoc.uba.ar/elatina.htm*.

Capelato, María Helena (1998): *Multidões em cena. Propaganda política no varguismo e no peronismo*, Papirus, Campinas.

Laclau, Ernesto (2005): *La razón populista*, Fondo de Cultura Económica, Buenos Aires.

Mackinnon, María y Petrone, Mario, compiladores (1998): *Populismo y neopopulismo en América Latina. El problema de la Cenicienta*, EUDEBA, Buenos Aires.

Moscoso Perea, Carlos (1990): *El populismo en América Latina*, Centro de Estudios Constitucionales, Madrid.

Vilas, Carlos M., compilador (1995): *La democratización fundamental. El populismo en América Latina*, Consejo Nacional para la Cultura y las Artes, México D.F.

Revoluciones

Balari, Eugenio R. (1993): *Cuba, ¿la revolución acosada?* Entrevista de Ana Cecilia Oliva, Fondo de Cultura Económica, México D.F.

Barkin, David y Manitzas, Nita R., compiladores (1973): *Cuba: camino abierto*, Siglo Veintiuno Editores, México D.F.

Data. Revista del Instituto de Estudios Andinos y Amazónicos (1992), N.º 3, La Paz, número dedicado a «1952. El proceso de la Revolución Nacional Boliviana».

Gilly, Adolfo y otros (1979): *Interpretaciones de la revolución mexicana*, Editorial Nueva Imagen, México D.F.

Guerra, François-Xavier (1988): *México. Del Antiguo Régimen a la Revolu-*

ción, Fondo de Cultura Económica, México D.F.

Hart, John Mason (1992): *El México revolucionario. Gestación y proceso de la Revolución Mexicana*, Alianza Editorial, México D.F.

Hoffmann, Bert, editor (1995): *Cuba: apertura y reforma económica. Perfil de un debate*, Instituto de Estudios Iberoamericanos de Hamburgo y Editorial Nueva Sociedad, Caracas.

Klein, Herbert S.: *Orígenes de la revolución nacional boliviana. La crisis de la generación del Chaco*, Coedición Editorial Grijalbo y Consejo Nacional para la Cultura y las Artes, México D.F., 1993.

Knight, Alan (1993): «Revolución social: una perspectiva latinoamericana», en *Secuencia. Revista de historia y ciencias sociales*, n.º 27, Instituto Mora, México D.F., septiembre-diciembre, pp. 141-183.

Knight, Alan (1996): *La revolución mexicana. Del porfiriato al nuevo régimen constitucional*, Grijalbo, México D.F., 2 vols.

Mires, Fernando (1988): *La rebelión permanente. Las revoluciones sociales en América Latina*, Siglo Veintiuno Editores, México.

Pierre-Charles, Gérard (1976): *Génesis de la revolución cubana*, Siglo Veintiuno Editores.

Ramírez, Sergio (1999): *Adiós muchachos. Una memoria de la revolución sandinista*, Aguilar, Madrid.

Ruiz, Ramón Eduardo (1984): *México: la gran rebelión 1905-1924*, Ediciones Era, México D.F.

Skocpol, Theda (1984): *Los estados y las revoluciones sociales*, Fondo de Cultura Económica, México D.F.

Tobler, Hans Werner (1989): «La revolución mexicana: algunas particularidades desde un punto de vista comparativo», en *Revista Mexicana de Sociología*, Año LI, n.º 2, México D.F., abril-junio, pp. 151-159.

Tobler, Hans Werner (1994): *La revolución Mexicana. Transformación social y cambio político, 1876-1940*, Alianza Editorial, México D.F.

Winocur, Marcos (1989): «¿Dónde estaba la clase obrera cuando la revolución? 1952-1959», en *Secuencia. Revista de historia y ciencias sociales*, n.º 13, Instituto Mora, México D.F., enero-abril, pp. 117-133.

Wolf, Eric (1972): *Las luchas campesinas del siglo XX*, Siglo Veintiuno Editores, México D.F.

Womack Jr., John (1969): *Zapata y la revolución mexicana*, Siglo Veintiuno Editores, México D.F.

Zeitlin, Irving (1973): *La política revolucionaria y la clase obrera cubana*, Amorrortu Editores, Buenos Aires.

Cuestiones varias

Alcántara, Manuel y Crespo, Ismael, editores (1995): *Los límites de la consolidación democrática en América Latina*, Ediciones Universidad de Salamanca, Salamanca.

Alcántara Sáez, Manuel y Freidenberg, Flavia, editores (2001): *Partidos políticos de América Latina*, Ediciones Universidad de Salamanca, 3 tomos.

Ansaldi, Waldo, coordinador (2004): *Calidoscopio latinoamericano. Imágenes históricas para un debate vigente*, Ariel, Buenos Aires.

Ansaldi, Waldo, coordinador (2006): *A mucho viento, poca vela. Las condiciones socio-históricas de la democracia en América Latina*, Fondo de Cultura Económica, Buenos Aires, en prensa.

Camp, Roderic Ai, compilador (1997): *La democracia en América Latina.*

Modelos y ciclos, Siglo Veintiuno Editores, México D.F.

Carmagnani, Marcello, coordinador (1995): *Federalismos latinoamericanos: México/Brasil/Argentina*, El Colegio de México-Fideicomiso Histórico de las Américas-Fondo de Cultura Económica, México D.F.

Cheresky, Isidoro y Pousadela, Inés, compiladores (2001): *Instituciones y política en las nuevas democracias latinoamericanas*, Paidós, Buenos Aires-Barcelona-México.

Devés Valdés, Eduardo (2000-2004): *El pensamiento latinoamericano en el siglo XX*, Editorial Biblos, Buenos Aires, 3 tomos.

Díaz-Polanco, Héctor, compilador (1991): *Etnia y nación en América Latina*, Consejo Nacional para la Cultura y las Artes, México D.F.

Dutrénit, Silvia, coordinadora (1996): *Diversidad partidaria y dictaduras: Argentina, Brasil y Uruguay*, Instituto de Investigaciones Dr. José María Luis Mora, México D.F.

Franco, Jean (1985). *La cultura moderna en América Latina*, Grijalbo, México-Barcelona-Buenos Aires.

González Casanova, Pablo, coordinador (1990): *El Estado en América Latina. Teoría y práctica*, Siglo Veintiuno Editores-Universidad de las Naciones Unidas, México D.F.

Harto de Vera, Fernando, compilador (2000): *América Latina; desarrollo, democracia y globalización*, Trama Editorial/CECAL, Madrid.

Mainwaring, Scott y Shugart, Matthew Soberg, compiladores (2002): *Presidencialismo y democracia en América Latina*, Editorial Paidós, Buenos Aires-Barcelona-México.

Meyer, Lorenzo y Reyna, José Luis, coordinadores (1989): *Los sistemas políticos en América Latina*, Siglo Veintiuno Editores-Universidad de las Naciones Unidas, México D.F.

Pla, Alberto J. (2001): *América Latina: mundialización y crisis*, Homo Sapiens Ediciones, Rosario.

PNUD, Programa de las Naciones Unidas para el Desarrollo (2004): *La democracia en América Latina. Hacia una democracia de ciudadanas y ciudadanos*, Bogotá, 2004. También disponible en versión electrónica, en *http://democracia.undp.org/*.

Robin, Marie-Monique (2005): *Escuadrones de la muerte. La escuela francesa*, Editorial Sudamericana, Buenos Aires.

Rouquié, Alain (1984): *El Estado militar en América Latina*, Emecé, Buenos Aires, 1984.

Sábato, Hilda, coordinadora (1999): *Ciudadanía política y formación de las naciones. Perspectivas históricas de América Latina*, Fondo de Cultura Económica, México D.F.

Suárez, Mercedes (1996): *La América real y la América mágica a través de su literatura*, Ediciones Universidad de Salamanca.

Bibliografía citada

Alves, Maria Helena Moreira (1984): *Estado e oposição no Brasil (1984-1984)*, Vozes, Petrópolis.

Ansaldi, Waldo (1991): «Frívola y casquivana, mano de hierro en guante de seda. Una propuesta para conceptualizar el término oligarquía en América Latina», publicado en *Socialismo y Participación*, n.º 56, Lima, diciembre 1991, pp. 15-20; en *Cuadernos del Claeh*, Año 17, n.º 61, Montevideo, julio de 1992, pp. 43-48; en Internet: *www.catedras.fsoc.uba.ar/udishal.*

Ansaldi, Waldo (1996a): «Dormir con el enemigo. Las organizaciones de la sociedad civil en la transición a la democracia política en Brasil», en El Príncipe, Año III, n.º 5/6, La Plata, septiembre-diciembre, pp. 207-247; en Internet, en *www.catedras.fsoc.uba.ar/udishal*.

Ansaldi, Waldo (1996b): «Continuidades y rupturas en un sistema de partidos políticos en situación de dictadura: Brasil, 1964-1985», en Silvia Dutrénit, coordinadora, *Diversidad partidaria y dictaduras: Argentina, Brasil y Uruguay*, Instituto de Investigaciones Dr. José María Luis Mora, México D.F, pp. 89-254.

Ansaldi, Waldo (2000): «La democracia en América Latina, entre la ficción y la esperanza», en *Anales de la Cátedra Francisco Suárez*, n.º 34, Universidad de Granada, Granada (España), 2000, pp. 173-197.

Ansaldi, Waldo (2001): «La democracia en América Latina, más cerca de la precariedad que de la fortaleza», en *Sociedad*, n.º 19, Buenos Aires, diciembre, pp. 23-54.

Ansaldi, Waldo (2003a): «Tierra en llamas. Una introducción a América Latina en los años treinta», en Ansaldi, Waldo (editor) *Tierra en llamas. América Latina en los años 1930*, Ediciones Al Margen, La Plata, 2.ª edición (corregida y ampliada).

Ansaldi, Waldo (2003b): «Democracias de pobres, democracias pobres, pobres democracias», en *Temas y Debates*, Año 7, n.º 6 y 7, Rosario, noviembre, pp. 27-43.

Ansaldi, Waldo (2004): «*Matriuskas* de terror. Algunos elementos para analizar la dictadura argentina dentro de las dictaduras del Cono Sur», en Alfredo Raúl Pucciarelli, coordinador, *Empresarios, tecnócratas y militares. La trama corporativa de la última dictadura*, Siglo Veintiuno Editores, Buenos Aires, pp. 27-51.

Ansaldi, Waldo (2004/2005): «¿Clase social o categoría analítica? Una propuesta para conceptualizar el término oligarquía en América Latina», en *Anales*, Nueva Época, Nros. 7/8, Instituto Iberoamericano, Universidad de Göteborg, pp. 157-169, y en Internet, en *http://hum.gu.se/institutioner/romanska-sprak/iberoamerikanskainstitutet/publikationer/anales/anales7/ansaldi.pdf*.

Ansaldi, Waldo y Funes, Patricia (1998): «Viviendo una hora latinoamericana. Acerca de rupturas y continuidades en el pensamiento en los años veinte y sesenta», en *Cuadernos del CISH*, n.º 4, La Plata, Segundo semestre, pp. 13-75. En Internet: *www.catedras.fsoc.uba.ar/udishal*.

Attili, Antonella y Salazar, Luis (1993): «La izquierda en un tiempo de incertidumbre», en *Leviatán. Revista de hechos e ideas*, n.º 51/52, Madrid.

Banco Mundial, *Informe sobre el Desarrollo Mundial 1990*, Washington D.C.

BID, Banco Interamericano de Desarrollo (1999): *Progreso económico y social en América Latina. Informe 1998-1999, «América Latina frente a la desigualdad»*, Washington D.C.

Bobbio, Norberto (1995): *Derecha e izquierda. Razones y significados de una distinción política*, Taurus, Madrid, pp. 143-146.

Bresser Pereira, Luiz Carlos (1985): *Pactos políticos. Do populismo a redemocratização*, Editora Brasiliense, São Paulo.

Bulmer-Thomas, Victor (1997): «Las economías latinoamericanas, 1929-1939», en Leslie Bethell, ed., *Historia de América Latina. 11. Economía y sociedad desde 1930*, Barcelona, Crítica, pp. 3-46.

Calderón, Fernando y Santos, Mario R. (1990): «Hacia un nuevo orden estatal en América Latina. Veinte tesis sociopolíticas y un corolario de cierre», en *Cuadernos del Claeh*, Año 15, n.º 54, Montevideo, octubre, pp.79-111.

Calloni, Stella (2001): *Operación Cóndor. Pacto criminal*, La Jornada Ediciones, México D.F., 2.ª edición revisada y actualizada.

Cañón, Hugo (2003): «La impunidad como esencia del Terrorismo de Estado», en Oded Balaban y Amos Megged (comps.): *Impunidad y Derechos Humanos en América Latina. Perspectivas teóricas*, University of Haifa y Ediciones Al Margen, La Plata, pp. 19-32.

Cavallo, Gabriel Rubén (2003): «Dificultades para la persecución de crímenes contra la humanidad cometidos en la República Argentina en el período 1976-1983», en Oded Balaban y Amos Megged (comps.): *Impunidad y Derechos Humanos en América Latina. Perspectivas teóricas*, University of Haifa y Ediciones Al Margen, La Plata, pp. 33-32.

CEPAL, Comisión Económica para América Latina (1965): *El proceso de industrialización en América Latina*, Nueva York, Publicación de las Naciones Unidas.

CEPAL (1990): *Transformación productiva con equidad*, Santiago de Chile, marzo.

CEPAL (2002): *Panorama social de América Latina 2000-2001*, Santiago de Chile. También disponible en Internet: www.eclac.cl..

Cueva, Agustín (comp.) (1991): *Ensayos sobre una polémica inconclusa. La transición a la democracia en América Latina*, Consejo Nacional para la Cultura y las Artes, México D.F.

Curzio, Leonardo (2006): «La transición a la democracia y la construcción de ciudadanía en México», en Waldo Ansaldi, coordinador: *A mucho viento, poca vela. Las condiciones socio-históricas de la democracia en América Latina*, Fondo de Cultura Económica, Buenos Aires.

Díaz-Alejandro, Carlos F. (1988): «América Latina en los años treinta», en Rosemary Thorp (comp): *América Latina en los años treinta. El papel de la periferia en la crisis mundial*, Fondo de Cultura Económica, México D.F., pp. 31-68.

Escobar, Santiago (1991): *Gobernabilidad y la reforma del sistema político*, Documento de Estudio 5, Comisión Sudamericana de Paz, Santiago.

Fernández, Verónica L. (2003): «Dictaduras patrimoniales en Centroamérica y el Caribe. Estudio comparativo» en Ansaldi, Waldo (editor), *Tierra en llamas. América Latina en los años 1930*, Ediciones Al Margen, La Plata, 2.ª edición (corregida y ampliada).

Flisfisch, Angel (1991): «Governabilidade e consolidaçâo democrática: sugestôes para a discussâo do caso chileno», en Hélgio Trindade (organizador), *América Latina. Eleiçôes e governabilidade democrática*, Editora da Universidade/UFGRS, Porto Alegre.

Funes, Patricia (2001): «Nunca más. Memoria de las dictaduras en América Latina. Acerca de las Comisiones de Verdad en el Cono Sur», en Bruno Groppo y Patricia Flier (comps.): *La imposibilidad del olvido. Recorridos de la memoria en Argentina, Chile y Uruguay*, Ediciones Al Margen, La Plata, pp. 43-61.

Funes, Patricia y Ansaldi, Waldo (2004): «Cuestión de piel. Racialismo y legitimidad política en el orden oligárquico latinoamericano», en Waldo

Ansaldi, coordinador, *Calidoscopio latinoamericano. Imágenes históricas para un debate vigente*, Ariel, Buenos Aires.

Garretón, Manuel Antonio (1995): *Hacia una nueva era política. Estudio sobre las democratizaciones*, Fondo de Cultura Económica, Santiago, Chile.

Gazmuri, Cristián (s.f.): «Una interpretación política de la experiencia autoritaria (1973-1990)», Publicaciones Electrónicas, Instituto de Historia, Pontificia Universidad Católica de Chile, en www.hist.puc.cl. Descargado el 27 de agosto de 2003.

Giner, Salvador (1993): «Clase, poder y privilegio», en *Leviatán. Revista de hechos e ideas*, n.º 51/52, Madrid, primavera/verano.

González, Joaquín V. (1945): *La Universidad. Teoría y Acción de la Reforma*, Claridad, Buenos Aires.

González, Luis Eduardo (1984): *Uruguay: una apertura inesperada. Un análisis sociopolítico del plebiscito de 1980*, CIESU-EBO, Montevideo.

Graciarena, Jorge (1984): «El Estado latinoamericano en perspectiva. Figuras, crisis, prospectiva», en *Pensamiento Iberoamericano*, n.º 5/a, Madrid, enero-junio, pp. 39-74.

Jelin, Elizabeth (1996): «¿Ciudadanía emergente o exclusión? Movimientos sociales y ONG en América Latina en los años 90», en *Sociedad*, n.º 8, Facultad de Ciencias Sociales, Universidad de Buenos Aires, abril, pp. 57-81.

Kindleberger, Charles P. (1988): «La depresión mundial de 1929 en América Latina vista desde afuera», en Rosemary Thorp, compiladora, *América Latina en los años treinta. El papel de la periferia en la crisis mundial*, Fondo de Cultura Económica, México D.F., pp. 361-383.

Klein, Herbert (1994): *Historia de Bolivia*, Librería Editorial Juventud, La Paz.

Lechner, Norbert (1982): «El proyecto neoconservador y la democracia», en *Crítica y Utopía. Latinoamericana de Ciencias Sociales*, n.º 6, Buenos Aires, marzo.

Lustig, Nora (1995): «La crisis de la deuda, crecimiento y desarrollo social en América Latina durante los años ochenta», en José Luis Reyna (comp.): *América Latina a fines de siglo*, Fondo de Cultura Económica, México D.F., pp. 61-115.

Mariátegui, José Carlos (1925): «¿Existe un pensamiento hispano-americano?», en *Repertorio Americano*, tomo X, n.º 17, San José (Costa Rica).

Moulian, Tomás (1997): *Chile actual. Anatomía de un mito*, Arcis Universidad-LOM, Santiago.

Moulian, Tomás (2004): «La política y los claroscuros de la democracia en América Latina», en *El Debate Político. Revista Iberoamericana de Análisis Político*, Año 1, n.º 1, Buenos Aires, verano, pp. 61-67.

O'Donnell, Guillermo, Schmitter, Philippe C. y Whitehead, Laurence, compiladores (1994): *Transiciones desde un gobierno autoritario/2, América Latina*, Ediciones Paidós, Barcelona-Buenos Aires-México.

Paz y Miño Cepeda, Juan J. (2002): *Revolución Juliana. Nación, Ejército y bancocracia*, Abya-Yala, Quito.

Pease García, Franklin (1995): *Breve historia contemporánea del Perú*, Fondo de Cultura Económica, México D.F.

Pease García, Henry (1988): «El Perú de los 80: construir democracia desde la precariedad», en *David y Goliath*, Año XVIII, n.º 53, Revista del Consejo Latinoamericano de Ciencias Sociales, Buenos Aires, agosto-septiembre.

Pereyra, Daniel (1994): *Del Moncada a Chiapas. Historia de la lucha armada en América Latina,* Los Libros de la Catarata, Madrid.

PNUD, Programa de las Naciones Unidas para el Desarrollo (2004): *La democracia en América Latina. Hacia una democracia de ciudadanas y ciudadanos,* Bogotá, 2004. También disponible en versión electrónica, en http://democracia.undp.org/.

Polanyi, Karl (1957): *La gran transformación,* Fondo de Cultura Económica, México D.F.

Portantiero, Juan Carlos (1978): *Estudiantes y política en América Latina. El proceso de la reforma universitaria (1918-1938),* Siglo Veintiuno Editores, México D.F.

PREALC (1987): *Ajuste, empleo e ingresos.* Informe final de la V Conferencia del PREALC, Santiago de Chile.

Pucciarelli, Alfredo Raúl, coordinador (2004): *Empresarios, tecnócratas y militares. La trama corporativa de la última dictadura,* Siglo Veintiuno Editores, Buenos Aires.

Puchet Anyul, Martín (2003): «La crisis de los treinta y de los ochenta en América Latina. Una explicación en clave comparada», en Waldo Ansaldi, editor, *Tierra en llamas. América Latina en los años 1930,* Ediciones Al Margen, La Plata, 2.ª edición, pp. 321-338.

Quintero, Rafael y Silva, Erika (1991): *Ecuador: una nación en ciernes,* FLACO-Abya-Yala, Quito.

Roberts, Kenneth (1998): «El noeoliberalismo y la transformación del populismo en América Latina. El caso peruano», en Mackinnon, María y Petrone, Mario (comps.): *Populismo y neopopulismo en América Latina. El problema de la Cenicienta,* EUDEBA, Buenos Aires.

Rouquié, Alain y Suffern, Stephen (1997): «Los militares en la política latinoamericana desde 1930», en Leslie Bethell, ed., *Historia de América Latina. 12. Política y sociedad desde 1930,* Crítica, Barcelona, pp. 281-341.

Skidmore, Thomas (1988): *Brasil: de Castelo a Tancredo 1964-1985,* Paz e Terra, Río de Janeiro.

Soler, Lorena (2002): «La transición perenne. Partidos políticos y coyuntura electoral en Paraguay (1990-2000)», en *e-l@tina. Revista electrónica de estudios latinoamericanos,* Volumen 1, n.º 1, Buenos Aires, octubre-diciembre, pp. 16-28. En Internet, en http://www.iig.fsoc.uba.ar/elatina.htm.

Testa, Víctor (1964): «Crecimiento (1935-1946) y estancamiento (1947-1963) de la producción industrial argentina», en *Fichas de Investigación Económica y Social,* Año 1, n.º 1, Buenos Aires, abril, pp. 5-23.

Thorp, Rosemary, compiladora (1988): *América Latina en los años treinta. El papel de la periferia en la crisis mundial,* México, Fondo de Cultura Económica.

Torres-Rivas, Edelberto (2004): «Centroamérica. Revoluciones sin cambio revolucionario», en Waldo Ansaldi, coordinador, *Calidoscopio latinoamericano. Imágenes históricas para un debate vigente,* Ariel, Buenos Aires.

Vattimo, Gianni (2005): «Al regresar de Venezuela», en *Rebelión,* 6 de agosto de 2005, en *http://www.rebelion.org/noticia.php?id=18658.* Originariamente, «E io scelgo la democrazia di Chávez», *La Stampa,* 25 luglio 2005, en *http://www.giannivattimo.it/Editoriali/25.7.2005.html).* Descargado el 19 de septiembre de 2005.

Weffort, Francisco (1978): «Classes populares e desenvolvimento social. Contribução ao estudo do populismo», Instituto Latinoamericano de Planificación Social ILPES, CEPAL, Santiago de Chile, pp. 84-85.

Wickham-Crowley, Timote P. (2001): «Ganadores, perdedores y fracasados: hacia una sociología comparativa de los movimientos guerrilleros latinoamericanos», en Susan Eckstein, coordinadora, *Poder y protesta social. Movimientos sociales latinoamericanos*, Siglo Veintiuno Editores, México D.F., pp. 144-192.